Breve Historia de la Guerra Civil Española

Breve Historia de la Guerra Civil Española

Iñigo Bolinaga

Colección: Breve Historia
www.brevehistoria.com

Título: Breve Historia de la Guerra Civil Española
Autor: © Iñigo Bolinaga

Doña Juana I de Castilla 44, 3° C, 28027 Madrid
www.nowtilus.com

Editor: Santos Rodríguez
Coordinador editorial: José Luis Torres Vitolas

Diseño y realización de cubiertas: Universo Cultura y Ocio
Diseño del interior de la colección: JLTV
Maquetación: Claudia Rueda Ceppi
Mapas: Juan Igancio Cuesta

ISBN-13: 978-84-9763-579-0
Fecha de edición: Febrero 2009

Printed in Spain
Imprime: Imprenta Fareso S.A.
Depósito legal: M. 2.007-2009

A Laura

ÍNDICE

1

El baile de las brujas

El hombre providencial

Las elecciones generales celebradas en febrero de 1936 dieron la victoria a una heterogénea agrupación de partidos de izquierda que, apiñada tan solo un mes antes bajo la denominación común de Frente Popular, recogía sensibilidades políticas extremadamente diversas. Desde la reformista Izquierda Republicana de Manuel Azaña hasta agrupaciones políticas extremistas como el Partido Comunista de España o el anarquizante Partido Sindicalista de Ángel Pestaña, la diversidad del conglomerado electoral de las izquierdas era tan patente como sorprendente su unión. Un encaje de bolillos diseñado para ganar las elecciones sobre un programa forzosamente moderado, centrado en la autonomía regional, la reforma agraria, la laicidad y la concesión de una amplia amnistía a los presos damnificados del bienio gubernamental inmediatamente anterior. Si bien los resultados electorales, contados en número de votos, no supusieron una victoria holgada para la agrupación de izquierdas –4.654.116 votos para el Frente Popular sobre los 4.503.505 obtenidos por los partidos de la derecha–, el sistema electoral republicano preveía la primacía de las mayorías, de manera que traducido a escaños la izquierda ganó por goleada, con 278 escaños contra solamente 130 de la derecha.

El sistema electoral que tantas protestas generó entre los perdedores y que a muchos, Franco entre ellos, les pareció ilegítimo, era perfectamente legal. Dimanaba de un decreto de mayo de 1931 que rigió durante todo el periodo republicano, según el cual el partido o coalición que lograra la mayoría de los votos en cada circunscripción –siempre que superara un límite mínimo en número de votos emitidos– se llevaba todos los escaños destinados a la mayoría, cerca del 80%, quedando las sobras para el segundo, por muy poca diferencia de votos que tuvieran. Era, pues, un sistema que favorecía la formación de coaliciones de partidos como el Frente Popular o la Confederación Española de Derechas Autónomas (CEDA), que a pesar de su esfuerzo no logró agrupar a todas las sensibilidades de la derecha tan bien como, sorprendentemente, hizo el Frente Popular. Quizá una de las explicaciones a tan inaudita armonía entre las izquierdas provenga del hecho de que fue la propia Internacional la que animó a los partidos comunistas a integrarse en los Frentes Populares, para así hacer frente mejor al avance del fascismo y la derecha radical en Europa. Esto obligó

Manuel Azaña Díaz, fundador y presidente de Izquierda Republicana. Desempeñó cargos de primera magnitud en los gobiernos izquierdistas de la república, desde ministro de defensa hasta presidente del gobierno. Durante la guerra desempeñó el cargo de presidente de la república, siendo eclipsado por presidentes de gobierno con personalidades más enérgicas.

a muchos partidos miembros del Komintern a *taparse la nariz* para hacer causa común con la izquierda moderada. Sea como fuere, España fue el primer país del mundo en el que un Frente Popular se enfrentaba a la tarea de formar gobierno –luego le tocaría a Francia, en mayo de 1936–, lo que a los sectores más reaccionarios no podía sonarles más que a antesala de la revolución. La derecha no perdió el tiempo, y tan temprano como la madrugada del día siguiente a las elecciones, presionó al todavía jefe de gobierno, Manuel Portela Valladares, para que desautorizara el resultado electoral decretando la ley marcial en todo el país en previsión de desórdenes callejeros. Altamente coordinados, el jefe del Estado Mayor del ejército, Francisco Franco, y el líder de la CEDA, José María Gil Robles, saltaron como tiburones contra su pieza; el militar tocando teclas en el ejército y la Guardia Civil para convencerles de la necesidad de proclamar el estado de guerra, tal y como ocurrió en 1934 en Asturias; el político presionando a las autoridades civiles, principalmente a Portela Valladares, a quien obligó a levantarse de la cama a las tres de la mañana para convencerle de que se estaba gestando el Apocalipsis. Para aquella derecha histérica un gobierno de izquierdas era el caos, la desorganización, la antiespaña. Tenían una visión ciertamente miope de la heterogeneidad de grupos que componían el Frente Popular: para ellos todos era "rojos", sin distinción. Todos actuaban bajo el dictado de los bolcheviques de Moscú. Una perspectiva ramplona que sin embargo fue plenamente compartida por muchos miembros de una izquierda en gran medida radicalizada, que veía fascistas en todo lo que oliera a derecha, lo fueran realmente o no.

Los denodados esfuerzos del binomio Franco-Gil Robles no parecían dar sus frutos. Portela se resistía a firmar un decreto de estado de guerra ya preparado y el director general de la Guardia Civil, Sebastián Pozas, se negó rotundamente a acceder a la solicitud de Franco para que sacara a sus hombres a la calle. Posteriores intentos tampoco lograron el efecto deseado, de manera que finalmente el propio Franco acudió a la presencia de Portela Valladares. El presidente del gobierno acusaba ya la terrible presión que Gil Robles y los suyos habían ejercido en él las últimas horas y recibió a Franco aturdido y asustado. La situación le superaba y desde su inicial negativa a las exigencias del líder de la CEDA, había derivado en pocas horas a aceptar una reunión del pleno del gobierno en la que se decidió decretar el estado de alarma, el inmediatamente anterior al de guerra. Pero eso no era suficiente para Franco. Había que cortar la revolución de raíz, desde sus inicios, que no ocurriera como en Asturias. Había que presionar más y más sobre el jefe de gobierno, hasta que el ejército tuviera plenos poderes en las calles. Ante tal insistencia, Portela terminó por hundirse y presentó la dimisión al presidente Niceto Alcalá-Zamora de una forma más bien apresurada. Ni siquiera esperó a la constitución del nuevo parlamento. Las apariencias parecen apuntar con el dedo acusador a Portela de abandonar el barco justo cuando más necesitaba de un capitán, y si bien es cierto que debió de mantenerse interinamente en el cargo hasta la formación de nuevas cortes, también lo es que buscó a Manuel Azaña, la gran figura política del Frente Popular, solicitándole que accediera a ocupar ese poder interino en su lugar. Azaña, enormemente sorprendido por lo extraño y repentino de la solicitud, se sintió remiso a aceptar el cargo, pero finalmente su capacidad de hombre de estado se impuso. "Una vez más, dijo compungido, hay que segar el trigo en verde". Portela huyó despavorido, pero tuvo el valor y la honradez de enfrentarse a las presiones de la derecha cediendo el puesto a una persona de izquierdas, a quien legítimamente correspondía el poder según el resultado de las elecciones. De esta manera, la derecha ya no podía aprovecharse de la debilidad de un Portela que, si hubiera mantenido unos días más el poder, quizá habría terminado accediendo a las presiones de Franco y Gil Robles.

Azaña no era un recién llegado a las lides de la política nacional. Después de una vida dedicada al estudio y la actividad política, con la proclamación de la república, en abril de 1931 asume el cargo de ministro de la guerra y luego presidente de gobierno, llevando a la práctica un gran paquete de medidas destinadas a modernizar el país y eliminar las endémicas desigualdades sociales, lo que le llevará a un enfrentamiento abierto con la iglesia y el ejército, más buscado por los dos primeros que por el propio Azaña. Las medidas a favor de la reforma agraria, la legalización del divorcio, la secularización de la enseñanza, el decidido recorte militar en cuadros y alteración del sistema de ascensos, y la clara apuesta por la autonomía catalana, inauguraron la terrible lista de agravios que la iglesia, el ejército y en general todos los sectores conservadores echarían en cara a la república

Como líder de la CEDA, José María Gil Robles intentó influir en el presidente del gobierno, Manuel Portela Valladares, para que diera una orden de estado de guerra.

pocos años más tarde, siempre muy reacios a cualquier cambio, detrás del cual, veían la revolución. Pero los agravios no brotaron solamente por la derecha. La izquierda veía en las reformas del gabinete Azaña casi un paso atrás, una forma de complacencia con la derecha, en vez de derrocar a los señoritos y hacer de una vez por todas la revolución. La brutal actuación policial en el poblado gaditano de Casas Viejas, en el que se había proclamado la comuna anarquista, y otros casos similares como el de Arnedo[1] dieron alas a la izquierda para reforzar sus tesis contra Azaña. En un país en el que se generalizó peligrosamente en grandes capas de la población la idea de que los de izquierdas eran todos bolcheviques y los de derechas fascistas, Azaña era una especie de bicho raro que a nadie satisfacía. Y por supuesto, desde muchos sectores de la derecha, no era más que un rojo bolchevique, así como un sucio reaccionario burgués para las izquierdas.

Sin embargo, Manuel Azaña no se arredró y continuó trabajando en la línea que se había marcado. Culto, inteligente, dotado de sobrado talento para el gobierno... sí, pero quizá le faltó eso que llamamos *mano izquierda* a la hora de proceder a las tan necesarias reformas, algo fundamental habida cuenta de la hipersensibilidad política de los españoles de la época. Azaña diagnosticó con brillantez los males que atenazaban al país y no dudó en arremangarse y ponerse manos a la obra para sacarlo del fango. Allí donde la derecha veía una España bucólica y tradicio-

[1] En enero de 1932 la Guardia Civil disparó sobre un grupo de huelguistas en la plaza de la localidad riojana de Arnedo, con resultado de once muertos y numerosos heridos.

nal amenazada por el bolchevismo, se alzaba la horrible realidad de un país subdesarrollado que no podía progresar más que con fuertes dosis de realismo y ganas, algo muy alejado de los ideales medievales de gran parte de la derecha española. En este sentido se puede decir que Manuel Azaña fue lo más cercano que tuvo España de aquel "Cirujano de Hierro" que tan urgentemente solicitaron Joaquín Costa y los regeneracionistas de principios de siglo para hacer frente a la decadencia española. El problema está en que quizá España no estaba preparada para un reformista de tan alta calidad, quizá no estaba aún madura para ello. Segar el trigo en verde podría ser una buena síntesis de lo que fue la Segunda República desde su nacimiento hasta su triste desaparición.

Franco, otro de los personajes clave de esta historia, tampoco era un recién llegado. Lo fuera o no, este sí que tenía bien clara su misión de hombre providencial, o al menos de centinela del orden tradicional en España. Y es que, ciertamente, podía sentirse satisfecho de sí mismo. Lo había logrado todo dentro de la carrera militar. Nunca hubo otra opción para él que las armas, otra cosa era inimaginable. Y ascendió como un rayo, llegando a convertirse en el general más joven de su época. Franco se labró una meteórica ascensión a base de heroicas gestas de armas forjadas en las arenas del norte de África, donde se ganó fama de despiadado y valiente. Fue uno de los militares más decididos a la hora de sostener la guerra contra la República del Rif hasta derrotarla, costara lo que costara, haciéndose así un puesto destacado entre los sectores más duros y belicosos del ejército; tanto que es famosa la anécdota que cuenta que organizó un banquete con motivo de la llegada a África del dictador Miguel Primo de Rivera, en el que todos los platos estaban compuestos por huevos, haciéndole ver que eso era precisamente lo que le faltaba. No hay duda de que a Primo de Rivera se le debió de indigestar el banquete, pero no se atrevió a firmar un expediente que sin duda habría merecido. El cadete "Franquito" de la academia militar, moreno, bajito y de voz atiplada, se había convertido en un mito para las nuevas generaciones militares, que le admiraban como uno de los héroes de Marruecos. Ya era un símbolo. Y contra eso no podía hacer nada ni siquiera el dictador[2].

Tras el fin de la Guerra de África fue nombrado director de la Academia Militar General de Zaragoza. En octubre de 1934 estalló la insurrección obrera de Asturias y el gobierno radical-cedista se echó en brazos del "héroe de África" para que le resolviera la papeleta, que se saldó con la intervención de la legión y una saña contra los vencidos nunca vista en Europa. Se había convertido en el hombre de confianza del gobierno y fue nombrado jefe del Estado Mayor. Ya no podía subir más alto, o eso creía él. Sin embargo, la victoria del bloque de las izquierdas en las elecciones de 1936 desestabilizó su magnífica vida. El hecho de que sus enemigos declarados ascendieran al poder suponía con toda seguridad no poder seguir manteniendo su privilegiado puesto,

2 Apócrifa o no, la anécdota del banquete de huevos sirve como ejemplo del talante que se gastaban los militares africanistas, entre los que decididamente se hallaba Franco, contra todo aquel que se atreviera a insinuar el abandono de la zona de influencia española en el norte de África.

cosa que efectivamente ocurrió, ya que poco después el gabinete Azaña lo destinó a Canarias por considerarlo desafecto. Otra razón más para odiar a Azaña y a la república de izquierdas que le relegaba.

Y mientras el presidente Azaña trabajaba en sus proyectos de reforma, el futuro "Caudillo" tramaba desde su destino canario un plan para eliminar de una vez por todas a aquella "chusma roja" que no hacía más que poner trabas a España y al desarrollo de su propia carrera militar. Y en eso de tramar, Franco era más fino que su imaginario oponente gubernamental. Si bien es cierto que intelectualmente Azaña estaba muy por encima de Franco, eso no quiere decir que este no tuviera cabeza. Si Azaña era el intelectual urbano y moderno, Franco contaba en grandes dosis con la inteligencia rural del cacique, del señorito de cortijo; una inteligencia sibilina ideal para organizar y enfrentar a las personas, de la que carecía Azaña y que le sirvió para imponerse sobre los demás. Muy al contrario, el republicano ostentó el cargo de jefe de estado durante la guerra civil, pero en la práctica fue relegado por personalidades más apasionadas. La vida es una selva, y de eso sabía mucho más Franco que Azaña.

Segar el trigo en verde

El 19 de febrero de 1936 se formó un gobierno interino de urgencia casi íntegramente formado por miembros de Izquierda Republicana, el partido de Azaña, que a sabiendas de su interinidad se dispuso a allanar el camino al próximo gobierno atacando sin demora las acciones más urgentes. Así, tan pronto como el 21 de febrero el gabinete Azaña promulgó un decreto de amnistía que afectó a un gran número de presos, injustamente encarcelados durante la etapa de gobierno de la derecha, principalmente a resultas de las huelgas de octubre de 1934[3]. Más de ochocientos presos políticos salieron de nuevo a la calle, libres de cargos, entre la satisfacción de la izquierda y el desagrado de la derecha. Esta amnistía había sido fervientemente solicitada por las masas populares y de hecho era uno de los puntos básicos del programa con el que el Frente Popular se presentó a las elecciones. De no haberlo completado, Azaña habría tenido muchísimos problemas con las izquierdas, que era en quienes al fin y al cabo se apoyaba. Para la derecha, en cambio, aquello fue una especie de salida masiva de prisión de revolucionarios confesos dispuestos a dinamitar los pilares del estado con la aquiescencia del gobierno, lo que la reafirmó en su idea de que Azaña estaba preparando la revolución y que no era menos "rojo" que los demás. Para mayor desazón de las dere-

[3] Tras diez meses de involución sobre las reformas introducidas por los gobiernos anteriores, la entrada de tres ministros de la CEDA en el gabinete radical de Alejandro Lerroux hizo estallar una huelga general obrera que tuvo sus principales escenarios en Asturias y Cataluña. En el primer caso la huelga se transformó en una auténtica insurrección en la que el proletariado, organizado en comités, tomó el control de los servicios y medios de producción formándose una especie de estado revolucionario que fue derrotado *manu militari* por los tabores y la Legión. En Cataluña, la proclamación del Estado catalán terminó con la Generalitat suspendida y su gobierno en pleno encausado y encarcelado.

chas, pocos días después la Generalitat fue aclamada con un recibimiento apoteósico a su retorno a Barcelona. Tras su estancia en distintos penales del sur de España, los miembros del gobierno catalán volvían a sus puestos de responsabilidad gubernamental como si nada hubiera pasado, con el *president* Companys a la cabeza. La reactivación y desarrollo del autonomismo catalán era otra de las promesas electorales que el gobierno de Azaña cumplía nada más sentarse en el sillón presidencial; y es que el republicanismo reformista tenía muy claro que en la cuestión de las identidades nacionales, España arrastraba un terrible problema secular que amenazaba con cronificarse si no se le prestaba la debida atención. La actitud general de los gobiernos de la monarquía había sido el de mirar para otro lado, obviando el asunto, o la pura y simple represión de sus órganos de expresión. Sin embargo, el hecho es que, ayer como hoy, existe un nada desdeñable número de ciudadanos que se identifican con colectividades nacionales distintas a la española. Los republicanos aseguraron desde el primer momento que este era uno de los frentes más importantes que había que resolver y se pusieron manos a la obra a fin de estructurar un estado regional o federal para satisfacer las aspiraciones de los distintos nacionalismos, incluido el español. La vía estatutaria fue a todas luces insuficiente para los sectores más fervientemente independentistas y demasiado audaz para los defensores de un nacionalismo español unitario, pero los republicanos consideraron que, dejando de lado ambos extremos, la solución estatutaria satisfaría a la mayoría de la población. Esta creencia venía dada por el hecho de que el catalanismo en todas sus vertientes tomó parte activa en el pacto de San Sebastián[4], lo que hizo que las reivindicaciones catalanas fueran escuchadas nada más proclamarse la república.

El catalanismo no fue solamente el nacionalismo más activo y de mayor peso político y demográfico del estado, sino también uno de los más importantes sostenes de la república de izquierdas. A partir de 1931 la primacía del nacionalismo moderado y burgués de la *Lliga Regionalista de Catalunya* –posteriormente renombrada como *Lliga Catalana*– dentro del campo del catalanismo político fue sustituida por un nuevo modelo, más progresista y decididamente republicano, representado por *Esquerra Republicana de Catalunya*. ERC dominó el campo político del catalanismo durante toda la etapa republicana, dando muestras de la vitalidad de una corriente nacionalista de izquierdas con bases populares sólidas que reclamaba el reconocimiento de la identidad catalana y una eventual independencia dentro del marco de avance social y reformismo de la izquierda azañista. Aunque de izquierdas y progresista, *Esquerra Republicana* acogió en su seno un número de sensibilidades políticas muy diversas, de manera que en el partido cabían desde reformistas moderados hasta independentistas radicales,

4 La firma del Pacto de San Sebastián en agosto de 1930 comprometió a republicanos, catalanistas y galleguistas a trabajar por todos los medios por la proclamación de la república y el desarrollo de un estado regional basado en los estatutos de autonomía para quien lo pidiera. A pesar de su celebración en la capital guipuzcoana, los nacionalistas vascos no tomaron parte en ella.

incluido un sector asimilable a los fascismos europeos liderado por Josep Dencàs y sus uniformadas escuadras de *escamots*.

Además de en Cataluña, en otros territorios también se animó a la presentación de anteproyectos estatutarios, la mayoría de ellos acogidos con satisfacción por la república de izquierdas. En Galicia, una coalición llamada Partido Galleguista organizó comicios para aprobar un estatuto que elaboró sin que la república pusiera ninguna dificultad y que fue aprobado en junio de 1936 por más del 70% de los votantes, no aplicándose debido al inicio de la guerra civil. También Andalucía, con Blas Infante a la cabeza y un sentimiento reformista que conectaba bien con la república, inició un proceso autonómico que tampoco culminó por el estallido de la guerra civil. Únicamente el nacionalismo vasco, representado casi al cien por cien por un PNV católico en lo religioso y conservador en lo social, tardó más en ver reconocido su estatuto; de hecho, fue tras el inicio de la guerra. En contraste con el nacionalismo moderno y cosmopolita de la Esquerra y los partidos que lideraron el autonomismo en Galicia y Andalucía, el PNV miraba con recelo a la "república atea" que desde Madrid amenazaba al edén vasco. El nacionalismo vasco había arraigado en poco tiempo y con mucha fuerza en la zona rural del país, pero el cinturón industrial del Gran Bilbao continuaba impermeable a su mensaje. Junto con Madrid y Asturias, la margen izquierda del Nervión continuaba siendo una de las bases más sólidas del PSOE y la UGT, certificando así el fracaso del PNV a la hora de generar un nacionalismo progresista que aglutinara a un espectro social más amplio de la sociedad vasca. Muy al contrario que en los casos gallego, andaluz o catalán, el nacionalismo progresista tuvo en el País Vasco una presencia meramente testimonial[5]. Así pues, las dos corrientes que se disputaban la hegemonía política y social en el País Vasco eran el nacionalismo confesional del PNV y el integrismo ortodoxo de los carlistas, anclados en una dinastía real varias veces derrotada. El territorio vasco se dibujaba así como una zona abonada para la contrarrevolución.

A pesar de todos los obstáculos, el gobierno interino de la república tenía muy claro que, en el poco tiempo que le quedaba hasta la constitución de las nuevas Cortes, debía de continuar con su labor

---

5 La única representación progresista dentro del nacionalismo vasco de la época fue un pequeño partido denominado Acción Nacionalista Vasca (ANV). A la vista de la celebridad de que dichas siglas han gozado en los últimos tiempos al socaire de su identificación con la denominada izquierda abertzale, el autor se ve obligado a suscribir la opinión del profesor José Luis de la Granja cuando afirma que se trató de un partido moderado, aconfesional y republicano no marxista que formó parte del Frente Popular y colaboró con el gobierno de la república. Unos postulados que quedan muy lejos de las intenciones rupturistas de gran parte del PNV, en especial los sectores aberriano y jagista, que propugnaban un nacionalismo rabiosamente independentista partidario de la ruptura absoluta con España. En este sentido, la identificación de la ANV histórica con los postulados de Batasuna defendidos por la ANV actual no se sostiene, siendo la primera un movimiento reformista equiparable a la socialdemocracia y la segunda un partido rupturista con aspiraciones revolucionarias. Ver: Granja Sainz, José Luis de la. *Nacionalismo y Segunda República en el País Vasco*. Madrid: Siglo XXI, 2008.

de desbroce, para que el próximo gabinete pudiera acometer las reformas con ciertas garantías de éxito. La última de las decisiones que tomó consistió en alejar de los puestos cercanos al ejecutivo a los militares considerados peligrosos. Que los militares tramaban continuos planes contra el gobierno era algo sabido y en cierto modo asumido como algo natural. No en vano, los pronunciamientos militares de todo signo fueron una constante en aquella España convulsa de los siglos XIX y XX, de forma que en la mentalidad militar cuajó la idea de que uno de los principales deberes de la casta militar era velar por el orden en el país, siendo moralmente lícito levantarse contra el gobierno si consideraban que las cosas no iban bien. Consciente de todo ello, el gabinete Azaña tomó la arriesgada decisión de destinar a Franco a la Comandancia General de Canarias, a Goded a Baleares y más tarde a otros, como el general Mola, a Pamplona. Al fin y al cabo este "destierro" no enemistaría más a los susodichos militares con la república y sí que libraría a esta de peligrosos elementos que desde sus puestos de influencia podrían haber conspirado contra ella. Sin embargo, el destino pamplonés de Mola, que pronto será conocido como "el director" en reconocimiento a su papel central en la trama del golpe contra la república, fue un error táctico imperdonable. De esta forma sancionaban legalmente el envío del que fue cerebro de la conspiración al destino más rabiosamente dispuesto a levantarse en armas contra la república. Y es que, a pesar del paso del tiempo, en la Navarra de 1936 el carlismo era, como en el siglo XIX, hegemónico e irreductible. Las milicias del partido, conocidas popularmente como "el requeté", englobaban a una parte muy importante de la población masculina de la provincia, que no dudó en alzarse junto a Mola cuando este se sublevó contra la república en julio de 1936.

Sin embargo, los militares no eran los únicos que amenazaban el orden vigente. Debido en parte a la coincidencia cronológica con la etapa de expansión del fascismo y la extrema izquierda, en la España de los años treinta se había generalizado una cultura de la violencia que cooperó para que tanto los partidos de derechas como los de izquierdas se dotaran de grupos paramilitares prestos a actuar en caso de confrontación militar. El decano de estas milicias políticas era el ya mencionado "requeté", columna vertebral de un auténtico partido en armas heredero de una tradición guerrera de la que los carlistas se sentían profundamente orgullosos. Con el tiempo, el PNV, el PCE, la CEDA y el propio PSOE formaron escuadras militares, por no hablar de la Falange, los *escamots* o los anarquistas, lo que propició un enrarecido clima que desembocó en el enfrentamiento callejero: quema de iglesias, sabotajes contra sedes de diferentes partidos y asesinatos políticos al más puro estilo de Al Capone. El atentado político se convirtió en algo tan cotidiano como hacer de vientre y el gobierno se vio desbordado. Cada semana se proclamaba el comunismo libertario en algún punto de España y eran las fuerzas de orden público quienes tenían que "resolver" el problema haciendo uso de los métodos que todos imaginamos, con la consiguiente indignación de las izquierdas y el creciente enfado de las derechas. Los sectores más radicalizados de los diferentes partidos políticos se lanzaron con la fuerza del neófito a la práctica del terrorismo tal y como hoy lo conocemos. A un atentado de la derecha le respondía otro de la izquierda, en una espiral de violencia que no hacía sino empeorar siempre un poco más las cosas. Harto ya de semejante situación, el atentado falangista contra un profesor de universidad y diputado socialista dio la excusa perfecta al gobierno para ilegalizar a Falange Española de las JONS (15 de marzo de 1936). Días antes, jóvenes falangistas habían intentado asesinar a tiros a Luis Jiménez de Asúa cuando salía de su casa en dirección a su puesto de trabajo en la Universidad Central de Madrid. El profesor resultó ileso[6], pero su escolta murió en el atentado. La ilegalización e ingreso en prisión de la cúpula de Falange supuso un claro aviso de que desde el gobierno no se iban a permitir semejantes actos de terrorismo, ni por parte de las derechas ni por las izquierdas. José Antonio Primo de Rivera, líder indiscutible del partido fascista español, fue encarcelado en el penal de Alicante.

Así las cosas, la primera semana de abril se constituyeron las nuevas Cortes, encargadas de escoger a un nuevo gobierno y a un nuevo jefe de estado, dado que, a petición del PSOE, Alcalá Zamora fue destituido por irregularidades en la disolución de las cortes anteriores. El 10 de mayo, Azaña fue proclamado nuevo presidente de la república y Santiago Casares Quiroga, galleguista, republicano y "azañista", encargado de la formación del gobierno.

---

6 Años más tarde, Luis Jiménez de Asúa se convirtió en el presidente de la República Española en el exilio, cargo que ocupó desde 1962 hasta su muerte en 1970.

La conspiración

El nuevo gabinete nació con la idea fija de marcar la legislatura con la impronta de la mesura. Puso de nuevo en marcha las necesarias reformas del primer gobierno republicano, cercenadas durante el bienio radical-cedista, pero delimitando con mucho tiento cualquier tipo de reforma que molestara a los sectores más reaccionarios. Por ejemplo, al tiempo que desarrolló la organización de un sistema educativo laico, en ningún momento se pretendió terminar con el religioso, desarrollando una educación paralela y apoyando también la enseñanza católica desde las altas instancias. Los republicanos habían aprendido mucho de sus fracasos anteriores. Sabían que las proclamas y actitudes excesivamente progresistas serían rechazadas sin titubeos por la derecha, de modo que optaron por el cambio progresivo. Al fin y al cabo, un cocido se hace mejor a fuego lento. Sin embargo, las viejas rencillas pudieron más que las buenas intenciones. El odio inveterado de las derechas más extremistas no tenía cambio de sentido posible, hicieran lo que hicieran desde el poder. La situación en las calles siguió siendo caótica, y el caldeado ambiente político-social radicalizó hasta el extremo a los miembros más proclives a ello: las juventudes de los partidos. El caso más sintomático fue el de la CEDA, que tuvo que presenciar impotente cómo en los últimos meses anteriores a la Guerra Civil, el grueso de sus juventudes, las Juventudes de Acción Popular (JAP), se pasaron en masa a las filas de la ilegal Falange Española de las JONS, cuya devoción a la violencia lo convertía en un partido muy atractivo. Se ha dicho que a partir de estos momentos FE-JONS se convierte *de facto* en FET-JONS[7] debido a que el ingreso masivo de elementos derechistas radicalizados, enamorados de los métodos expeditivos que los fascistas empleaban en su lucha cuerpo a cuerpo contra las izquierdas, desvirtuó su esencia original. Y es que cada vez menos gente creía en la república. En los meses previos a la guerra, la derecha republicana –o al menos no monárquica– de la CEDA, fue arrinconada por una derecha más vehementemente antiizquierdista representada principalmente en el Bloque Nacional y su adalid José Calvo Sotelo, un ex ministro de la dictadura que incendiaba los escaños del congreso cada vez que soltaba alguna de sus soflamas. Asimismo, dentro de las izquierdas se vivió un proceso paralelo; las diferencias dentro del PSOE entre el sector duro representado por Francisco Largo Caballero –agasajado por los soviéticos como el Lenin español–, y el moderado representado por Indalecio Prieto, llegaron hasta tal punto que se llegó a pensar en una más que probable escisión entre ambos sectores. El momento álgido llegó tras la victoria de los prietistas, favorables a un entendimiento con el gobierno y conscientes de que si el PSOE no lo apoyaba, la república se hundiría definitivamente. Los caballeristas no entendían cómo desde un partido marxista, como aún era el PSOE, se podía apoyar a un gobierno que representaba a la burguesía republicana sin que se les cayera la cara de vergüen-

[7] En abril de 1937, sobre la base de FE de las JONS, Franco creará un partido ultraconservador denominado FET de las JONS.

za. No tomarían parte en ello. Había que hacer la revolución. Sin paliativos. Sin contemplaciones. Tal era la distancia que llegó a existir entre las dos secciones del partido que cuando se reunieron las cortes para escoger el gobierno que finalmente formó Casares Quiroga, la primera opción que se barajó fue la de Indalecio Prieto, y no prosperó porque fueron los caballeristas quienes vetaron su candidatura. Este no es el único ejemplo de la situación que se vivía dentro del PSOE, ya que en algún mitin del partido Indalecio Prieto llegó a ser recibido a tiros entre gritos de "fascista" y otras exquisiteces parecidas.

Y mientras el sectarismo caballerista veía fascistas hasta en sus compañeros de partido, la derecha acusaba al gobierno de practicar una política destinada a implantar la dictadura del proletariado. Semejante prueba de estupidez política llevó a determinadas personas a plantearse la idea de implantar una dictadura republicana, para que se pudieran llevar a cabo las reformas necesarias sin que desde fuera estuvieran constantemente dinamitando la costosa labor del gobierno. La idea no pasó de eso, de idea. Ni siquiera llegó a calar en la gran mayoría de los republicanos. De hecho, la aplicación de semejante plan era frontalmente contraria a las ideas de Azaña y los suyos; pero visto desde una perspectiva sardónica, a uno se le ocurre que quizá eso podría haber salvado a la república y al país en su conjunto. Al fin y al cabo, el radicalismo político de las derechas y las izquierdas condujo a España a una guerra civil cruel y estéril. Quizá la extensión social del radicalismo no fuera más que el signo del bajísimo nivel cultural de los españoles de la época, tanto en los sectores obreros como en los aristocráticos. No sin cierto cinismo pero con mucha razón, Azaña afirmó con pena que "en España la mejor manera de guardar un secreto es escribir un libro (y que) si los españoles habláramos solo y exclusivamente de lo que sabemos, se produciría un gran silencio que nos permitiría pensar". Frases ácidas, amargas, ingeniosas y cáusticas que dibujan con trazos gruesos pero acertados la realidad cultural de la España de los años treinta.

Frente a los desmanes, un poder fáctico a tener muy en cuenta en la España de la época: el ejército. Como sabemos, desde el mismo día de la victoria del Frente Popular, los militares, entre maniobra y maniobra, hacían planes de pronunciamiento. En un principio hubo diferentes proyectos en distintos acuartelamientos protagonizados por heterogéneos elementos militares, pero fue el general Emilio Mola quien tuvo la virtud de engarzar a todas ellas en un único proyecto levantisco que, al menos, garantizaba un pronunciamiento menos chapucero. Nacido en Cuba y profundamente imbuido de un sentido de la responsabilidad de la que hacía gala en todas las facetas de su vida, Mola no era un militar al uso. Contaba con una amplitud de miras verdaderamente poco habitual en la casta militar; decididamente, no era monárquico y nunca pretendió organizar un golpe de estado para reinstaurar un sistema que consideraba vetusto. Mola rescató la idea de imponer una dictadura republicana, pero adulterada por un dominio completo del ejército como gobernante, juez, legislador y garante de la estabilidad nacional. Eso sí, sin ninguna idea política prediseñada. Coaligado con José Sanjurjo, un conocido militar exiliado en Portugal después de haber protagonizado un fallido golpe de estado en 1932, y en contacto estrecho con él, diseñó un alzamiento exclusivamente militar que tuvo su pistoletazo de salida en marzo de 1936, cuando se reunió con un grupo de generales entre los que se hallaba Francisco Franco. El proyecto se planteó con la idea clara de echar a la izquierda del poder, sustituyendo a los políticos por los militares con la idea expresa de arrinconar las ideas políticas preconcebidas y eliminar el desorden. En este plan Sanjurjo había de ser el líder indiscutible y jefe de la junta militar que haría las veces de gobierno. Mola tendría un papel destacado como lugarteniente del jefe, mientras que a Franco se le reservaba un destino como responsable de la Comandancia General de Marruecos. El avispado gallego no parecía del todo convencido, y a pesar de que la mayoría de los reunidos apoyaron la idea sin fisuras, no dio el sí esperado. Mola recalcó que el golpe no estaba diseñado contra la república sino contra la izquierda, y que había que desarrollarlo a la perfección, porque tal y como estaba el panorama político, si no se lograba un triunfo a las primeras horas, las izquierdas no se iban a quedar de brazos cruzados. Era necesario que todos estuvieran perfectamente coordinados.

Durante los meses siguientes Mola diseñó un plan de acción en el que no dejaba ningún cabo suelto: las fechas, las maneras, lo que haría cada uno... Se comunicaba con el resto de los conspiradores por medio de la Unión Militar Española (UME), una organización derechista comprometida con el golpe, y firmaba como El Director. El levantamiento militar se gestó con Pamplona como punto neurálgico, una ciudad en la que el general se movía como pez en el agua y donde encontró numerosos colaboradores que le facilitaron su labor. Ninguna ciudad mejor que aquella para preparar lo que tenía entre manos.

A fuerza de recalcarlo, todos los conspiradores tenían muy claro que se trataba de un levantamiento exclusivamente militar, pero tanto Mola como Sanjurjo se daban perfecta cuenta de que era necesario un apoyo civil. Sin su colaboración, el movimiento militar difícilmente tendría una base firme y terminaría fracasando. Mola no se hacía ilusiones en cuanto al seguimiento que tendrían. Si la derecha civil los apoyaba era seguro que Navarra, Álava y Castilla la Vieja se unirían inmediatamente a ellos, pero daba por seguro que, habida cuenta del peso específico de la izquierda en los grandes núcleos industriales, ni Madrid, ni Barcelona ni Valencia, ni Asturias se sumarían a ella. Tampoco la Andalucía rural, dominada por el anarquismo. En caso de producirse una situación de guerra civil virtual, su mente analítica no concebía otra salida más que la aplicación de una represión feroz en aquellas zonas y regiones que no se unieran al levantamiento militar. La represión que se llevó a cabo en la zona nacional durante la guerra no fue tan solo fruto de la saña –que también– sino de un plan minuciosamente diseñado y razonado. Una vez pronunciados, los militares rebeldes ya no tendrían marcha atrás. Ganar al precio más alto. Exterminar al enemigo. Mola lo dejó bien claro cuando dijo que “todo el que no esté con nosotros estará contra nosotros”.

Precisamente para eso era necesario el apoyo de elementos civiles que diesen cobertura a la represión. Mola había pensado que este papel lo debían de jugar los partidos de derechas, pero siendo siempre el ejército quien los instrumentalizase y no al revés. La conspiración recibió sumas de dinero de acaudalados derechistas e incluso partidos como la CEDA o Renovación Española aportaron su colaboración monetaria. Desde su núcleo pamplonés, Mola dirigía los hilos de una conjura que crecía mes a mes a pesar de que todo el mundo, desde la derecha a la izquierda, sabía que se estaba preparando. El gobierno tomó tímidas medidas y los principales sospechosos de estar implicados fueron sometidos a vigilancia policial. Mola fue sometido a una inspección que capeó con éxito gracias a un chivatazo.

Del mundo civil, Mola no solamente buscaba apoyo económico. El general puso especial mimo en captar a dos partidos que se enorgullecían de contar con grupos paramilitares organizados: el carlismo y los falangistas. Ambos partidos, tan diferentes uno de otro, en un principio mostraron serias reservas al proyecto de los militares, ya que exigían unas contrapartidas político-ideológicas que Mola no estaba dispuesto a conceder. La Falange del encarcelado Primo de Rivera temía que un excesivo protagonismo militar pusiera en peligro determinadas reformas de la izquierda, como la agraria; pero, sobre todo, una revolución nacionalista que creían fundamental y que tan solo ellos pretendían saber aplicar. Primo de Rivera se mostraba dispuesto a secundar la sublevación a cambio de un puesto determinante de su Falange en el engranaje del futuro estado español. Igualmente, los carlistas discutieron en numerosas ocasiones con el director exigiendo prerrogativas inaceptables a cambio de poner el "requeté" a su disposición. Ya habían planeado una insurrección por su cuenta, una nueva "carlistada" que Mola, superando el desprecio que sentía por aquel monarquismo desfasado, les hizo ver que estaba destinada a un nuevo fracaso. Convenció a los carlistas de que su sublevación solamente tendría éxito dentro de los márgenes del golpe militar que estaba preparando, sin embargo reclamaciones como la instauración de la dinastía carlista en el trono español le parecieron absurdas e inaceptables. Los carlistas le pedían cosas que no estaba dispuesto a conceder, pero era necesario tenerlos a su favor, ya que eso significaba la suma de un importante contingente paramilitar y el apoyo de Navarra y gran parte del País Vasco. Tan duras llegaron a ser las exigencias del carlismo y tal la obcecación de Mola en no transigir que, días antes de la fecha fijada para el levantamiento, se rompieron las conversaciones. Lo que parecía un tremendo traspiés devino en solución ya que, enfadado con la cúpula carlista, Mola inició una serie de reuniones con la junta carlista regional de Navarra y estos le dijeron que sí. El carlismo de base cerró filas en torno al proyecto de Mola originando en el seno del partido una fisura entre las bases y la ejecutiva que obligó a esta a recular y unirse a la conspiración militar sin pedir nada a cambio, con el argumento de que ya solventarían sus diferencias con Mola después del pronunciamiento. Igualmente, las bases "japistas" de Falange se unieron al plan con fervor, sin contrapartidas de ningún tipo.

Además de los señalados, Mola también pulsó la opinión del Partido Nacionalista Vasco. Consideraba trascendental –y factible– que el País Vasco se levantara en armas junto a los militares. Con las ciudades industriales más importantes (Madrid, Barcelona, Valencia) irremisiblemente partidarias de la república, a Mola tan solo le quedaba el País Vasco y su tejido fabril para intentar equilibrar la balanza industrial en caso de guerra. Por ello concertó una serie de reuniones con los dirigentes del PNV. Mola confiaba en que un partido católico y conservador como el PNV, diametralmente contrario al gobierno de la república, diera el visto bueno a la cosa y aportara gustoso su base social y su pequeña milicia –los *mendigoixales*–, aunque esperaba que le presentaran contrapartidas políticas, tal y como ocurría con carlistas y falangistas. En una reunión celebrada en San Sebastián a la que acudieron representantes de Renovación Española, CEDA, Falange Española y el PNV, los nacionalistas vascos afirmaron que no les desagradaba la idea y que contaban con hombres suficientes y dispuestos como para alzarse, pero necesitaban armas. Mola prometió hacer llegar armas al PNV, lo que cumplió con un pequeño envío, pero los nacionalistas seguían dudando. Al contrario que en el caso de carlistas y falangistas, la insurrección del 18 de julio sorprendió al PNV aún indeciso, y desató un intenso debate interno al que no se pudo hallar una solución de consenso. Así pues, cada órgano provincial del PNV tomó la decisión por su cuenta, no oponiéndose al levantamiento los de Navarra y Álava y mostrándose contrarios los de Vizcaya y Guipúzcoa. Los rebeldes no olvidaron nunca la alineación de las dos provincias costeras junto a la república, una decisión que pocos esperaban, lo que les valió el apelativo de "provincias traidoras".

A principios de julio, aprovechando las fiestas de San Fermín, Mola organizó una última reunión en Pamplona. Se marcó el 18 de julio como fecha para el levantamiento militar. Se recalcó de nuevo que tendría un carácter exclusivamente militar y apolítico y que sería el exiliado Sanjurjo quien llevaría las riendas del nuevo gobierno militar. Mola se levantaría en Pamplona, Goded en Barcelona, Queipo de Llano en Sevilla, Franco en Marruecos… todo parecía estupendamente cardado. Lo que no sabían era que Franco estaba jugando a dos bandas. Nunca llegó a estar seguro del éxito de la conspiración y nunca llegó a comprometerse con ella más que con la boquita pequeña. Como militar experimentado advertía tan claramente como Mola que, más que un golpe de estado rápido y limpio, lo que iban a conseguir era una guerra civil. Y eso si no fracasaban estrepitosamente. Corrían demasiados riesgos. Mola conocía las indecisiones de Franco e intentó por todos los medios que despejara sus dudas. Para los conjurados era muy importante que Franco se uniera a ellos, ya que seguía siendo un mito para las tropas de África. Los regimientos, tabores y legiones de África, las tropas más curtidas y valiosas del ejército español, seguirían a Franco sin pestañear, y esa era una baza muy importante que no se podía perder. Franco debía de sublevarse, y además debía de hacerlo en África. Sí o sí. No cabía más. Sin embargo, los dos dirigentes de la conspiración no confiaban en él. Sanjurjo llegó a decir de Franco que era "un cuco". Conocían de su habilidad para moverse en la sombra y conspirar en silencio, sabían que era traicionero, por eso preferían tenerlo lejos. Pero al mismo tiempo, su aura de héroe militar hacía imprescindible su participación.

Las dudas de Franco le llevaron a traicionar sibilinamente a los conjurados. El 23 de junio escribió una carta a Casares Quiroga anunciándole en un tono críptico y deliberadamente ambiguo que se estaba tramando una conspiración, y más o menos venía a decir que a cambio de alguna solución satisfactoria para él podría avenirse a salvar a la república. Pero a Casares Quiroga la noticia no le era desconocida y prefirió ningunear al general olvidándose de aquella propuesta. El gobierno estaba puntualmente informado de lo que los militares tramaban. Al despacho de Casares llegaba numerosa documentación remitida desde instancias políticas, militares y policiales que alertaban de la proximidad de una insurrección contra el gobierno. Quizá acostumbrado a las numerosas intrigas militares incumplidas o fracasadas, no parece que el primer ministro le diera a todo ello más importancia de la que creía que debía de tener.

Las dudas de Franco desesperaban a Mola. Para el director supusieron un quebradero de cabeza extra, y al final para que en una fecha tan tardía como el 12 de julio, el gallego le hiciera llegar un mensaje anunciándole que se retiraba de la conspiración. Mola se puso furioso, pero ya no podían echarse atrás, de manera que informó a los conjurados que no contaban con Franco y que sería el propio Sanjurjo quien se levantaría en Marruecos. Dos días más tarde Franco volvió a unirse a la sublevación. Un hecho empujó a Franco a tomar aquella decisión: el atentado contra José Calvo Sotelo.

El vuelo del cuco

La madrugada del 13 de julio de 1936 un furgón policial aparcó frente a la vivienda madrileña de José Calvo Sotelo, el político más vehemente de los parlamentarios de la derecha. De él bajaron un capitán de la Guardia Civil, varios guardias de asalto y algunos militantes socialistas. Subieron las escaleras del edificio, tocaron la puerta y tras identificarse como miembros de los cuerpos de seguridad del estado, exigieron entrar en la casa. Una vez dentro, y tras arrancar el cable del teléfono, solicitaron a Calvo Sotelo que les acompañara a la Dirección General de Seguridad. Ninguna explicación al respecto. Calvo Sotelo se negó en un primer momento, además era inmune por su condición de diputado, pero los uniformados le conminaron excitados a vestirse para que les acompañara. Sus placas y carnés eran auténticos, la furgoneta también. Realmente quienes habían entrado en su casa eran un capitán de la Guardia Civil y guardias de asalto, no unos hombres disfrazados. Aún así, desconfiaba. Algo raro estaba ocurriendo, pero decidió que no le quedaba más opción que obedecer, de forma que despidió a su familia y salió de casa. Una vez que arrancó el furgón, a cien metros de su domicilio, le descerrajaron dos tiros en la nuca matándolo al momento. Al día siguiente su cuerpo fue encontrado en el depósito de cadáveres del cementerio del Este.

El asesinato de Calvo Sotelo produjo un escándalo nacional y la verificación de que lo habían llevado a cabo miembros de la Guardia Civil y la Guardia de Asalto reafirmó a la derecha en la seguri-

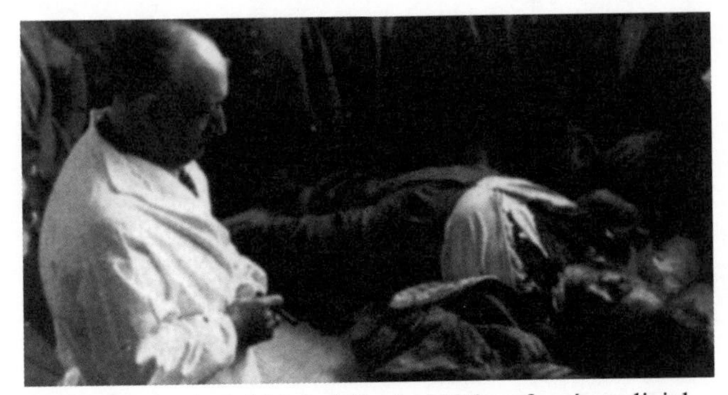

La madrugada del 13 de julio de 1936 un furgón policial aparcó frente a la casa de José Calvo Sotelo. Se lo llevaron detenido, y cien metros más adelante lo asesinaron con dos tiros en la nuca. Al día siguiente, su cadáver fue encontardo en el depósito de cadáveres del cementerio del Este.

dad de que cumplían órdenes directas del gobierno. Por supuesto, esto no era más que un bulo; el gobierno no participó en semejante acción. Pero el hecho de que fueran las propias fuerzas de seguridad las que entraron premeditadamente en casa de un diputado y lo obligaran a salir para pegarle dos tiros en pleno centro de Madrid, denota una grave incompetencia gubernamental. El asesinato fue una venganza por el atentado contra un teniente de la Guardia de Asalto, conocido izquierdista que entrenaba a las milicias del PSOE, a quien acribillaron a tiros también en el centro de Madrid el día 12 de julio.

A pesar de la rapidez del gobierno por depurar las responsabilidades y juzgar a los culpables, el atentado contra Calvo Sotelo supuso que las derechas de todo el país dieran definitivamente la espalda al gobierno republicano, echando la culpa al mismo de lo que consideraban terrorismo de estado. No era la primera vez que miembros de la policía atacaban a elementos de la derecha, lo que crispó definitivamente los ánimos y lanzó a los todavía dudosos, entre ellos el decisivo general Franco, en brazos de la conjura militar. Poco después de enterarse de la noticia, un Franco indignado y rojo de ira, amigo personal de José Calvo Sotelo, escribía a Mola uniéndose a la conjura y organizándolo todo para ponerse al frente de los tabores marroquíes contra una legalidad criminal que permitía semejantes desmanes. Un razonamiento francamente sorprendente habida cuenta de los métodos que después utilizó en sus casi cuarenta años de dictadura personal.

Se ha aducido muchas veces que la razón para iniciar la rebelión fue la muerte del político derechista, pero eso no es así. El levantamiento ya estaba previsto para el 18 de julio, aunque qué duda cabe que supuso el espaldarazo definitivo que llevó a las indignadas derechas a recibir el alzamiento con los brazos abiertos, sin fisuras, cosa que quizá no habría ocurrido de no mediar el atentado.

Mientras todo esto ocurría en España, desde un pequeño aeródromo del sur de Inglaterra despegó un avión bimotor modelo Dragon Rapide con destino al aeropuerto de Gando, en Gran Canaria. Disfrazado de flete vacacional, transportaba a una familia inglesa que supuestamente hacía un viaje de placer. Una vez en la isla, sus ocupantes transmitieron un misterioso mensaje: "Galicia saluda a Francia". Era la señal convenida para hacer saber a Franco que su transporte había llegado. Para no despertar sospechas, el bimotor esperaba en Gran Canaria y no en Tenerife, donde estaba Franco. El militar había soli-

El entierro de José Calvo Sotelo congregó a miles de derechistas, profundamente disgustados por el rumbo que estaban siguiendo los acontecimientos. La muerte del líder de Renovación Española certificó la ruptura de España en dos bloques ideológicos irreconciliables.

citado el traslado a la isla contigua poniendo como excusa una inspección militar, pero desde Madrid se la habían denegado. Ante tal panorama, Franco decidió que debía de trasladarse desde Tenerife hasta Gran Canaria burlando el seguimiento policial. Era 15 de julio. Con semejante prohibición y a pocos días del levantamiento militar, Franco tenía que apañárselas para presentarse cuanto antes en Tetuán, capital del Marruecos español. El 16 de julio el general Amado Balmes, destinado en Gran Canaria, murió accidentalmente mientras manejaba unas pistolas en un campo de tiro. Franco, como Comandante General de Canarias, debía de acudir a su funeral el día 17 de julio en Gran Canaria, y así se lo hizo saber al gobierno, quien no tuvo más remedio que acceder. El 17 por la mañana acudió al oficio religioso, ya en la misma isla donde le espera el Dragon Rapide. ¿Casualidad, accidente, sabotaje, asesinato? Nunca se ha aclarado la cuestión, pero parece demasiado casual que a un día del 18 de julio un mando militar muriese repentinamente obligando a Franco a acudir a su funeral en Gran Canaria. El hecho cierto es que Franco ya estaba donde quería.

La sublevación en el protectorado se adelantó un día al haberse corrido la voz de que en breve iba a procederse a una detención masiva de conjurados, y el mismo 17 de julio las tropas marroquíes se alzaron contra el gobierno "en nombre de Franco". Desde Las Palmas, el general improvisó una proclama dando las órdenes necesarias para tomar la isla y hacerse con el control de todos los centros neurálgicos (cabildo, correos, comunicaciones…). Logró así un protagonismo inesperado al ser el primero que se

La aventura del Dragon Rapide. Los más importantes promotores civiles de la sublevación fueron Juan March, banquero, y los Luca de Tena, muy influyentes en la derecha española. Juntos idearon un plan para sacar a Franco de Canarias y ponerlo al frente del ejército de África.

levantó contra la república, arrogándose el papel protagonista de una conjura en la que no había participado activamente y que estuvo a punto de abandonar. Una vez dominada la isla y protegido por un pasaporte diplomático falso, ropa civil, gafas y el bigote afeitado, montó en el Dragón Rapide, con destino Tetuán pasando por Agadir y Casablanca para repostar combustible. Disfrazado de aquella manera, Franco logró pasar desapercibido en el protectorado francés. Hágase notar que en esos momentos era un rebelde que se había levantado contra un estado internacionalmente reconocido y que por tanto no podía arriesgarse a que le reconocieran. En medio de esta vorágine, entre el 18 y el 19 de julio y al mando del general Mola, algunas de las guarniciones peninsulares secundaron el levantamiento militar. El fracaso parcial del golpe partió en dos a España poniéndola en una situación de guerra civil.

El ejecutivo vaciló ante semejante panorama. Sabía desde muchos meses antes lo que se tramaba contra la república y a pesar de ello no fue capaz de impedir la asonada. Casares Quiroga, que nunca terminó de creerse los informes que desde las propias instancias del ejército llegaban a la mesa de su despacho, pensó que lo que tramaban aquellos pocos militares desafectos no era más que otra sanjurjada, otra idea espuria de un grupo de insatisfechos que, como otras muchas veces, no se llegaría a realizar o que fracasaría rotundamente. Quizá pecó de suficiencia, o quizá es que realmente, aparte de controlar a los militares sospechosos, no sabía qué era lo que había que hacer. El hecho es que el gobierno estaba al corriente de la conjura, y prueba de ello es que pocos días antes de la sublevación hubo una reunión de ministros dedicada exclusivamente a discutir este asunto, en la que se decidió continuar con los seguimientos policiales y confiar en que la mayor parte del ejército no secundase la sublevación. Sea como fuere, el 18 de julio de 1936 el gobierno de la república se vio desbordado. Ante la magnitud de los acontecimientos, Azaña propuso la formación de un gobierno de concentración entre todos los partidos izquierdistas que fue rechazado por los sectores más radicalizados, reacios a colaborar con la burguesía republicana y partidarios en cambio de la distribución de las armas entre el pueblo, una solicitud a la que un horrorizado Casares Quiroga se negó con las pocas fuerzas que le quedaban. El gobierno se estaba quedando solo. De repente, ni la derecha –levantada en conjunto junto a los rebeldes y enfadada del todo con la república– ni la izquierda proletaria –que nunca había sido republi-

EL VUELO DEL *DRAGÓN RAPIDE*

17 de julio -	0,10:	Salida desde Santa Cruz de Tenerife
	8,00:	Llegada a Las Palmas
18 de julio -	14,33:	Salida del *Dragon Rapide*
	17,30:	Escala en Agadir
	20,00:	Casablanca - Noche del 18 al 19
19 de julio .	Tetuán:	Franco al frente de las tropas africanas

MADEIRA

Funchal

ISLAS CANARIAS

Santa Cruz de La Palma

Santa Cruz de Tenerife

Arrecife de Lanzarote

Puerto del Rosario

Las Palmas de Gran Canaria

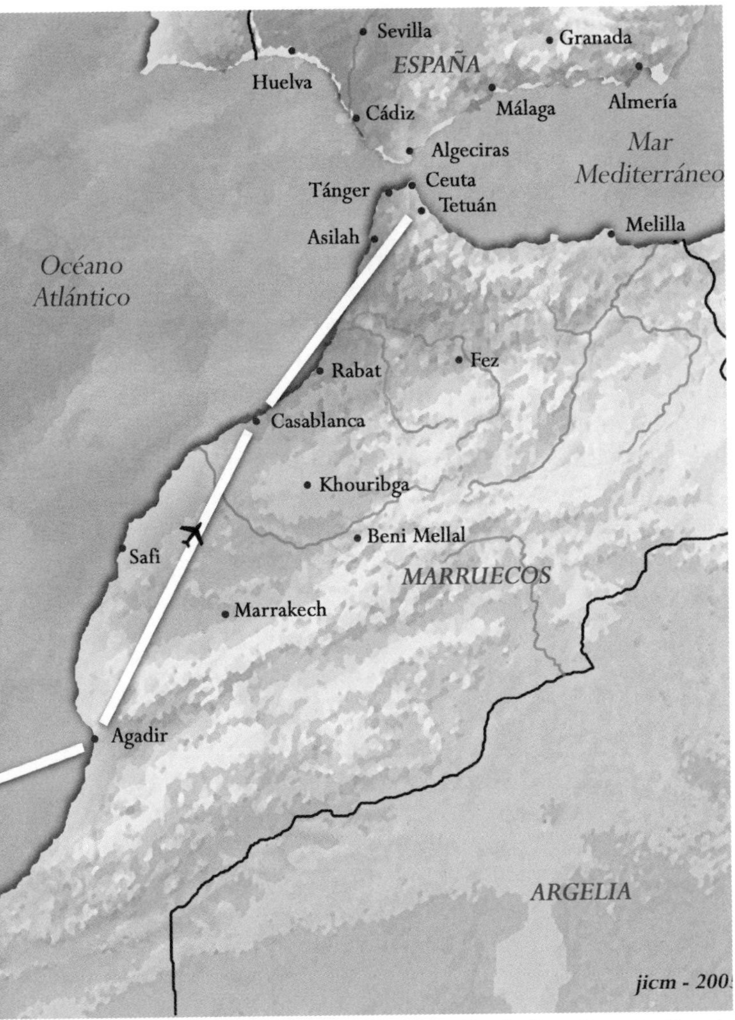

Ilustración de Juan Ignacio Cuesta

cana mas que como paso intermedio en el camino a la revolución– daban un duro por la república reformista. Nadie luchaba ya por el sistema republicano. Las izquierdas, sus supuestos defensores, vieron la oportunidad de hacer lo que durante tantos años habían deseado: vengarse de los derechistas, destruirlos, armarse y hacer la revolución. Y lo hicieron. Otro tanto cabe para las derechas, profundamente heridas y radicalizadas. Así fue como los españoles tiraron la democracia por el retrete.

La noche del 18 al 19 de julio, Casares Quiroga dimitió entregando el poder a Diego Martínez Barrio, quien intentó sin éxito llegar a un acuerdo con los sublevados. Su gobierno solo duró unas pocas horas. Los rebeldes ya habían dado el paso y ya no había marcha atrás. Lo sabían desde el momento en que acordaron la sublevación: solo cabía vencer. Era la guerra. La guerra a muerte.

2

Guerra y revolución

Las dos Españas

La ruptura geográfica de España no se hizo esperar. La sublevación no había logrado tomar el poder, muchas comandancias se habían mantenido fieles al gobierno republicano y era un hecho evidente que, corta o larga, se atisbaba una guerra. Las dos Españas se perfilaron de tal forma que muchos han querido ver en ellas un reflejo de las elecciones de febrero de 1936. Y salvo excepciones, así fue. Los sublevados se hicieron fuertes en la zona agrícola del norte, feudo tradicional de la derecha: Castilla la vieja, Navarra, La Rioja y Álava con extensiones en Galicia, Cáceres y Zaragoza. Este era su bloque de poder peninsular. Fuera de la península dominaban absolutamente en el Marruecos español, de donde obtuvieron el grueso de su poder militar. Además de estos dos importantes polos de dominio incontestable, los que pronto pasarían a ser conocidos como nacionales tomaron algunas otras zonas, como las ciudades de Sevilla, Cádiz, Granada, Córdoba y Oviedo. Esta última ciudad cayó bajo poder rebelde debido a que el coronel Aranda se mostró partidario de la legalidad republicana en un primer momento, para proclamar su adhesión al levantamiento una vez que las columnas de mineros armados salieron de la ciudad en dirección a Madrid. Así se convirtió Oviedo en una isla rebelde dentro de un mar republicano. Lo mismo, pero al contrario, cabe decir de la actual provincia de Cantabria, antes Santander, habiendo fracasado el golpe siendo la región más bien simpatizante de las derechas. Canarias y Baleares, a excepción de Menorca, también se unieron a la sublevación.

El resto era zona republicana. La zona industrial vasca, Asturias, el levante español, Cataluña, La Mancha y gran parte de Andalucía. *A priori* parecía que la república tenía las cosas más a su favor, no en vano el ejército secundó a los golpistas tan solo al cincuenta por ciento. No se trató pues, de un apoyo masivo de los militares a la sublevación como muchas veces se cree, aunque sí que es verdad que la mayor parte de la oficialidad apoyó el levantamiento. En cuanto a armas, la aviación fue la más fiel y la marina, más conservadora, se unió mayoritariamente a la rebelión. Además de cerca de la mitad del ejército y la aviación casi al completo, la república mantuvo el control de la práctica totalidad de las zonas industriales de España, la zona minera y los pilares económicos del país, manteniéndose fieles Asturias, las provincias vascas costeras, Madrid, Barcelona y Valencia, mientras que los nacionales solamente pudieron arañar las zonas rurales, principalmente el campo castellano-leonés y navarro, donde desde siempre el sindicalismo católico había tenido gran predicamento. Sin duda que de hambre no se iban a morir los nacionales, la España cerealística era suya, pero nada más. Visto el panorama hay quien ha hablado del levantamiento de la España agrícola contra la industrial y quien, desde postulados izquierdistas, ha defendido y demostrado la fácil manipulación del campesinado por parte de las clases ricas en contraposición a un proletariado industrial con más conciencia de clase y con ganas de luchar. No seguiremos ahondando en ello, ya que el maoísmo ha abatido esta idea señalando al campesinado como un pilar fundamental de la lucha revolucionaria.

La república, además, partía con la ventaja moral de que era un régimen legítimo contra una sublevación felona. Sin embargo no supo aprovecharlo, muy al contrario que un general Franco que a pesar de resultar a veces exasperantemente pausado, era muy vivo para esas cosas. Franco avivó la imagen de desbarajuste de la república para presentarla ante las potencias extranjeras como un régimen débil y en consecuencia fácil presa del bolchevismo, presentándose él mismo como único valedor del anticomunismo. A las potencias fascistas les valió el argumentó y a las liberales como Francia o el Reino Unido, también. Londres, temeroso ante el avance del bolchevismo en Europa, prefería a Franco –en secreto, no era decente reconocerlo– en vez de a una república supuestamente carcomida por la revolución. Para reforzar sus planteamientos, Franco organizó excursiones de periodistas extranjeros a "su" España para que fotografiaran y comprobaran por ellos mismos la realidad del país, muy alejado del desorden y la anarquía de la España republicana. Al contrario que en el lado gubernamental, Franco supo imponer el orden desde el primer momento, organizando un estado dirigido a tener el control, el dominio absoluto, y a ganar la guerra, algo de lo que a la república le costó más tiempo darse cuenta. Empeñados muchos de sus cuadros en hacer la revolución, perdieron grandes cantidades de energía que debían de haber invertido en unirse para ganar la guerra ante un enemigo formidable que pronto iba a superar a la república en cuanto a medios, empeño y fuerzas militares sobre el campo.

El gobierno republicano mantenía las reservas del Banco de España y las industrias, lo que le concedía una envidiable capacidad económica para comprar armamento y reciclar industrias para la guerra, algo de lo que carecían los nacionales. Tenía el control del 75% y el 80% de los barcos y aviones, respectivamente, si bien es cierto que muchos oficiales, sobre todo de marina, se pasaron de inmediato al bando sublevado, y en cuanto a hombres, los nacionales contaban con las mejores tropas del ejército español: los regulares de Marruecos y la legión. Los industriales y capitalistas, pensando en lo poco que les había faltado para que les rebanaran la cabeza, se echaron a los brazos de Franco donándole suculentas cantidades de dinero y montando un poderoso aparato internacional que tuvo como resultado la ayuda militar, decisiva en cuanto a número y calidad, de

Alemania e Italia y el humillante silencio de Francia y el Reino Unido. A tener en cuenta también la, no suficientemente valorada, ayuda portuguesa en cuanto a armas, voluntarios y cobertura política. Internacionalmente, a la república tan solo le quedaba solicitar la ayuda de la Unión Soviética, lo que certificaba a ojos de los extranjeros que los argumentos de Franco eran reales. Así logró Franco superar su inicial estatus de inferioridad para con la república.

El primer objetivo serio de los nacionales era controlar Andalucía y su costa, para convertirlo en playa de desembarco del hervidero de tropas coloniales que era el Marruecos español. Con la costa controlada podría hacerse realidad una cabeza de puente que diera como resultado el traslado de los tabores marroquíes y la legión a la península. Franco consideró acertadamente que para que el levantamiento tuviera éxito esta habría de ser la máxima prioridad y en ello puso todo su empeño. Con los tabores en la península se rompería el equilibrio militar a favor de los nacionales. Además, la fidelidad sin condiciones de las tropas africanas a Franco era un importante seguro para auparle como cabecilla máximo de la rebelión. Había que trasladarlos a la península. Para ello zarparon tres barcos desde Marruecos con órdenes de trasportar a los tabores. Los marineros desconocían la situación de levantamiento militar, así que el viaje se desarrolló sin novedades hasta que desde el gobierno de la república recibieron la orden de no hacer caso a los oficiales. La guerra civil había llegado a los barcos, y enfrentaba a la marinería contra la oficialidad... Acatando las consignas del gobierno, los marineros se rebelaron y ejecutaron a sus mandos, dando media vuelta para bombardear Ceuta y Melilla y luego volver a Cartagena, zona republicana. El único barco que completó el viaje sin problemas fue el Churruca, porque tenía la radio estropeada, desembarcando en Cádiz a los tabores que en poco tiempo se hicieron dueños de la ciudad y los pueblos costeros, dando rienda suelta a una persecución feroz contra sus habitantes, la primera de tantas. La costa andaluza no estaba controlada, pero la cabeza de puente existía. Los nacionales también lograron crear un pasillo que comunicaba Cádiz con Sevilla, la única gran ciudad española que cayó en poder sublevado durante los primeros compases de la conflagración. Desde ese momento el general Queipo de Llano se convirtió en el dueño de la ciudad, formándose poco a poco un feudo andaluz en el que se sentía como pez en el agua. Como comenzaba ya a ser habitual, Queipo no tuvo miramientos contra las izquierdas. La represión fue brutal.

La represión no se dio solamente en Sevilla o en Cádiz. En todos los lugares donde triunfó la rebelión se puso en marcha una tenebrosa maquinaria depurativa que desarrolló una persecución atroz contra todo el que fuera miembro o simpatizante de cualquier grupo de izquierdas. No debía de quedar un solo rojo vivo. En este sentido, Navarra es un ejemplo paradigmático. Proporcionalmente, fue la región que más activamente apoyó el levantamiento. Según Tussell, uno de cada cuatro de los voluntarios franquistas en las primeras semanas era navarro. Sin embargo, la represión contra el izquierdista, principalmente centrado en la rivera navarra, fue terriblemente descarnada. Dentro del paradigma navarro, encontramos el paradigma de la pequeña población de Sartaguda, que ha pasado a la posteridad como el "pueblo de las viudas" debido a que la mayoría de los hombres de la localidad, simpatizantes de la causa republicana, fueron ejecutados por los nacionales.

En zonas con fuerte componente proletario, como Madrid y Cataluña, fueron las masas obreras quienes evitaron el avance de las tropas sublevadas. En Madrid lograron recluirles en el cuartel de la montaña y en Barcelona los obligaron a atrincherarse hasta la rendición en edificios públicos y hoteles, sorprendidos por la frontal hostilidad de las masas populares, dirigidos en un primer momento por los anarquistas de la CNT.

La situación de los nacionales no era buena. No contaban con las grandes ciudades, la cabeza de puente era débil y lograda por casualidad debido a la ruptura de la radio del Churruca, y para colmo, el día 20 de julio el avión que iba a trasladar a Sanjurjo desde su residencia de Estoril a Burgos, capital provisional de la España alzada, sufrió un accidente en la Boca do Inferno, cerca de Cascais. El aparato se estrelló poco después de haber salido, en pleno despegue, al parecer a causa de haberse enganchado la hélice en las copas de los árboles. Sanjurjo murió de la forma más estúpida y los sublevados se quedaban sin jefe. Se había ido al infierno con una maleta repleta de medallas que había escogido cuidadosamente para su entrada triunfal en Burgos, donde le esperaban Mola y otros grandes del levantamiento –no Franco, que estaba en Marruecos–. Las cosas no pintaban bien para los nacionales, pero eso lo usó

Franco para jugar a su favor. Por su propia iniciativa se había presentado ante los alemanes e italianos como el líder *de facto* de la sublevación y con ellos estaba negociando la asignatura pendiente más importante del momento: el paso del Estrecho. Todo ello a espaldas de Mola y de sus compañeros de pronunciamiento. En beneficio propio.

Fuego Mágico

A pesar de la masiva espantada de los oficiales de la marina, la gran mayoría de los barcos se mantuvo bajo poder de la república. Sin oficiales, pero con soldados dispuestos a dar la cara por la legalidad, el gobierno Giral dispuso un bloqueo marítimo en aguas del estrecho de Gibraltar para impedir el paso de las tropas africanas. Muchos marineros tuvieron que ser asignados a labores de oficialidad, lo que obraba en perjuicio de la república, a pesar de lo cual adentrarse en el mar en dirección a la península era un importante riesgo que Franco conocía a la perfección. No estaba en situación de arriesgarse a perder sus mejores tropas en una aventura en la que tan solo unos pocos buques llegarían a su destino. No parecía factible aún el paso del estrecho. Ante lo peliagudo de la situación y sin la existencia de un mando firme tras la inesperada muerte de Sanjurjo, los militares sublevados de la península se organizaron de urgencia en una autodenominada Junta de Defensa Nacional, que se puso bajo el mando nominal de Miguel Cabanellas, el general de mayor edad. La Junta se organizó rápidamente y reunió a los principales militares rebeldes, destacando en ella el general Emilio Mola, que se perfilaba como el principal heredero de Sanjurjo en el liderazgo de los sublevados. No incluyó a Franco hasta agosto.

Desde el otro lado del estrecho, Franco había iniciado una sutil y magnífica operación de maquillaje político internacional. Era muy consciente de que contaba con el apoyo fiel del Ejército de África, que era el decisorio en la guerra y sin el cual los sublevados no tenían nada que hacer. Su posición de neta superioridad militar, y la dependencia que la Junta tenía de unas tropas coloniales que adoraban a Franco hasta el punto de haberse levantado en armas coreando su nombre, hicieron brotar en el gallego una creciente sensación de seguridad en sí mismo, de ensoberbecimiento que le hizo divisar la oportunidad de postularse como el líder indiscutible del levantamiento militar. El antes dubitativo Franco se dedicó a extender silenciosamente su red a nivel internacional, tomándose como asunto propio y particular el éxito del paso del Estrecho y, de rebote, el liderazgo de la sublevación. A espaldas de la Junta puso en marcha su ejército particular de enviados especiales que pulsó en su nombre los botones necesarios en países como Alemania, Francia, Italia y, por supuesto, el Reino Unido, con el suficiente apoyo como para que Franco lograra unos éxitos diplomáticos que le llevaron a convertirse, a ojos de las diplomacias extranjeras, en el personaje central del bando sublevado. El individualismo de Franco provocó que desde España comenzara una sorda lucha diplomática a tres bandas de la que Franco salió claro vencedor: por un lado, la república, por el otro la Junta Nacional y por el otro

Franco en su nombre y en nombre de la sublevación, apropiándose de ella y saltándose a la Junta con todo descaro sin que ella supiera absolutamente nada de sus misiones internacionales particulares. Mientras los de Mola se perdían en la telaraña de la burocracia de las grandes potencias en petición de una ayuda que nunca fue escuchada, Franco logró llegar a lo más alto de los gobiernos pertrechado por contactos cuidadosamente escogidos, un proyecto ambicioso y las ideas muy claras. Para las clases altas del Reino Unido, Franco representaba la única garantía contra lo que dibujó, con marcada exageración, como la revolución bolchevique española; al mismo tiempo, ante las potencias fascistas, Franco se presentó como el instigador de una revolución nacionalista española en claro contraste con una Junta a la que describió como el conservadurismo en esencia. Hitler, tres años más tarde, dijo que se sintió engañado por Franco.

El futuro Caudillo solicitaba además enormes cantidades de munición, combustible y sobre todo aviones, muchos aviones, para poder llevar a cabo el paso del estrecho. En contraste, Mola se limitaba a pequeñas peticiones de pistolas y fusiles que dejaban bien a las claras la falta de ideas o de proyectos de la Junta para llevar a cabo la guerra. Franco presentaba un plan coherente y ambicioso, señalaba como imprescindible la necesidad de lograr una cobertura aérea suficientemente amplia para que las tropas pudieran ser transportadas por aire, pero sobre todo por mar, hasta la península. Para eso hacían falta barcos y sobre todo aviones que bombardearan a la inexperta marinería republicana. El puente aéreo ya se había iniciado, aunque con lentitud, haciendo uso de los pocos aparatos de que disponían las tropas africanas y ya se había logrado transportar a unos cuantos africanos, pero era completamente insuficiente. Al cuartel general de Franco en Tetuán llegaban, una tras otra, desoladoras correspondencias de sus enviados diplomáticos ante los gobiernos extranjeros refiriendo constantes fracasos en su gestión, y una y otra vez Franco contestaba afirmando que debían de seguir insistiendo hasta matarles de aburrimiento. La proverbial prudencia del general le hacía no aventurarse a la desesperada en un paso del estrecho en el que sus tropas perecerían y la guerra se perdería. Debía de asegurar una cobertura aérea suficiente y no cejaría en el empeño. El caso de Italia puede considerarse un claro ejemplo de la machacona insistencia de Franco. Después de constantes negativas a las desmesuradas demandas de aviones y material militar, los enviados de Franco lograron finalmente atraer la atención de Ciano, yerno y ministro de exteriores de Mussolini, quien deshizo la desconfianza del dictador italiano haciéndole ver que un aliado español sería una pieza muy importante en el tablero imperial mediterráneo que estaban diseñando. Mussolini se avino a las razones de Ciano y aportó doce aviones Savoia que fueron entregados a Franco a la mayor brevedad. En contraste, los enviados de Mola no lograron atraer el mínimo interés de los italianos, de modo que, sin saberlo aún, habían perdido la guerra diplomática contra Franco.

Al contrario que en el caso italiano, los delegados de Franco supieron relacionarse con hombres influyentes del partido nazi de Tetuán que en seguida les pusieron en contacto con las altas esferas de Berlín. Una vez enterado Hitler de la solicitud de Franco, no tardó en apoyarle materialmente. España sería un buen banco de pruebas para su ejército en construcción, donde se foguearían contra el odiado comunismo judío que, creía Hitler, amenazaba con engullir a toda Europa. Además, Hitler estaba muy interesado en crear un clima de confianza con Italia que pudiera llevarlos a una futura alianza militar, y España sería un inicio, como así fue, de la armonía entre ambas naciones. Debe señalarse que hasta 1936 Italia y Alemania no disfrutaron de las mejores relaciones, y no por falta de voluntad germana, sino porque los fascistas italianos consideraban al nacionalsocialismo como un subproducto estúpido al que ridiculizaban siempre que podían y que consideraban además potencialmente peligroso por su intención de engullir Austria, lo que haría avanzar al Tercer Reich hasta las mismas fronteras de Italia.

Doblando la solicitud de Franco de diez aviones, Hitler aportó una veintena de ellos, además de numerosos aparatos militares y munición para llevar a cabo el ambicioso proyecto de transporte de tropas que el español pretendía y que al germano le maravilló. El primer puente aéreo de la historia se hizo realidad gracias a la insustituible aportación militar de los aviones *Junker* alemanes, en lo que Hitler, influido por accesos operísticos, denominó Operación *Feuerzauber* (Fuego Mágico). Posteriormente fueron llegando a manos de Franco más aviones y equipación militar, lo que provocó a su vez un importante incremento de la aportación italiana, que añadió a los doce primeros *Savoia*, cuarenta y seis cazas más. La suma de las entregas alemana e italiana en aviones, suministros, municiones, operarios especializados, ametralladoras y demás material, constituyó el espaldarazo definitivo de Franco a nivel internacional. Franco ya era el más conocido de los líderes de la rebelión ante la opinión pública extranjera y los gobiernos de Italia y Alemania tenían bien claro que por quien apostaban era por Franco, no por Mola y sus amigos. El apoyo ítalo-alemán hizo también posible el traslado de los temibles regulares a la península y unas cantidades ingentes de munición y aparatos de guerra, en una operación portentosa que los historiadores franquistas han denominado el "convoy de la victoria".

Con fecha 5 de agosto de 1936 salió desde Ceuta un enorme convoy de barcos de transporte repletos de soldados prestos a tomar las costas andaluzas, escoltados por acorazados alemanes, italianos y españoles, y protegidos por los aviones *Junker* y *Savoia* que desde el aire se encargaron de limpiar el camino a base de frecuentes bombardeos contra los barcos republicanos, rompiendo así el bloqueo. Se calcula que de esta forma se trasladó a la península a un total de veinte mil soldados perfectamente entrenados y armados. La hazaña causó un impacto estremecedor tanto en España, donde republicanos y militares vieron con pasmo el desembarco del coloso militar que Franco había levantado en tan poco tiempo, como a nivel internacional, donde definitivamente Franco ya era el líder de la rebelión oscureciendo para siempre a la Junta. La imagen idealizada de un Franco divisando desde el monte Hacho de Ceuta el inmenso convoy de barcos y aviones avanzando por el mar en dirección a las costas de la península recorrió los periódicos y diarios gráficos conservadores de Europa, lo que supuso un efecto propagandístico sensacional al cual el gallego no tardó en sacar rendimiento.

Mientras Franco organizaba su paso del estrecho y, de paso, se encaramaba a la jefatura del movimiento sin pedir permiso a nadie, la república también buscó aliados en el exterior, especialmente en la geográfica e ideológicamente cercana Francia. Como en España, en París se había instaurado recientemente un gobierno de Frente Popular que, desde el primer momento, mostró sus simpatías por sus compañeros españoles. León Blum, a la sazón primer ministro, prometió una serie de refuerzos militares; una promesa nunca realizada debido a las presiones británicas, quienes, influidos por los hombres de Franco, persuadieron a los franceses de que no era una buena idea participar en el conflicto español. El gobierno de su Graciosa Majestad temía más al bolchevismo que a una dictadura conservadora en España y las apocalípticas descripciones que los agregados franquistas en Londres hacían de los horrores provocados por los "rojos" en España asustaron tanto a amplios sectores de la aristocracia, que se llegaron a organizar campañas en las que se juntaron grandes sumas de dinero que fueron a parar a las arcas del movimiento de Franco. Asustados, pero con ese prurito de decencia hipócrita que les obligaba a no mostrar sus simpatías por Franco en público, los británicos movieron los hilos para intentar que Francia propusiera un pacto de neutralidad internacional ante el conflicto español. Nació así el

Comité de No Intervención como consecuencia de un pacto firmado por numerosos países, entre los que se encontraban Italia y Alemania, que como es sabido violaron sistemáticamente los acuerdos del Comité. También el Reino Unido trabajó indirectamente a favor de los franquistas, cerrando el puerto de Gibraltar y desviando fondos a las tropas nacionales. A excepción de la interesada ayuda soviética, tan solo México defendió abiertamente la causa de la república en el mundo y envió a Madrid numerosas armas, aunque su ayuda no fue comparable a la ofrecida por potencias de primer orden, como las de Alemania o Italia, al otro bando. Francia intentó enviar aviones a España por medio de México, pero no fue una gran aportación. De esta manera, la república comprobaba sorprendida que mientras su enemigo ganaba peso y cierta legitimidad internacional, a ella sus aliados naturales le daban la espalda. A la república democrática y reformista tan solo le quedaba la opción soviética, lo que avivará aún más la sensación de "república roja" que tenían las derechas de España y del mundo.

EL FIN DE LA REPÚBLICA BURGUESA

El 19 de julio de 1936, José Giral sustituyó a Martínez Barrio como jefe del gobierno republicano, e inmediatamente dio la orden de repartir las armas al pueblo. El ejecutivo claudicaba así a la presión de la izquierda más combativa, reconociendo indirectamente su debilidad, su pérdida de ascendencia sobre el pueblo. El poder republicano se estaba desmoronando. La apertura de los arsenales a las clases populares respondió a la situación de tirantez extrema que la izquierda revolucionaria fabricó artificialmente, organizando huelgas y manifestaciones que situaron al gobierno contra las cuerdas. Martínez Barrio prefirió abandonar el poder antes que acceder a las demandas de la izquierda radical. No logró soportar las acusaciones de traidor y reaccionario que le llegaban desde aquellos sectores y decidido a no ser él quien diera las armas al pueblo, cedió el cargo a Giral.

El nuevo jefe de gobierno era, como los anteriores, un hombre de Azaña; intelectual –había ejercido como rector de la Universidad de Madrid y catedrático de química–, fundador junto a Azaña de Acción Republicana y miembro activo de su heredero político, Izquierda Republicana, José Giral era un señalado representante del reformismo progresista. Sus recetas y planteamientos no divergían en exceso de los de Azaña o Martínez Barrio, constituyendo así una continuidad ideológica y el último lazo que unía a la república en guerra con la antigua república burguesa, moderada y reformista. Sin embargo, las circunstancias eran otras y la capacidad de decisión de Giral le hizo ponerse manos a la obra para hacer frente a lo que se les venía encima, no sin cierto escándalo por gran parte de su gobierno y de sus correligionarios políticos. La decisión de dar las armas al pueblo, a través de los partidos y sindicatos, para que así fueran ellos quienes los distribuyeran con cierto orden, disgustó profundamente a muchos sectores burgueses de izquierdas, pero Giral sabía que aquella era la única

Barcelona, 19 de julio de 1936. Carabineros y milicianos salen al encuentro de los sublevados en medio de un ambiente de algarabía provocada por el fervor revolucionario. En pocos días, la intentona golpista fue totalmente abortada por la decidida oposición de las clases populares.

manera de evitar que las izquierdas devorasen definitivamente a una república en riesgo de desaparición. A partir de esta medida, aparecieron casi por arte de magia bandas armadas de ciudadanos que nunca habían tenido relación alguna con el oficio militar, dispuestas a luchar contra los sublevados. Organizadas y distribuidas según el sindicato o partido del que eran afiliados o simpatizantes, estas milicias se convirtieron en la pieza clave de la defensa de la nueva república, más aún si advertimos que por decreto de 19 de julio las tropas cuyos mandos se hubieron sublevado quedaron licenciadas. Al haber sido muchos los oficiales que se habían unido a la sublevación, la medida dejó prácticamente desmantelado al ejército republicano, siendo las milicias de civiles armados la única tropa de la que dispuso la república para su defensa. Los soldados rasos, guardias de asalto y guardias civiles que se habían mantenido fieles se unieron a las milicias a título personal.

El gran problema de las milicias es que se trataban de cuerpos militares sin experiencia ni entrenamiento militar de ningún tipo. Su dependencia de los sindicatos y asociaciones políticas y no del gobierno o de algún poder central dependiente o adscrito a él, las hacía completamente autónomas; la milicia de los ferroviarios de la CNT funcionaba de forma completamente independiente de la milicia de sombrereros de la UGT, por ejemplo, lo que hacía que la coordinación militar, básica para ganar cualquier guerra, brillase por su ausencia. Y como corresponde a este panorama, cada milicia actuó de muy diversa manera. En general, las dominadas por el Partido Comunista se mostraban disciplinadas, jerárquicas y estrictamente entrenadas, lo que devino en la formación de cuadros militares muy válidos que se destacaron en el campo de batalla. En el otro lado se encontraban las milicias anarquistas, que impusieron el comunismo libertario dentro de sus estructuras, lo que les hacía tan democráticas como ineficaces para presentar batalla contra un ejército profesional.

En general las milicias estaban imbuidas de un espíritu revolucionario que aportaba una dosis extra de entusiasmo y entrega en la batalla, pero que los convertía en elementos difíciles de controlar. Visitantes extranjeros, futuros miembros de las Brigadas Internacionales, e incluso políticos, como Azaña o Prieto, comprobaron horrorizados cómo muchas de las milicias se resistían a un mínimo de instrucción militar, que miraban con desconfianza cuando los antiguos oficiales del ejército les intentaban enseñar tácticas y entrenamiento militar, y que se mostraban muy reacios a cualquier tipo de jerarquía o superioridad de cualquier oficial. Las milicias anarquistas contaban incluso con un sistema de democracia interna por el que tomaban las decisiones autónomamente y por votación de cada uno de sus miembros, lo cual destrozaba cualquier planteamiento de guerra coherente. Eran la antiautoridad. El resultado fue un cuerpo de milicia voluntarioso pero insuficientemente preparado.

Los primeros meses de la guerra fueron críticos para la supervivencia de la república. El poder real descansó en pequeños comités locales que se dedicaron, más que a defender o respetar a una legalidad que ya no acataban, a vengarse de las derechas e imponer la revolución social. Cada uno por sus medios, sin coordinación de ningún tipo. El caos se apoderó de España y comenzaron a florecer los actos incontrolados provocados por envidias entre vecinos, por venganza o por los desgraciados enconos políticos tan en boga en aquella época. Por todo lo ancho y largo de la España republicana se formaron comités revolucionarios que por su cuenta y riesgo, y sin dar explicaciones a ningún órgano superior, ejecutaron a una ingente cantidad de personas, acusadas de ser miembros de la burguesía, sacerdotes o simpatizantes de la derecha. Para muchos comités, la sola sospecha fue considerada acusación formal y los paseos se convirtieron en algo cotidiano. Mientras tanto, el gobierno republicano se veía impotente para poner un poco de orden, sintiéndose arrastrado por la ola revolucionaria, prisionero de los acontecimientos, con una autoridad mínima que se reducía a la ciudad de Madrid, donde los excesos fueron también innumerables.

En Cataluña, la Generalitat sufrió la misma devaluación de su autoridad. Allí el poder dominante en las bases populares era el anarquismo, representado principalmente por la Federación Anarquista Ibérica (FAI) y la Confederación Nacional del Trabajo (CNT)[8]. A pesar de ello, en Cataluña también existían agrupaciones políticas marxistas fuertes, como el Partido Obrero de Unificación Marxista (POUM), de un marxismo-leninismo muy cercano al troskismo, o el Partido Socialista Unificado de Cataluña (PSUC), un partido comunista ortodoxo firmemente apoyado por el PCE y en el que algunos quisieron ver una sucursal catalana del PCUS[9]. Muy al contrario que los anarquistas o los miembros del POUM, el PSUC representaba la línea dura, severa y autoritaria del comunismo estalinista, muy en la onda del PCE. Aunque aún imperceptible, entre la izquierda autoritaria del PSUC y el PCE y la antiautoritaria representada por los anarquistas y el POUM surgió una clara divergencia que se concretó en los

8 La CNT era un organismo de corte anarcosindicalista que contenía diferentes tendencias, una de las cuales era la denominada faísta. La FAI actuaba como una organización anarquista radical de oscuros contornos cuyos miembros militaban también en la CNT. Durante la Guerra Civil el faísmo dominó ideológicamente dentro de la CNT, de forma que se hizo habitual hablar de CNT-FAI como de una misma organización. Sin embargo, no era así. Podría decirse que mientras la CNT fue el sindicato, la FAI, más pequeña y de desconocida militancia, hizo las veces de partido político.

9 Partido Comunista de la Unión Soviética.

hechos de mayo de 1937 en Barcelona, de los que haremos referencia más adelante.

En los primeros compases de la contienda, al gobierno de la Generalitat se le planteó el mismo problema que al de España: las centrales sindicales exigían el reparto de las armas entre el pueblo. El *president* Companys se negó en redondo a acceder a semejante petición, y se mantuvo firme durante un tiempo, hasta que comprobó que los anarquistas lograron apropiarse por la fuerza de una serie de arsenales de Barcelona. La Generalitat estaba perdiendo autoridad a pasos agigantados, y de eso se daban cuenta perfectamente tanto Companys como el resto de los miembros de su gobierno. Sintiéndose dominantes, los anarquistas despreciaban sin rubor al ejecutivo catalán; lo ninguneaban. Barcelona, y por extensión toda Cataluña, se había convertido en zona revolucionaria, y sus efectos no se hicieron esperar. El 70% de las industrias fueron expropiadas por grupos armados dirigidos principalmente por miembros de la CNT y la FAI, para ser después colectivizadas y sus propietarios desposeídos, ejecutados o respetados en el cargo, bajo un salario equiparable al de los obreros; todo ello según decidieran los miembros del sindicato o del comité obrero que había colectivizado la empresa. Durante los confusos primeros meses de la guerra civil en Cataluña, la vida o la muerte del empresario estaba en manos del capricho o del talante de quienes se habían apropiado de la empresa. Simplemente. Los hoteles, palacios o teatros también fueron colectivizados y, tanto en Cataluña como en Madrid, transformados en hospitales o en comedores sociales, administrados, gobernados y distribuidos por sindicatos y partidos políticos. Los tribunales populares florecieron como hongos, dictando penas de muerte sin garantía jurídica alguna, principalmente en el medio rural, donde ni el gobierno central ni la Generalitat tenían ya predicamento alguno. En muchos pueblos la persecución de los terratenientes fue masiva, siendo desposeídos y ejecutados en aras de la colectivización agraria.

Después de haber superado un primer momento de aturdimiento, el gobierno catalán intentó adaptarse a las circunstancias como mejor pudo. Equipado con grandes dosis de realismo, el *govern* era consciente de que tenía que volver a hacer valer su autoridad si no quería terminar desapareciendo engullido por el huracán revolucionario. Companys negoció con el poder real de las calles, los anarquistas, y les propuso que, ya que la Generalitat no tenía poder real, se formara una agrupación revolucionaria y obrera que se daría a conocer bajo el nombre de Comité Central de Milicias Antifascistas. Esta organización garantizaría al menos el mantenimiento de una mínima coordinación entre los partidos frentepopulistas, tomando el relevo de la Generalitat a la hora de administrar Cataluña, pero manteniendo la institución como símbolo. Como en Cataluña, por toda España se formaron comités similares que adoptaron la potestad gubernativa, transformándose en auténticos gobiernos autónomos que desconocían o sustituían interinamente al poder central: el Comité de Guerra de Gijón, Comité del Frente Popular Ampliado de Santander, Burgos y Palencia, Comité Ejecutivo Popular de Valencia…

El 26 de septiembre la Generalitat y los partidos del Frente Popular de Cataluña convencieron a los anarquistas de la necesidad de reforzar el poder de la Generalitat. Así, todos los partidos y sindicatos, incluidos los anarquistas, integraron un nuevo gobierno catalán que recuperó en parte su ascendencia sobre el pueblo, no sin protestas y resistencias en sectores importantes del anarquismo, que fueron definitivamente barridos por una nueva Generalitat que eliminó gran parte de los pequeños *soviets* compuestos por los comités de milicias antifascistas locales, entre ellas el Comité Central. La Generalitat se había salvado, que no era poco, y comenzaba de nuevo a asentarse.

Merece la pena echar un vistazo final a la peculiaridad del País Vasco. El territorio vasco que se mantuvo fiel a la república, limitado tan solo a las provincias de Vizcaya y Guipúzcoa, no vivió, en claro contraste con el resto de la zona republicana, ninguna experiencia revolucionaria ni nada que se le pareciera. No hubo colectivizaciones ni expropiación forzosa de empresas o tierras. El orden y el predominio de la iglesia se mantuvieron sin problemas, primero bajo la administración de las Juntas de Defensa republicanas de Vizcaya y de Guipúzcoa y a partir del 6 de octubre, con la aprobación del estatuto que sancionó legalmente la formación del primer Gobierno Vasco. Como se ha señalado anteriormente, la base social vasca no era revolucionaria. En este sentido, Vizcaya y Guipúzcoa son comparables a todas las provincias que las rodeaban, como Álava, Navarra, La Rioja (antes Logroño) y Cantabria (antes Santander). En general, los vizcaínos y guipuzcoanos seguían siendo tan conservadores y religiosos como sus abuelos. En esto no se diferenciaban con respecto a los habitantes de las provincias limítrofes. Fue precisamente lo único que les diferenciaba de ellos, su adscripción nacional, vasca en contraposición con la española, en un elevado número de su población, lo que les llevó a engrosar las filas del bando republicano. De esta forma el País Vasco se convirtió en la excepción dentro de una república enfangada en un proceso revolucionario imparable, un pequeño oasis conservador donde las iglesias se seguían llenando y donde el dueño de una empresa podía levantarse tranquilamente a trabajar sabiendo que su propiedad estaba garantizada.

Vizcaya y Guipúzcoa seguían sin asumir del todo su alianza con la "república roja y atea". Lejos de defenderla ni de asumir ningún cambio revolucionario, los nacionalistas dominantes en las provincias costeras vascas intentaron por todos los medios llevar la guerra con una impronta mucho más nacional que social. El PNV se planteó la contienda como una guerra defensiva y se mostró absolutamente remiso a someterse a las órdenes superiores de los mandos militares republicanos.

Como imitación, en Vizcaya y Guipúzcoa también surgieron milicias sindicales y políticas, pero estas se integraron fácilmente dentro de la estructura militar que el Gobierno Vasco desarrolló desde la proclamación del estatuto. Nacía así el *Euzko Gudarostea*[10] o Ejército Vasco, cuyos miembros fueron

10 Se ha respetado la grafía utilizada en la época para las denominaciones oficiales en euskera. Así, si bien las normas gramaticales de la lengua vasca obligan a escribir los términos Eusko Gudarostea o Euskadi con s, nosotros preferiremos Euzko Gudarostea o Euzkadi, con z.

conocidos como *gudaris*. Su estructura básica imitó a las milicias republicanas y se conformó por medio de brigadas organizadas por diferentes partidos políticos, más que por un ejército regular vasco propiamente dicho. Sin embargo, la conciencia de la mayoría de los *gudaris*, de adscripción nacionalista, no estaba lejos de creerse parte de un auténtico ejército regular que defendía su territorio, su patria, y eso se notó en la pasión que pusieron en la lucha. La falta de contenido social fue suplida con creces por una profunda conciencia nacional vasca que equiparó, en entusiasmo combativo, a las milicias nacionalistas vascas con las revolucionarias de Madrid o Barcelona.

Apretar los dientes

Muy al contrario que en el lado republicano, la España sublevada se rigió desde el primer momento por una severa organización militar que más que en cambios políticos puso el acento en ganar la guerra. Con los regulares de Marruecos, los tabores y la Legión en la península, Franco se instaló en Sevilla desde donde se dispuso a dirigir sus próximos movimientos. El objetivo era claro: tomar Madrid. Desde el norte, Mola había enviado un nutrido grupo de *requetés* en dirección a la ciudad, pero el grueso militar que tenía la responsabilidad de conquistarla era el de los ejércitos coloniales dirigidos por Franco.

El camino más corto a Madrid era la ruta que, por Despeñaperros y pasando por La Mancha, llevaría al Ejército de África a presentarse en los arrabales de la ciudad para tomarla desde el sur, pero para sorpresa de Mola y los suyos, el ladino Franco escogió una ruta diferente, más larga y aparentemente secundaria. Tomaría Madrid por el camino de Extremadura. Franco necesitaba tiempo para cohesionar con ciertas garantías el plan que perfilaba con el fin de escalar puestos hasta llegar a ser el líder indiscutible de la rebelión; además, con la toma de Extremadura se guardaba las espaldas al tener la frontera portuguesa totalmente cubierta. En consecuencia, ordenó al general Juan Yagüe el avance, al mando de las columnas que tomaron el camino de Extremadura. La consigna era cubrir la frontera, tomar Badajoz y no dejar a un enemigo vivo.

Entre el 5 y el 14 de agosto, las tropas nacionales, bien pertrechadas y curtidas en los campos de batalla de África, asaltaron y saquearon pueblos enteros a su paso, dejando un rastro de sangre y fuego. Cualquier izquierdista o sospechoso de simpatías izquierdistas era eliminado sistemáticamente por órdenes expresas del alto mando. Lo que los republicanos hicieron presa del desorden y el caos, los franquistas lo realizaron por sistema, con la precisión del profesional. Fusilamientos, asesinatos masivos, mujeres violadas, niños descuartizados... La idea era sembrar el terror en el enemigo, que supiera que se enfrentaba a un ejército indomable y cruel. Y vaya si lo dejaron bien claro. El premio gordo se lo llevaron las tropas indígenas de Franco, los tan temidos moros, cuya fama de sanguinarios se corrió como la pólvora por toda la zona republicana. Una fama que en parte fue eso, fama, y en gran parte también una cruel realidad. Tanto los moros como los demás miembros de las tropas de Franco se unieron a una orgía de destrucción metódica de niveles difíciles de creer en una nación civilizada. Franco creía en la didáctica del miedo, estaba acostumbrado a las escenas descarnadas en los campos de África y no le tembló el pulso a la hora de permitir e incluso fomentar las mismas actitudes en su propio país. Para Franco la guerra era siempre total, no cabían piedades débiles que podían hacerle perder una guerra. Franco hacía uso inteligente, cruel, frío y premeditado del miedo como arma política para aterrorizar a sus enemigos.

La toma de Badajoz se convirtió en el primer síntoma de que la guerra civil española iba a ser una enorme carnicería. Según los historiadores que han tratado la cuestión, el número total de fusilados en Badajoz osciló entre doscientos y cuatro mil, aunque en general se admiten los dos mil o dos mil quinientos como cifra aproximada. La represión después de la derrota fue cruel, lanzándose los enfebrecidos vencedores al pillaje, las violaciones y los asesinatos gratuitos contra la población, muchos de los cuales no eran más que desafortunados ciudadanos sin adscripción política alguna. Las escenas de cadáveres mutilados, gente ahorcada o decapitada y mujeres violadas y después asesinadas, se repitieron con dantesca asiduidad, y los altos mandos no se preocuparon en disminuir semejantes desmanes. Era la guerra total de Franco, la certificación definitiva de que toda guerra es inmoral, de que ninguna guerra es noble, de que toda guerra es un crimen.

En el campo político, la toma de Badajoz supuso el cierre definitivo de la frontera portuguesa y la unión de los dos ejércitos nacionales: el del norte de Mola y el del sur de Franco. La España nacional quedaba así cohesionada, unida territorialmente, de manera que ya se podía ir de un lado a otro de ella por tierra. Franco se aseguró de que las relaciones con el vecino portugués fueran buenas, poniendo especial mimo en agradar a una nación fronteriza que necesitaba tener a bien para el posterior desarrollo de la guerra. Portugal era una retaguardia cubierta de la que, si aseguraba su amistad, no tendría que preocuparse nunca, lo que liberaría un importante número de soldados para lanzarlos a otros frentes. Para demostrar la importancia que Franco concedía a Portugal, envió a su hermano Nicolás a hacer tratos con sus autoridades, siempre en su nombre y no en el de la Junta. El dictador portugués, Antonio de Oliveira Salazar, respondió satisfactoriamente. Acordó con las autoridades franquistas la entrega de numerosos prisioneros republicanos que habían rebasado la frontera, y más tarde aportó material militar y un batallón de voluntarios, los Viriatos. Salazar siempre había visto con mucho recelo las ansias imperiales y expansionistas de Franco, de manera que prefirió no enemistarse con él a cambio de mantener un *status quo* que culminó años más tarde en el Pacto Ibérico[11].

Tras la toma de Badajoz, Franco se vio libre para acometer la carrera hacia Madrid. Puso en marcha a sus tropas a toda velocidad, no dejando ni

---

[11] El Pacto Ibérico que se firmó en 1942 entre los gobiernos de España y Portugal certificaba el reconocimiento mutuo de la frontera hispano-portuguesa. Gracias a este acuerdo los portugueses exorcizaron sus temores a una agresión española.

un solo izquierdista vivo en los pueblos por donde pasaban, que se convirtieron en pasto de las llamas y de masacres casi increíbles. El 3 de septiembre tomaron Talavera de la Reina, una ciudad donde los republicanos esperaban resistir el tiempo necesario para reorganizar las defensas de la capital, pero los milicianos, mal preparados y con pocas armas, no eran enemigo para las tropas de África. Fueron aplastados sin remisión. Las noticias del imparable avance del Ejército de África y su política de exterminio sistemático hicieron mella en los defensores de Madrid, más aún cuando arribó a la ciudad lo que quedaba de los defensores de Talavera y comenzaron a extenderse las historias sobre los asesinatos cometidos en aquella ciudad a manos de los ya míticos y mitificados moros. Al día siguiente, en el frente norte dirigido por Mola, la ciudad fronteriza de Irún cayó definitivamente. San Sebastián caería el día 12. Los nacionales cerraron así definitivamente la frontera francesa transformando a Asturias, Cantabria, Vizcaya y lo que quedaba de Guipúzcoa en una isla sin conexión con el resto de la república.

Con el norte desconectado del resto de la república, abandonado a merced del enemigo y las tropas de África a pocos kilómetros de Madrid, la situación pintaba muy fea para el gobierno Giral. Nadie daba un duro por Madrid. Hasta los miembros del gobierno estaban convencidos de que caería en seguida, como fruta madura. Ante la crítica situación que se había planteado, el presidente Azaña tuvo que reconocer que Giral, como representante de la vieja república burguesa, no conectaba con las bases revolucionarias que ahora la estaban sosteniendo. Después de algunas vacilaciones, tomó la decisión de entregar el poder a Francisco Largo Caballero, ferviente partidario de la revolución proletaria. Azaña creía acertadamente que Largo Caballero sería capaz de unir a socialistas, anarquistas y comunistas bajo su gobierno, cohesionándolo para poder presentar una cierta unión frente a los acontecimientos que se cernían. Como principal representante del ala izquierdista del PSOE, Largo Caballero podía ofrecer una solución de gobierno frentepopulista fuerte y unido, y aunque los anarquistas al principio no terminaban de confiar en él, demostró que le satisfacían las colectivizaciones que estaban llevando a cabo e incluso las fomentó. Una decisión que lo alejó de los comunistas, muy reacios a aceptar las aventuras colectivizadoras en vez de dedicar todos los esfuerzos a ganar la guerra. La proclamación de Largo Caballero como presidente de un gobierno que congregaba a todos los partidos del Frente Popular, y al que más tarde también se unirían los anarquistas gracias al empeño del propio Largo, fue celebrada por las bases de muchos partidos, principalmente las del PSOE y la UGT.

La primera y más urgente medida que tomó el nuevo gobierno fue la formación de un nuevo ejército más eficaz y disciplinado, pero sin eliminar la filosofía de las milicias. El carácter de Largo Caballero simpatizaba mucho con las milicias, a las que consideraba el núcleo revolucionario casi por definición; una opinión que, otra vez, le hizo chocar con el Partido Comunista, que consideraba urgente la creación de un ejército fuerte y disciplinado para ganar la guerra. En eso los comunistas coincidían con

Ciudadanos madrileños transitan por una calle de la ciudad dominada por una gran pancarta animando a la resistencia. ¡NO PASARÁN! El fascismo quiere conquistar Madrid. Madrid será la tumba del fascismo, asegura la proclama. El Partido Comunista se tomó muy en serio la defensa de la capital, inundándola de pancartas, carteles y soflamas radiofónicas y verbales para concienciar a la población de la importancia de defender Madrid.

republicanos moderados como Azaña o socialistas pragmáticos como Prieto.

El proyecto de nuevo ejército, que fue el germen del futuro Ejército Popular Republicano, se organizó por medio de las milicias, pero coordinadas por un organismo superior. Al mismo tiempo se introdujo la filosofía de las brigadas mixtas, de manera que a las milicias, que no dejaban de ser organizaciones de civiles armados bajo dominio político o sindical, se añadió un indeterminado número de militares profesionales, de forma que siempre habría soldados dentro de ellas. Cada brigada mixta contaba con cuatro batallones organizados según sindicatos y partidos políticos. El sistema fue aceptado por todos, incluidos importantes líderes milicianos anarquistas, en principio refractarios a cualquier tipo de disciplina. Muchos de ellos terminaron por reconocer la ineficacia de sus planteamientos organizativos a la vista de los pobres resultados que hasta entonces habían obtenido.

Las brigadas eran siempre dirigidas por soldados profesionales, se dio un cursillo intensivo de técnicas militares a los milicianos, que básicamente se limitó a enseñar a disparar ante la escasez de tiempo y lo refractario de muchos anarquistas, que seguían sin aceptar ningún tipo de autoridad. A pesar de todas las dificultades, el gobierno logró la aquiescencia de los anarquistas para la formación de un Comisariato General de Guerra, directamente dependiente del ejecutivo, que se encargaría de coordinar a las brigadas. El gobierno de la república logró así hacer coherente el ejército, recuperó parte de la autoridad que había perdido y logró que fuera reconocido su mando militar en todo el territorio republicano, a excepción de la Euzkadi de Aguirre, que no reconoció nunca una supeditación política ni militar al gobierno republicano. Esta insumisión, unida a la desconexión con respecto al resto del territorio republicano, hicieron a la Euzkadi de Aguirre un estado virtualmente independiente de la república española.

Mientras la república reestructuraba sus fuerzas militares como podía, Franco tomaba una decisión trascendental. El 21 de septiembre interrumpió el avance sobre Madrid para lanzarse a la conquista de Toledo, un objetivo a todas luces secundario cuya toma no haría más que retrasar la conquista de la capital y dar más tiempo a los republicanos para mejorar sus defensas. La decisión fue considerada ilógica por la mayoría de los hombres de la camarilla de Franco, y también por Mola, quien desde el norte no comprendía lo que estaba haciendo el gallego. Sin embargo Franco había tomado la decisión, y a pesar de las constantes exhortaciones para que continuara con el avance sobre Madrid, se mantuvo incólume en lo que denominaba la "liberación del alcázar". Como si de un personaje de cómic de *Hazañas Bélicas* se tratara, Franco se permitió el lujo de paralizar el avance sobre Madrid y permitir la reorganización de sus defensas, por salvar a un grupo de ochocientos militares y derechistas sublevados que bajo el liderazgo del general Moscardó se hallaban refugiados en el alcázar de Toledo. Durante más de un mes aguantaron un duro asedio por parte de las fuerzas republicanas, llegando a soportar incluso cargas de minas, lo que hizo que los "héroes del alcázar" se convirtieran en un mito para el bando nacional. Franco sabía aprovechar las oportunidades, y vio en esta una forma fácil de lograr un gran efecto propagandístico que inyectaría moral suplementaria a sus tropas y lo ensalzaría como héroe de su bando. El astuto general sabría aprovechar la circunstancia para que los medios de comunicación españoles y extranjeros lo elevaran a la categoría de mito de la guerra. Así, una victoria fácil se transformaría en una heroicidad sin precedentes.

Franco dispuso el grueso de sus fuerzas en dirección a Toledo y tras una corta batalla derrotaron a los defensores de la ciudad, liberaron a los sitiados y de nuevo procedieron a la limpieza sistemática que habían estado desarrollando desde el primer momento de la guerra. Franco fue proclamado como un héroe nacional. Había sabido jugar la baza del poder militar y ahora jugaba la baza moral; ya nadie en el bando nacional podía quitarle de las manos el poder total, y el hecho cierto es que, como se dirá en páginas posteriores, dos días más tarde fue proclamado líder oficial de los sublevados. Toledo supuso una inyección de moral en los nacionales y un hundimiento equivalente para el ánimo de los republicanos. La eficaz maquinaria militar franquista no parecía tener rival. Una vez tomado Toledo, continuaba su marcha inexpugnable hacia Madrid.

Los nacionales cada vez estaban más cerca de Madrid, y cada vez se hacía más urgente una ayuda militar exterior para hacerles frente. Largo Caballero intentó desesperadamente lograr la ayuda soviética hasta que finalmente la logró; una ayuda que llegó de dos maneras. La primera, por medio de la aprobación en el seno de la Komintern de la formación de cuadros de enganche por medio de los partidos comunistas de Europa y el resto del mundo para reclutar voluntarios dispuestos a luchar, integrados dentro de las filas de la república, contra las tropas de Franco. Es el germen de las Brigadas Internacionales. Los primeros voluntarios extranjeros llegaron en octubre agasajados por una recepción triunfal, y desde el primer momento se les destinó para reforzar la defensa de Madrid, cuyo asedio se preveía inminente. La segunda, por medio de la entrega de cuantioso material militar consistente en munición, carros de combate, algunos aviones "moscas" del ejército soviético e instructores militares. Sin embargo, y como muchas veces se ha señalado ya, esta ayuda que fue recibida al son de La Internacional y con jubilosos lemas como "Viva Rusia", no fue gratuita. El 28 de octubre de 1936, los cargueros soviéticos Neva, Kursk, Volgoles y Kine zarparon de Cartagena con cerca del 75% de las reservas del oro del Banco de España en sus barrigas, en dirección al puerto soviético de Odessa, en el Mar Negro. En principio se trataba de una operación para salvar las reservas ante el implacable avance del Ejército de África, que ya amenazaba Madrid. El entonces ministro de Hacienda Juan Negrín, a quien desde medios tanto franquistas como anarquistas y socialistas se le ha acusado de connivencia con los comunistas –"los comunistas son gentes de orden, como yo", aseguró en claro desprecio a la izquierda antiautoritaria–, ordenó el traslado y depósito de las reservas españolas, las cuartas más importantes del mundo, para que fueran depositadas en Moscú. Los barcos tardaron cuatro días en ser descargados, llenos como estaban de cajas repletas de barras y lingotes de oro y plata, además de innumerables monedas y billetes. Los gobiernos de España y la URSS habían firmado un contrato según el cual la república podría disponer de las reservas del Banco de España a su antojo, aquello tan solo era un depósito que los soviéticos no iban a tocar de ninguna manera. Tan solo lo hacían para poner el dinero a salvo de los franquistas, que prometían ocupar Madrid en breve.

En seguida llegó el primer bofetón. Desde Moscú se envió al gobierno español una inflada factura por la ayuda en armas, munición y aparatos soviéticos enviados para defender Madrid que se la cobraron sustrayendo la cantidad referida de los fondos depositados en Moscú. Además, el gobierno de Stalin advirtió a los españoles de que debían aceptar la entrada de varios de sus agentes, con lo que la influencia soviética comenzó a ser tenida en cuenta en la política del gobierno. Esa ayuda, por supuesto, también fue cobrada con creces de los depósitos de oro españoles. Hasta el final de la guerra, los soviéticos continuaron cobrando la ayuda enviada a la república a precios más que abusivos hasta que, oficialmente, se gastaron todas las reservas. Creíble o no esta última afirmación, el hecho cierto es que las reservas del Banco de España no volvieron nunca a Madrid.

TIERRA Y LIBERTAD

La república olía a revolución. A excepción del País Vasco, por todas las ciudades, grandes o pequeñas, de la España republicana aparecieron como por

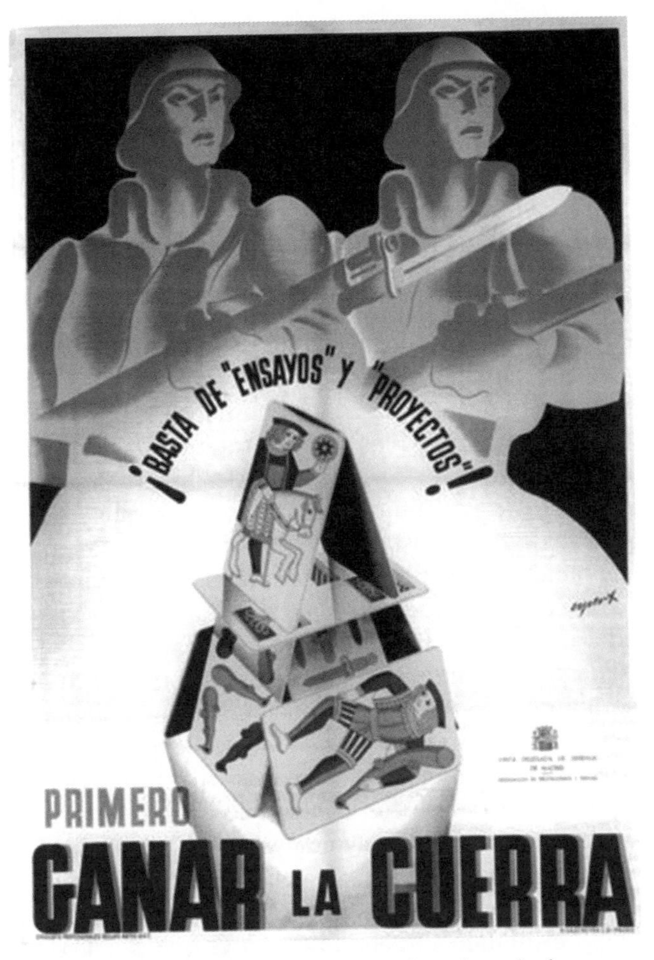

Cartel propagandístico republicano. Su exigencia de poner punto y final a los ensayos y proyectos para centrarse exclusivamente en ganar la guerra expresa muy gráficamente la postura del Partido Comunista ante los experimentos revolucionarios de otras corrientes de la izquierda, específicamente los anarquistas.

ensalmo millares de comités de barrio, de ciudad, de distrito..., hombres y mujeres armados que patrullaban por las calles montados en coches y furgonetas confiscadas a sus propietarios por obra y gracia de la sagrada revolución proletaria. Los coches y camionetas fueron repintados con las siglas del sindicato o partido que los había requisado para transformarse en vehículos revolucionarios que pregonaban la libertad y paseaban a los milicianos, aireando sus rifles en un ambiente de júbilo y camaradería. Parecía que había triunfado la revolución y que los pobres, los desgraciados, los humildes de toda España habían saltado a las calles para inundarlas de un ambiente festivo. Las paredes de las ciudades se llenaron de pasquines y carteles de agrupaciones políticas izquierdistas de la más diversa índole que incitaban a formar batallones para el frente, educar a los niños en las ideas y objetivos de la nueva sociedad o confiscar propiedades a los burgueses y terratenientes. En muchos lugares se suprimió el uso del sombrero y de la corbata, consideradas prendas eminentemente representantes del mundo capitalista que parecía definitivamente derrocado, y el protocolario saludo de siempre fue desterrado a favor del más dinámico y revolucionario "¡salud!" acompañado del puño en alto. Un simple soplo parecía haber sido suficiente para destruir el orden antiguo, dando paso hacia el mundo nuevo, aquel en el que por fin no habría desigualdades y todo se repartiría de forma más equitativa. El ambiente de euforia revolucionaria incitó a muchos miembros comprometidos de asociaciones obreras a la colectivización en masa: los hoteles de lujo se convirtieron en hospitales o comedores para el pueblo, las iglesias en garajes o arsenales, las escuelas religiosas fueron administradas por los comités revolucionarios y los teatros fueron abiertos al pueblo, donde muchos trabajadores asistieron por primera vez a las actuaciones de famosas estrellas del momento, como Estrellita Castro o Pastora Imperio.

"Milicianos sí, soldados no". Era otro de los lemas que se oían a menudo por las calles de las ciudades republicanas, efervescentemente revolucionarias. La revolución se había hecho con el poder en la calle y parecía invencible. Sin embargo, una vez superado el primer estallido, la gran diversidad de siglas políticas y sus enormes divergencias de objetivos y planteamientos políticos se dejaron notar. A medida que pasaban los meses la confraternización proletaria evolucionó hacia posiciones de cierta rivalidad, generándose en primer lugar una clara divergencia entre los anarquistas, partidarios de hacer la guerra y la revolución al mismo tiempo, y los comunistas, convencidos de que era necesario concentrarse en ganar la guerra y después acometer la revolución. Una revolución en cuyo contenido tampoco estarían de acuerdo unos y otros y que, como tendremos tiempo de comprobar, terminaría por enfrentar a las dos opciones de la izquierda en una lucha fratricida.

A pesar de las apariencias, no todo era alegría y regocijo en la zona republicana. En opinión de muchos obreros radicalizados, la victoria de la revolución conllevaba forzosamente la destrucción física del adversario vital del proletariado: el burgués, el terrateniente, el capitalista, el rico, el propietario, el sacerdote, el militar... Según ellos, el pueblo llano tenía ahora la oportunidad y la obligación histórica de liquidar a toda aquella lacra social que les había estado sangrando durante tantos siglos. Las consecuencias de semejantes planteamientos no se hicieron esperar: tiendas y casas de conocidos derechistas fueron asaltadas y sus propietario desposeídos, y en el peor de los casos, asesinados. Envalentonados por la situación de desgobierno, milicianos armados hasta los dientes se tomaron la libertad de entrar por la fuerza en las viviendas de sus enemigos políticos para llevarse a hombres, o a veces familias enteras, hasta la tapia del cementerio para ser fusilados sin ningún miramiento. La tenebrosa práctica de los "paseos" se convirtió en un hecho habitual. El gobierno intentó controlar los desórdenes como pudo, pero sin éxito. Nada parecía ser capaz de parar el arbitrario huracán de ejecuciones, enmascaradas tras el eufemístico nombre de justicia popular. Junto a ella nacía también una nueva categoría de delincuente en la que podía encajar todo tipo de persona, desde los derechistas hasta los tibios o los simplemente sospechosos de no estar con la revolución. Eran los denominados "enemigos del pueblo", una etiqueta maldita cuya distribución estaba en manos de un grupo de milicianos que, en cuestión de segundos, podían decidir la vida o la muerte del acusado. La policía, la guardia civil, los guardias de asalto, se confundieron entre la marea revolucionaria y ya no atendían a nada, uniéndose muchos de ellos a los grupos de milicianos que repartían su expeditiva justicia y detentaban el poder efectivo de un barrio, municipio o zona del país. Naturalmente, la actitud de cada milicia dependía en gran medida de la calidad de las personas que la integraban, de manera que hubo muchas que lucharon denodadamente para evitar un derramamiento de sangre innecesario, uniéndose así a los desesperados llamamientos del gobierno. En el otro extremo, también las hubo compuestas por rufianes que actuaban por venganza o simplemente para, aupados por el ambiente y las consignas revolucionarias, robar, asesinar y saquear impunemente.

Los curas y monjas no corrieron mejor suerte que los propietarios. Las iglesias fueron cerradas al culto y utilizadas para otros menesteres. Fueron miles los sacerdotes fusilados por la "justicia popular". Muchos centros de culto fueron víctimas del fuego y los pillajes, lo que hizo que un importante número de objetos de valor como relicarios, imágenes o sagrarios desaparecieran para nunca más saberse de ellos. Comenzaba de esta forma tan caótica la que se ha dado en llamar la Revolución Española, una revolución truncada por la victoria de Franco, pero que aún así ha quedado en el recuerdo de los españoles. El movimiento popular tuvo como columna vertebral la colectivización de industrias y tierras. En las ciudades los obreros se hicieron con el control de las empresas en las que trabajaban, coordinados bajo las directrices de un comité que organizó como pudo los horarios de trabajo y la distribución del beneficio, dependiendo de su buen talante la continuidad o no del antiguo propietario en su puesto, bajo salario equiparable al de los demás, o su eliminación como enemigo de clase. En este sentido es necesario señalar que existió una gran diferencia según el comité fuera de inspiración marxista o anarquista. Los casos de Madrid y Barcelona son paradigmáticos. Además de ser las dos ciudades más importantes de la república, cada una de ellas representaba el dominio de una izquierda diferente. En el caso de Madrid, dominada por la UGT y el PSOE y con cada vez mayor presencia del Partido Comunista de España (PCE), se impuso la mentalidad de la izquierda dura, autoritaria, partidaria de una revolución progresiva y de la preeminencia de ganar la guerra sobre cualquier cambio revolucionario prematuro. Como consecuencia, las empresas intervenidas no superaron el 30% del total, limitándose tan solo a las más grandes, y de ellas la mayoría respetaron al propietario como trabajador asalariado. Sin embargo, en el caso de Barcelona, donde dominaban la izquierda libertaria y el marxismo heterodoxo del POUM, el 70% de las empresas fueron incautadas y colectivizadas.

Tanto Madrid como Barcelona en seguida tomaron una marcada impronta revolucionaria no solamente en el cambio de aspecto físico, sino en cuanto que los comités se hicieron cargo de labores que hasta entonces llevaban empresas privadas o municipales, más notoriamente en Barcelona, donde los comités obreros se hicieron cargo de los transportes, electricidad, gas, espectáculos... Era la revolución en marcha. Imparable. Madrid y Barcelona se ganaron el apelativo de "ciudades revolucionarias", y los comunistas y anarquistas de todo el mundo clavaron sus ojos y sus esperanzas en una revolución española que había surgido de manera espontánea, que marchaba fantásticamente bien y que en poco tiempo había sabido organizarse para sacudirse definitivamente las cadenas del sistema burgués. La república estaba viviendo una efervescencia revolucionaria, un momento verdaderamente histórico. Sus ciudadanos parecían contar con una clara conciencia de clase, con una mentalidad y una instrucción altamente combativas, y muchos trabajadores sin adscripción política anterior ahora comenzaban a tenerla. La educación y la forma de ver el mundo estaban cambiando.

La revolución era global. No se limitó a las ciudades. El campo también se vio afectado por su formidable influencia, a veces con mayor peso que en las ciudades. En el medio rural fueron los anarquistas quienes con mayor protagonismo enarbolaron la bandera revolucionaria, siendo de este signo el grueso de los cambios que se llevaron a cabo en numerosos pueblos de Cataluña, Levante y Aragón. Fue en esas regiones donde con más fuerza se desarrolló un proceso de colectivización de tierras que fueron administradas mediante comunas que pretendieron, con mayor o menor éxito, instalar el comunismo libertario en el campo español. Para los anarquistas, las colectivizaciones fueron un éxito rotundo que mejoró extraordinariamente el modo de vida de los campesinos, regenerando las relaciones sociales y de producción; los comunistas, en cambio, repudiaron desde el primer momento el animoso experimento revolucionario campesino, asegurando que no fue mas que un reflejo de la coacción de los anarquistas sobre la población campesina y un grave ejemplo de desorganización. En conclusión, un dislate. Sea como fuere, la gran experiencia revolucionaria española está allí, en el campo, en las colectivizaciones de inspiración anarquista que rozaron la utopía en tierras de España y significativamente en Aragón, cuya experiencia colectivizadora fue una de las más densas, profundas y significativas de Europa. La Revolución Española, a pesar de todos los modelos sociales y políticos que se quieran poner encima de la mesa, está dominada por la filosofía del anarquismo y así es como la hemos de identificar. Fue pensada, dirigida y plasmada por el anarquismo, y en Aragón se convirtió durante casi un año en una realidad social palpable.

La experiencia anarquista de Aragón tuvo sus orígenes en una serie de columnas de milicianos que salieron principalmente de Barcelona, pero también de Valencia y otras localidades, en dirección a Zaragoza para liberarla de los militares. Como es de suponer, la gran mayoría de estas milicias estaban encuadradas en la CNT y profesaban una filosofía anarquista de pretensiones misioneras que les llevó a aplicar las doctrinas libertarias en los pueblos por donde pasaban. La más conocida de estas brigadas fue la Columna Durruti, dirigida por el famoso líder revolucionario. Buenaventura Durruti ya era un símbolo faísta en el verano de 1936. Sus prisiones y exilios durante la etapa monárquica le hicieron merecedor de un prestigio proverbial entre las filas del anarquismo español y, en consecuencia, sus opiniones favorables a la línea purista de la FAI, provocaron un aumento del peso de esta dentro de la militancia de la CNT. Durruti se convirtió en el jefe indiscutible de una columna de milicianos que adoptó su nombre, sin que oficialmente ocupara ningún rango superior al del resto de sus compañeros. Tal era su prestigio. Durante el viaje al frente aragonés acostumbró a pararse en cada pueblo para dar una arenga a sus habitantes sobre la necesidad de instaurar el comunismo libertario, sobre la necesidad de un nuevo orden económico y social más justo y más libre, sobre el final del dominio del hombre sobre el hombre... a la par que sus partidarios se encargaban de liquidar al terrateniente o al cacique de turno. Acto seguido daban por suprimida la institución del ayuntamiento y convocaban una reunión a la que todos los habitantes del pueblo estaban invitados, a fin de exponerles los rudimentos básicos del sistema que querían implantar. Intentaban convencer a los aldeanos que las jerarquías eran intrínsecamente malvadas, que nadie era más que nadie; y para ejemplo su propia organización miliciana, sin jefes, sin distintivos especiales, manteniendo una democracia pura. Los delegados de la milicia solían ser escogidos democráticamente por sus propios compañeros, quienes también decidían democráticamente las acciones a llevar a cabo en el campo de batalla. El *modus operandi* de las milicias anarquistas era francamente democrático, pero contenía muy importantes dosis de ingenuidad, dado el temible ejército con el que se tendrían que medir. Y ahora resultaba que querían imponer el mismo sistema en los pueblos aragoneses, algo que a muchos aldeanos debió de parecerles francamente surrealista. Al margen de valoraciones, cerca del 80% de las tierras ocupadas por las milicias fueron colectivizadas. El reparto y la puesta en común de las propiedades del terrateniente no presentó problemas de relieve; la cuestión se agrió un poco a la hora de decidir si la colectivización habría de ser completa, de forma que el pequeño propietario también perdería su suelo a favor de la comunidad. A quienes trabajaban a base de su sudor diario unas tierras que les pertenecían y que, en muchos casos, eran mejores o más numerosas que las de sus vecinos, no les hacía tanta gracia eso de la colectivización. Los anarquistas permitieron, pues, la subsistencia de pequeños reductos de propiedad privada, pero siempre a cambio de que no superasen la cantidad estrictamente necesaria para subsistir y no precisaran de la ayuda de un jornalero. El suelo sobrante fue convertido en propiedad de todos. Nació así un sistema autogestionario por medio del cual la tierra, los aperos y utensilios de labranza, los graneros y las industrias, si las hubiera, pasaron a ser bienes de la comunidad. Todo ello fue administrado por un comité controlado por una asamblea a la que pertenecían todos los miembros del municipio y en la que las decisiones se tomaban por sufragio directo. Cada trabajador era seleccionado para el puesto que más se adecuara a sus capacidades, y a cada uno se le repartía según sus necesidades, no según su rendimiento laboral, de forma que a un enfermo o a un anciano se le daba más de lo que aportaba. Del mismo modo, el medico, el zapatero o el carnicero no cobraban un salario directo, sino que era la propia comunidad quien se encargaba de suministrarle los alimentos y bienes que necesitara para vivir. Acorde a esta forma de vida, el dinero fue suprimido. Ya no era necesario. Todo era colectivo, todo era de todos y nada en concreto de nadie. La enseñanza, la canalización del agua... todo era colectivo. La candidez doctrinal del anarquismo creyó que de esta manera había aniquilado la corrupción inherente al capitalismo.

El sistema funcionó relativamente bien en algunos municipios en los que la producción llegó a aumentar en cantidades muy notables. En otras poblaciones hizo aguas; la teoría decía que no podía haber jefes ni jerarquías, pero en realidad sí que los hubo, y muchos jefecillos aprovecharon su preeminencia para obtener prebendas, ventajas o privilegios. Tal realidad mostró la necesidad de que cada comité municipal fuera coordinado por uno superior. De esta forma se creaba una pequeña estructura que controlaría la producción de los municipios colectivizados y velaría por su buen funcionamiento: el Consejo Regional de Defensa de Aragón, más conocido como Consejo de Aragón, que tuvo su primera sede en Fraga para trasladarse después a Caspe. El Consejo de Aragón fue una especie de coordinadora de comités que organizó los más de seiscientos municipios socializados en el proceso revolucionario. La mayoría de ellos fueron parcialmente colectivizados, ya que muchos pequeños propietarios prefirieron seguir cultivando las ridículas extensiones que la revolución les había permitido mantener. A cambio, una importante minoría de poblaciones, como Muniesa, Alcolea de Cinca o Bujaraloz, fueron totalmente colectivizadas. A medida que pasaban los meses más municipios se sumaron a esta última lista, ya que el pequeño propietario no sacaba lo suficiente para vivir y en muchos casos se vio obligado a solicitar voluntariamente la entrada en la colectividad. De esta forma para verano de 1937, ya había unas doscientas mil personas que vivían bajo este sistema de organización socio-económica.

Aunque no ha sido posible valorar en conjunto sus resultados económicos, y al margen de si las colectividades fueron impuestas o no por los fusiles de los milicianos, el hecho cierto es que esta experiencia fue lo más cerca que estuvo la Revolución Española de lograr su ideal igualitario. Las colectividades de Aragón han quedado para la historia como uno de los ejemplos más acabados de la puesta en práctica del ideal anarquista a nivel mundial.

La fortaleza

Al tiempo que en Cataluña y el campo aragonés la preponderancia anarquista era más que evidente en la ciudad de Madrid, y cerca, muy cerca, del gobierno de la república los enviados de la Unión Soviética comenzaron a dejar sentir su presencia. A punto de comenzar la batalla de Madrid, cientos de carros de combate, aviones mosca y pertrechos militares en grandes cantidades fueron llegando desde Moscú, y junto a ellos un verdadero ejército de políticos, comisarios, generales e instructores. La ayuda de Stalin llegó acompañada de una asfixiante tutoría que se hizo notar más según fueron pasando los meses.

El 4 de noviembre, el Ejército de África se presentó a las puertas de Madrid. Uno a uno, los grandes núcleos demográficos del sur de Madrid como Móstoles, Getafe o Leganés, fueron cayendo presa del avance nacional. Las tropas de Franco avanzaban con la seguridad del invicto, convencidas de que Madrid caería tan fácilmente como lo habían hecho hasta entonces todas las ciudades republicanas. Alrededor del Ejército de África se fue formando un aura de invencibilidad que propició el aumento de la prepotencia entre sus jefes militares. Franco compartía el optimismo de sus mandos y no escatimaba burlas sobre la capacidad militar de los milicianos, quienes, ciertamente, no habían demostrado ser capaces de frenar, ni un ratito, a las curtidas tropas coloniales. El gobierno republicano compartía esta perspectiva. Para su desesperación, las milicias seguían siendo una penosa fuerza de choque sobradamente armada de entusiasmo pero sin ningún tipo de experiencia militar. Madrid iba a ser el punto y final de la guerra, la conquista definitiva a partir de la cual los republicanos ya no opondrían más resistencia. Madrid caería como fruta madura. Sin embargo, para sorpresa de los nacionales, Madrid resistió con un coraje nunca visto y se convirtió en el símbolo de la resistencia de un pueblo. La batalla de Madrid fue la gran epopeya de la Guerra Civil Española.

Fueron los miembros de Partido Comunista quienes soportaron sobre sus espaldas el grueso de la responsabilidad de la defensa de Madrid. El PCE, un partido numéricamente modesto antes de la guerra, había aumentado su afiliación en cientos de miles de personas durante los primeros compases de la misma, y ya era una fuerza a tener muy en cuenta, principalmente en Madrid. Gran parte de la responsabilidad del incremento exponencial de la presencia e influencia del PCE la tuvieron los agentes soviéticos, que desarrollaron una importante labor de penetración en las brigadas mixtas y dentro del propio gobierno de España. Hombres como Nihail Koltsov o Vladimir Antonov-Ovseenko, que oficialmente llegaron como diplomáticos, influyeron notablemente en las decisiones del gobierno hasta el grado de asistir a las reuniones del Consejo de Ministros. Este fue uno de los peajes que la república española tuvo que pagar por la ayuda soviética.

Los agentes de Moscú elevaban constantes informes a Stalin sobre la situación política y militar de España, y sus comunicados eran siempre dantescos. Según su diagnóstico, había que acometer dos asuntos con urgencia: en materia interna, había que eliminar la anarquía, procediéndose a restaurar la fortaleza del estado y una nueva policía capaz de reprimir los desórdenes callejeros. En cuanto a lo militar, era perentoria la formación de un ejército poderoso, que actuara en bloque y perfectamente coordinado. Para ello había que liquidar de raíz el deficitario sistema de milicias.

Siguiendo los consejos de los representantes de la URSS, el gobierno de Largo Caballero organizó una serie de milicias de retaguardia que, a efectos prácticos, se dedicaban a hacer labores policiales para evitar los desmanes revolucionarios. Este organismo congregó a un pequeño núcleo de antiguos guardias civiles, carabineros y guardias de asalto deseosos de engrosar las filas de un futuro cuerpo policial único y fuerte que propiciaría el renacimiento del estado. Los miembros leales de la Guardia Civil, que quedó renombrada como Guardia Nacional Republicana, propiciaron la unión con los veteranos de la Guardia de Asalto, lo que generó en diciembre de 1936 el nacimiento de un germen policial denominado Cuerpo de Seguridad Interior. La nueva policía no debía tener ningún tipo de relación directa o indirecta con sindicato o partido alguno, de forma que se intentaba así garantizar la fidelidad exclusiva al gobierno de la república. Solamente así se construiría una policía de confianza.

Como anteriormente se ha señalado, los comunistas creían que lo más urgente era ganar la guerra, concentrarse en ella con todas las fuerzas, porque si no se ganaba ya no se podría hacer la revolución. Además, y siguiendo las consignas de Moscú, muchos sectores del PCE aceptaban la idea de que España aún debía de pasar por una etapa de gobierno burgués antes de estar madura para el cambio revolucionario. Por eso, consideraban que las aspiraciones anarquistas de hacer la guerra y la revolución a la vez, no eran más que pérdidas de tiempo que distraían valiosas aportaciones en hombres y armas, transformando por arte de birlibirloque a sus protagonistas en cómplices indirectos del fascismo y, por lo tanto, traidores a la revolución. La visión hermética y disciplinada del comunismo del PCE chocaba gravemente con el propugnado por el anarquismo y no tardó en manifestarse en forma de un hondo desprecio de los primeros para con los segundos. Aún y todo, la CNT no fue quien se llevó la peor parte. Profundamente mediatizados por las consignas de la Komintern, los comunistas proclamaron desde todos sus comités y desde el propio gobierno que había tres tipos de enemigos del pueblo a eliminar: los fascistas, a quienes había que combatir en las trincheras; los troskistas, en referencia al POUM, que comenzó a ser definido como socialfascista; y los incontrolados, contra quienes se lanzó una campaña de persecución brutal para mantener el orden interno. Desde el centro neurálgico de Madrid, la cada vez más notable influencia del comunismo ortodoxo se propagó a otras zonas de la república, y en poco tiempo el PCE y el PSUC se transformaron en los partidos preponderantes dentro de los gobiernos de España y de Cataluña, respectivamente.

Ni Largo Caballero ni Companys estaban dispuestos a conceder a los comunistas más influencia de la que realmente debían de tener. Si bien aparentemente no eran más que un partido más de los integrantes de sus gobiernos de concentración, la extrema dependencia de los republicanos con respecto a la ayuda de la URSS provocó un brutal aumento de la presencia del comunismo en las calles y en los gobiernos. Este hecho se dejó notar con especial virulencia en Cataluña, donde el POUM tenía la base de su poder. La aparición de un coloso como el PSUC en la arena política del marxismo catalán, puso en guardia a las bases del POUM, que dadas las circunstancias no podían esperar nada bueno del crecimiento exponencial de un partido tan férreamente sometido a las directrices de Moscú[12]. En Madrid, la presencia de los "poumistas" era mucho menor, de modo que, en los primeros momentos, la

---

12 El POUM representaba una corriente marxista revolucionaria diametralmente opuesta al comunismo ortodoxo de la URSS. Aunque no es posible catalogarlo como un partido netamente troskista, gran parte de su contenido doctrinal procedía de esta inspiración, situándose muy a la izquierda del arco político español. Fue uno de los pocos partidos comunistas de la Europa de la época que unió su voz a la de Trotsky para condenar las actividades de Stalin, una actitud valiente que pagaría muy caro llegado el momento.

campaña contra ellos se dejó notar con más fuerza en aquella ciudad. Pronto sufrieron en sus carnes la amarga experiencia del cierre de sedes políticas y órganos de expresión, todo ello echando mano de las más peregrinas razones. El Partido Comunista estaba reproduciendo al calco las luchas y odios fratricidas que se estaban experimentando dentro del marxismo internacional. Poco a poco el fervor revolucionario de los primeros días dejó paso a un ánimo contenido. Los comunistas querían demostrar que eran capaces de encauzar los deseos revolucionarios por medio de la construcción de un nuevo estado republicano más fuerte, más eficaz y más organizado; no en vano sus milicias pronto destacaron por ser las más disciplinadas y valiosas en los campos de batalla, especialmente el famoso Quinto Regimiento, integrado totalmente por comunistas del PCE. Se trata de la milicia más laureada de todas las que combatieron por la república, un auténtico cuerpo de ejército en el que, fieles a la filosofía y al modelo soviético, las jerarquías fueron respetadas y en muchos casos restablecidas, así como los galones, los mandos y los saludos militares. Muy al contrario que en el caso de los anarquistas, las milicias comunistas no "decidían democráticamente" el siguiente paso, sino que acataban sin discusión lo que sus oficiales les ordenaban. Se convirtieron en un modelo de disciplina, y aceptaron con gusto la integración de oficiales del antiguo ejército español, acatándolos como mandos. El férreo sistema impuesto por los comunistas dentro de sus filas logró ganarse la simpatía de buen número de republicanos moderados, muy molestos por el desorden de los milicianos. El propio presidente del gobierno, Largo Caballero, simpatizante del sistema de milicias, tuvo que aceptar que un ejército regular y disciplinado era lo mejor para afrontar la guerra. En esa dirección fueron dándose los pasos que transformaron al inicial conglomerado de milicias en el Ejército Popular de la República, un ejército normalizado que por obra y gracia de los acontecimientos, terminó por lucir la estrella roja de cinco puntas en el uniforme.

Provistos de una enorme cantidad de material bélico y humano soviéticos (carros de combate, ametralladoras, aviones, instructores, delegados, técnicos...), los republicanos se dispusieron a plantar cara al Ejército de África. La ofensiva nacional estaba prevista de un momento a otro, y prometía ser feroz. De esta forma, Madrid se convirtió en el centro del mundo por aquellos meses. La prensa de todo el planeta tenía los ojos clavados en la capital de España, así que para los soviéticos la defensa de Madrid se convirtió en una cuestión personal. Estaba en juego su prestigio como gran potencia. Lo habían apostado todo por la república y especialmente por Madrid y ahora tenían que demostrar que realmente eran capaces de defender lo que garantizaban, de cumplir sus promesas. La batalla de Madrid fue la primera vez que los Panzers, los Stukas, los Savoia, los Heinkel y los Junker fascistas se enfrentaban a los moscas, los chatos y los tanques del Ejército Rojo. No sería la última.

En el frente, las tropas de África continuaban con su avance. El 6 de Noviembre cayó Carabanchel y los asesores soviéticos aconsejaron al gobierno que haría bien en marcharse de Madrid hacia una zona más segura. Ese mismo día el gobierno se trasladó a Valencia, dejando en Madrid una Junta de Defensa bajo las órdenes del General José Miaja. La Junta se encargó no solamente de las cuestiones militares, sino también del abastecimiento de la población, transportes, orden público y demás necesidades cotidianas de la población civil. El día 8 los nacionales avanzaron sobre los puentes del Manzanares. Ya estaban en las afueras de Madrid. Casi al mismo tiempo llegaron a España las primeras remesas de las Brigadas Internacionales, unos 8.500 hombres que fueron destinados a la defensa de la capital. El choque era inminente.

Para insuflar moral a la población, el Partido Comunista organizó una extraordinaria campaña propagandística que empapeló toda la ciudad con el símbolo de la hoz y el martillo, la estrella roja y demás simbología comunista, incitando a la unión de todos los trabajadores para ganar la guerra. Los discursos callejeros de conocidas figuras del PCE completaron el ambiente de resistencia que querían transmitir por la ciudad. Entre los oradores comunistas descolló la electrizante figura de una mujer, Dolores Ibárruri, la Pasionaria, que galvanizó a los madrileños en aquellos momentos de pánico en los que todo parecía perdido. Ella puso de moda lemas tan famosos como "No Pasarán" y "Madrid será la tumba del fascismo", frases inolvidables que por sí solas han hecho historia, marcando a toda una generación de españoles. Desde su micrófono o su tribuna, o desde un improvisado mitin en la calle, la Pasionaria logró mantener la tensión revolucionaria en una población asediada y hambrienta que respondió con coraje ante lo desesperado de la situación. "Defender Madrid como Petrogrado", decían las consignas. Y eso hicieron.

Desde la Unión Soviética llegaron los más variados recursos para adoctrinar a la población en los valores marxistas de igualdad y resistencia. En Madrid se exhibieron por aquellos días películas como *El acorazado Potemkin* y *Los marinos de Kronstadt*, sobre grandes pantallas que eran exhibidas en la calle o en teatros y cines socializados. El pueblo colaboró animosamente en cualquier labor que les fue designada, desde la construcción de barricadas o nidos de ametralladora hasta la atención a los necesitados. Se vivió un ambiente de fervor revolucionario y de lucha, todos unidos, sin distinción de partidos o sindicatos, para la defensa de Madrid. Mientras tanto, y a pesar del clima de confraternización entre comunistas, socialistas, republicanos y anarquistas, la policía se afanó especialmente en sus labores de limpieza de retaguardia, en busca de trotskistas y quintacolumnistas. Muchos derechistas fueron pasados a rifle, entre ellos los miles de presos que abarrotaban las cárceles madrileñas. Eran tantos que, ante el peligro de posible colaboración con el enemigo –un bombardeo enemigo alcanzó la cárcel modelo y afectó a sus muros– fueron cruelmente fusilados, en numero cercano a dos mil, en Paracuellos de Jarama.

Ante el progresivo avance de los nacionales, los republicanos decidieron dar la sorpresa por medio de un ataque frontal con cuarenta tanques rusos. Sin embargo, los franquistas lograron establecer una cabeza de puente en la Ciudad Universitaria. El enfrentamiento en la Ciudad Universitaria y la Casa

de Campo fue uno de los más duros y crueles de toda la guerra. Por primera vez el Ejército de África estaba teniendo dificultades para avanzar, y finalmente y para su sorpresa, fueron detenidos en el Puente de los Franceses. Los nacionales no podían creérselo. Franco dio órdenes de continuar el avance, pero una y otra vez los moros chocaban con la brava defensa de los republicanos. Como consecuencia, la batalla se desarrolló combatiendo por cada milímetro de tierra, casa por casa, encarnecidamente. Los africanos realizaron algunos avances leves, pero les fue imposible penetrar en el núcleo urbano de Madrid. A pesar de ello, Franco continuaba queriendo aplastar a los republicanos y no cejó en sus continuos ataques. Sin embargo, los defensores de Madrid no se daban por vencidos. Los milicianos se crecieron al comprobar que el orgullo del ejército sublevado se estrellaba una y otra vez ante sus fusiles, lo que les dio vigor para seguir enfrentándose a sangre y fuego hasta que, finalmente, Franco dio la orden de detener el ataque. Tremendamente enfurecido y destilando rabia por todos los poros de su piel, Franco resolvió vengarse de los madrileños ordenando, por primera vez en los campos de batalla de Europa, un bombardeo masivo contra la población civil. De nuevo ponía en práctica su teoría de generar el terror en la población para ablandar la resistencia. A una orden de Franco, los aviones de la Legión Cóndor se abalanzaron contra Madrid. Sobrevolaron la ciudad al ras de los tejados, bombardeando casas particulares y ametrallando a ciudadanos anónimos. Durante varios días Madrid fue una ciudad en llamas. El resultado fue un innumerable número de muertos y heridos, y familias enteras sin hogar, vagando por las calles en busca del alimento que les proporcionaba el comité gubernamental o el Partido Comunista. Sin embargo, la población no se rindió. Muy al contrario de las pretensiones de Franco, los madrileños siguieron plantando cara aún con más fuerza a los atacantes. El 23 de noviembre los nacionales renunciaron definitivamente a tomar la ciudad de frente. La república había aguantado el primer embate y Franco tuvo que tragarse sus palabras cuando, al principio de la ofensiva, dijo que en pocos días oiría misa en Madrid.

El gran titiritero

Mientras que, en las cuestiones militares, los soldados nacionales se daban su primer batacazo contra la poderosa defensa republicana de Madrid, en la retaguardia Franco movía sus fichas para lograr el dominio absoluto de la sublevación. La Junta de Defensa no había sido capaz de definir un sistema político con el que dotar al nuevo estado por el que estaban luchando. De hecho, la propia Junta nació como solución de urgencia al verse sorprendidos por la muerte de Sanjurjo y trastocada así la pieza clave sobre la que giraba todo el esquema. Mola seguía pensando en una dictadura militar apolítica que mantuviera una firme separación entre iglesia y estado, al tiempo que impusiera orden, pero nunca se planteó derrocar a la república o renunciar a ella. Consideraba al levantamiento como una especie de "movimiento de salvación" de la república, y no se le habría ocurrido imponer una restauración borbónica. Sin embargo, sabía que gran parte de las derechas, entre las que se señalaban muchísimos militares de alto rango, era partidaria de una solución monárquica, de manera que no podía más que dejar de lado momentáneamente el espinoso asunto y concentrarse en la guerra. Práctico como él era, aceptó los argumentos de Franco de que la duplicidad de los sublevados en las relaciones exteriores no haría más que confundir a los extranjeros y hacer ineficaces sus gestiones, de manera que en una reunión celebrada el 11 de agosto de 1936, aceptó los hechos consumados. A partir de entonces las relaciones exteriores de los sublevados quedaron en manos de Franco, que ya había hecho un gran camino y estaba en muy buenas relaciones con ellos. Mola cayó en la trampa que Franco le había tendido. El gallego sabría aprovechar con destreza sus nuevas atribuciones, mostrándose ante el exterior como el líder de la revuelta. Los colaboradores de Mola le hicieron ver que había cometido un terrible error, e intentaron que recondujera la situación con el argumento de que de esta manera le estaba entregando el poder a Franco en bandeja de plata, pero ya no podía dar marcha atrás. A pesar de que la muerte de Sanjurjo le puso la jefatura delante de sus mismas narices, Mola nunca se vio a sí mismo como jefe supremo. Tenía grandes cualidades intelectuales, pero nunca dejó de ser un segundón, y llegado el momento aceptaría entregar por el bien del levantamiento el liderazgo total a Franco.

Animado por lo fácilmente que Mola y los miembros de la Junta se plegaban a sus intenciones, Franco decidió dar el golpe de timón definitivo. En un acto celebrado en Sevilla el 15 de agosto con objeto de la festividad de la Virgen de los Reyes, el gallego dio un pequeño discurso y arrió la bandera republicana, sustituyéndola por la rojigualda entre los sones de la Marcha Real. Esta acción tuvo un contenido simbólico enorme, ya que suponía la ruptura completa no solamente con el gobierno republicano, sino con la república misma a la que durante los primeros momentos del levantamiento decían defender. Tanto la bandera bicolor como la Marcha Real eran símbolos monárquicos que fueros desterrados en 1931, al proclamarse el régimen republicano. Y ahora, en un acto unilateral, Franco los recuperaba adoptándolos como símbolo de su nueva España. "Nos la querían quitar", dijo besando la bandera.

El efectista acto de Sevilla no fue recibido con agrado por el general Mola. El hecho de que Franco, por su propia iniciativa y saltándose olímpicamente a la Junta de Burgos, restituyera los colores y sones tradicionales del estado español dejaba más que claras sus intenciones. Franco actuaba como si él fuera el supremo dictador, como si no tuviera que rendir cuentas a nadie de las cosas que hacía. La sustitución de unos símbolos por otros era un asunto de la máxima importancia, cuya decisión competía al organismo supremo de gobierno de los militares, la Junta de Defensa Nacional. Franco no podía cambiar la bandera y el himno cuando le viniera en gana.

Sin embargo, el acto de Sevilla no terminó ahí. En un manifiesto intento de identificar a España y sus símbolos con la figura de Franco, cada vez que sonó la Marcha Real se proyectó su retrato en una gran pantalla instalada al efecto, y las calles se engalanaron con imágenes del futuro dictador, enalteciendo su persona. Franco era ya sin duda el más famoso líder de la España nacionalista y su jefe más carismático. Cuando el 16 de agosto voló a Burgos para entrevistarse de nuevo con Mola, le esperaba un recibimiento masivo de civiles que lo agasajaron todos a una, reconociéndole como su líder *de facto*. En aquella reunión, Franco dio una nueva vuelta de tuerca exponiendo a los miembros de la Junta la necesidad urgente de un mando único. Franco nunca decía las cosas porque sí, y tras señalar esta necesidad se postuló él mismo para ostentar dicho mando. En una obra de persuasión política magistral mezclada con una sinceridad cruel, Franco dejó muy claro que quien llevaba el peso militar de la contienda era él; que quien trataba con italianos, alemanes y portugueses y había logrado tantos carros de combate, aviones y demás pertrechos militares era él; que tenía una relación privilegiada con los extranjeros y que el dinero que los empresarios ingresaban por la causa, se ingresaba a su nombre, siendo administrado en su totalidad desde su cuartel general de Sevilla, donde ya se estaba formando un germen estatal. Acto seguido añadió que sin él la Junta de Burgos no era nada. Ante tan descarnada exposición de los hechos, la Junta claudicó. Era la política de los hechos consumados, una imposición velada. Franco no proponía nunca nada sin haberse adelantado antes a los hechos. Les tenía en un puño, algo que Mola tuvo que aceptar con resignación. Aunque Franco no era plato de gusto de muchos generales, les había ganado por goleada sin que ellos se hubieran dado cuenta. No había más remedio que aceptar. Al fin y al cabo, se dijo Mola, era por el bien de la rebelión. Si fracasaba no tendrían más esperanza que la horca o el garrote vil.

La reunión del 16 de agosto fue una especie de presentación de intenciones de Franco. Aunque de allí no salió ninguna decisión formal, Mola, Cabanellas y los demás militares salieron con la impresión de que Franco se había nombrado jefe él mismo y a ellos no les quedaba más que acatarlo. En un acto de sumisión incomparable, el día 29 del mismo mes la Junta decidió seguir los pasos de Franco y adoptar la enseña bicolor y el himno tradicional. Por primera vez la Junta estaba actuando a remolque y contemplaba impávida cómo el estado que estaba creando Franco en el sur comenzaba a tener presencia en toda la zona nacional. Tras la conquista de Extremadura, Franco trasladó a Cáceres su cuartel general, instalándose en un lujoso palacio histórico, y desde allí construyó un protoestado apoyado en las más rígidas normas de actuación. Allí recibía a las delegaciones diplomáticas extranjeras, cosa que a la Junta de Burgos jamás le ocurrió, desplegó una ingente labor administrativa, funcionarial y legislativa, y organizó militarmente a la sociedad como si de un cuartel se tratara. Los cimientos del estado franquista estaban echados.

El 21 de septiembre, Franco fue declarado Generalísimo de las fuerzas sublevadas en una reunión forzada por él mismo para liquidar definitivamente la cuestión de mando único[13]. Para muchos militares el nombramiento no fue plato de gusto, pero vistas las circunstancias no podían más que plegarse a los hechos consumados. La designación de Franco como Generalísimo conllevaba el dominio militar y en gran parte también político de la zona sublevada, pero también la temporalidad, ya que el puesto nació con fecha de caducidad con cargo al fin de la guerra.

Franco había dado un paso de gigante en sus ambiciosas aspiraciones, pero aún no estaba satisfecho. Era perfectamente consciente de que su nueva posición de poder podía desaparecer en cualquier

---

[13] La denominación de "Generalísimo" fue una innovación de urgencia, ya que el cargo era inexistente. El puesto de general era lo máximo a lo que se podía aspirar dentro del ejército español. Al crear un grado militar superior, se acuñó esta palabra.

momento. Así sería mientras la Junta mantuviera la soberanía. Oficialmente no era sino un delegado de la Junta para ostentar el poder a fin de tener un mejor control de la guerra, pero podía ser relevado en cualquier momento, especialmente cuando terminara la contienda. Así que inició una ofensiva exigiendo la concentración de todos los poderes en su persona. Además del dominio militar y político, exigió que el cargo de Generalísimo llevara adjunto el de jefe del estado. Escudado en la imperiosa necesidad de tener todos los poderes, incluido el del estado, para llevar a buen puerto los ideales de la sublevación, el 28 de septiembre organizó una nueva reunión en la que los militares casi fueron obligados a dar la jefatura del Estado a Franco. Hágase notar que el edificio donde se llevó a cabo estuvo rodeado por fieles miembros de la Legión. A pesar de que la mayoría no estaban de acuerdo en aglutinar tal cúmulo de poder en una sola persona, tuvieron que doblegarse de nuevo a la política de los hechos consumados de un hombre tan ambicioso como aparentemente inofensivo. El malestar de los militares ante la nueva designación de Franco fue expresado veladamente en pequeños círculos, pero quizá Cabanellas fue el más gráfico de todos ellos. Amparado por su avanzada edad y por el hecho de que había sido uno de los pocos oficiales de rango superior a Franco en la guerra de África, no escondió su preocupación. "No saben lo que han hecho –dijo–. Si va a dársele en estos momentos España, va a creerse que es suya". Dejaba patente su rotunda disconformidad con el rumbo de los acontecimientos y su seguridad de que, a pesar de las promesas y de las buenas intenciones, Franco nunca dejaría el cargo.

Otros militares que conocían bien a Franco también lo percibieron así, intentando hacer ver a los monárquicos que a pesar de sus bellas palabras lo último que haría Franco sería dejar que un rey le quitara el puesto que tan trabajosamente había alcanzado.

Con estos mimbres, el 1 de octubre de 1936, Franco fue investido como Jefe del Estado, acumulando en su persona la mayor concentración de poder que jamás se hubiera visto en la historia de España. Ni siquiera los reyes absolutistas gozaron de tamaña capacidad de mando, limitados por leyes y fueros a los que estaban sometidos. Así, con el poder omnímodo en sus manos, lo primero que hizo Franco fue dedicarse a dar el primer paso para la eliminación total de cualquier persona, organismo o institución que pudiera hacerle sombra en el futuro. Aquel mismo día disolvió la Junta de Defensa Nacional sustituyéndola por una inofensiva Junta Técnica del Estado, cuyo principal cometido fue aconsejar a Franco en sus decisiones. Se daba punto y final así a un ambicioso proceso de escalada del poder que lo llevó a lo más alto y arrinconó a cualquier competidor, eliminando las estructuras políticas y militares que le hacían frente en su objetivo de lograr el mando supremo.

A partir de entonces Franco se zambulló en una orgía de egocentrismo por medio de la cual se colgó a sí mismo los ribetes de emperador. Estableció su nuevo cuartel general en Salamanca y comenzó a ser conocido como el Caudillo. Ya no se podía hablar de rebelión, había que dignificarse: comenzó a acuñarse el término de Movimiento Nacional en clara sintonía con el objetivo de identificar a Franco como la encarnación de España. Sus retratos se multiplicaron como las pulgas, y en las tiendas, en los balcones, en los ayuntamientos, la gente competía por ver quién lograba colocar el rostro del nuevo semidiós en un lugar más vistoso. En contraste con el ateísmo de los republicanos, el Caudillo se esforzó en presentar una apariencia profundamente católica y se acuñaron términos como "Cruzada" y lemas como "Franco, Franco, Franco", claramente alusivo al culto a la personalidad, retomándose además el viejo lema jonsista de "una, grande, libre", en referencia a la nueva España. Para reforzar su imagen de grandeza comenzó a dejarse ver escoltado por la que fue conocida como la Guardia Mora, un selecto grupo de africanos vestidos con uniforme militar de reminiscencias arabomedievales, que le daban un aspecto de emperador oriental. Para satisfacer a sus aliados fascistas institucionalizó el saludo del brazo en alto, un saludo españolísimo por cuanto que los antiguos íberos lo practicaban. De cara a italianos y alemanes, Franco se presentaba como un hombre influido por el fascismo que prometía acometer reformas sociales serias, pero de cara a los conservadores se presentaba como el valedor de la sociedad tradicional; una doble cara que siempre, hasta su muerte, presentó, lo que a muchos hizo pensar que era timorato. No era así. Era sibilino, ladino, astuto y extremadamente desconfiado. Pero cuando tomaba una decisión no le temblaba el pulso. Franco supo ganarse a otro de los poderes fácticos de la España de la época: la iglesia. La mayoría de los sacerdotes, conscientes de lo cerca que habían estado de su exterminio, cerraron filas en torno al Movimiento

Nacional y a su Caudillo, alzando el brazo gustosos sin ningún tipo de pudor y cerrando los ojos a las masacres que se estaban llevando a cabo en la retaguardia. Franco les estaba llenando las iglesias de nuevo, y eso fue suficiente para ellos. El Generalísimo mimó a la iglesia española, colmándola de prebendas. El clero volvió a disfrutar de sus antiguas rentas y su influencia social fue completamente restablecida. Otra vez volvía el populacho a humillar la cabeza al paso de los sacerdotes y besar su anillo con ferviente adoración.

La política de Franco satisfizo al Vaticano casi tanto como a la iglesia española. Las reuniones con Pío XI y su curia resultaron altamente satisfactorias para Franco y en diciembre, a cambio de un reconocimiento oficial por parte del Vaticano –lo que le aseguraba el apoyo de los millones de cristianos del mundo– aseguró que trabajaría para que la Iglesia se viera convertida en un pilar esencial del estado que iba a crear en torno a sí. El Vaticano aún tardaría dos años en reconocerle oficialmente, pero a efectos prácticos pocas trabas pusieron desde la Santa Sede a las acciones del Caudillo.

Una vez impuesto su mando en la sociedad, pactado con la iglesia y domesticado el estamento militar, Franco se ocupó de amaestrar a las diferentes sensibilidades políticas que apoyaron la sublevación. No podía permitir que sus grandes diferencias políticas acabaran dinamitando el estado, como había ocurrido en la España republicana, de forma que se puso manos a la obra para encuadrarlos a todos tras una disciplina férrea. Carlistas, falangistas, y derecha conservadora, escindida entre monárquicos alfonsinos y liberales republicanos eran las principales corrientes políticas que subsistían a la sombra de Franco. Cada una de estas corrientes representaba a partidos políticos muy diversos que, como en el caso de la república, mantenían sus propias milicias de partido. Aunque las más importantes fueron las carlistas y las falangistas, también otros grupos, como la CEDA, aportaron grupos de militantes armados para la guerra. Estas milicias se pusieron bajo el mando de unidades regulares y en seguida fueron militarizadas, perdiendo su autonomía para integrarse en el ejército, aunque sin perder su denominación y bandera. El principal problema ante dicha pérdida de autonomía llegó desde las filas carlistas. Los líderes de la Comunión Tradicionalista siempre habían sido muy celosos de su propia independencia y no estaban dispuestos a permitir la entrega alegre de unos cuerpos tan eficaces y fieles como los requetés. Como muestra de su independencia y en un intento velado de aclarar a Franco que no podía meter mano en lo que no era suyo, abrieron con permiso de Mola una academia militar carlista en diciembre de 1936. La noticia le sentó a Franco como un jarro de agua fría lanzada a cien kilómetros por hora contra sus testículos. El Caudillo era consciente de que si permitía que alguien se saltara sus órdenes, podrían írsele las cosas de las manos. Dispuesto a mostrarse inflexible, reaccionó de forma brutal. Dijo que no podía permitir la existencia de un poder paralelo, por mínimo que fuera, que regule academias, conceda ascensos y administre ejércitos. Calificó la acción carlista como un delito de traición, y lo comparó a un golpe de estado, dando cuarenta y ocho horas a Fal Conde, líder de los carlistas, para exiliarse fuera de España bajo amenaza de un consejo de guerra. En la mentalidad de Franco, el requeté, el carlismo y todo lo que pululaba por la España nacional era ahora suyo. Nada podía hacerse sin su permiso. Fal Conde huyó a Portugal donde estuvo exiliado durante toda la guerra.

También por parte de los alfonsinos tuvo que capear una situación comprometida, ya que el heredero de la corona, Juan de Borbón, acudió a España presto a unirse a las filas nacionales para combatir en la guerra. Franco no se lo permitió. Su intuición política le decía que la presencia del heredero del trono en las filas nacionales trastocaría las lealtades de los monárquicos, formando inconscientemente un liderazgo bicéfalo que haría peligrar su posición. Además, Franco supo rentabilizar su acción informando confidencialmente a los monárquicos que en su ánimo estaba proteger a don Juan, asegurando a renglón seguido que una vez ganada la guerra le proclamaría rey. Sin embargo, a los falangistas y fascistas europeos les dio una versión muy diferente, asegurando que la monarquía tradicional no era la idea que tenía pensada para España; finalmente, el explícito rechazo de Franco al heredero de la rama liberal supuso para los carlistas una esperanza de poder ver al heredero de su dinastía en el trono de la futura España. La inocencia de los carlistas fue muy bien aprovechada por Franco para mantener la adhesión de muchos de ellos.

A pesar de la solución de estas cuestiones, al caudillo le había sonado el aviso de que si no solucionaba el problema de la diversidad política e ideológica en su campo podría peligrar el dominio incontestable que estaba construyendo con cimientos de acero. Para acometer esta labor se planteó seriamente la creación de un partido político único que cohesionara política e ideológicamente a su régimen en construcción.

El primero en ser ganado para la causa fue el conde de Rodezno, un viejo carlista que lideraba la facción franquista o simplemente derechista de la Comunión, quien le hizo ver que en su partido, como en los demás, había dos secciones: la de la mayoría, que sería fácilmente ganada para la causa; y los irreductibles, que generalmente coincidían con la cúpula dirigente de los partidos y sus ideólogos, guardianes de las esencias. Las bases siempre eran más maleables y se prestarían fácilmente a unirse al partido de Franco. La primera idea fue crear el nuevo partido sobre la base de la CEDA, pero en seguida desechó esta posibilidad. La CEDA se había reducido casi a la nada durante la guerra, mientras que existía un partido que creció exponencialmente durante la misma hasta convertirse en el que más voluntarios aportaba al ejército: FE de las JONS. Su dinamismo, su retórica fascista, su violento radicalismo y su nacionalismo militante atraían como un imán a los más jóvenes, de forma que en poco tiempo los "Camisas Nuevas", que era como se denominaba a los que se habían afiliado después del inicio de la guerra, superaron en mucho a los "Camisas Viejas". En la Falange se había cumplido el hecho tan temido por Primo de Rivera de que, al afiliarse en masa derechistas o nacionalistas radicalizados por la guerra, perdió sus esencias fascistas,

Los planes de rescatar a José Antonio Primo de Rivera de la prisión de Alicante fueron entorpecidos una y otra vez por Franco, a quien no le interesaba ver al líder de Falange en libertad. Por el contrario, un José Antonio muerto y manipulable sería mucho más útil para sus propósitos.

La puerta de Alcalá quedó irreconocible tras el huracán revolucionario que invadió el Madrid asediado. En la foto podemos apreciar el escudo de la Unión Soviética en la parte alta de su cuerpo central. Bajo las arcadas, retratos revolucionarios entre los que destaca el de Stalin, y una proclama: Viva la URSS.

convirtiéndose en una especie de sucursal extremista de la CEDA. La retórica y apariencia fascista de FE de las JONS y el contenido rabiosamente conservador de muchos de sus "Camisas Nuevas" le resultaron a Franco ideales para construir su nuevo partido sobre esta base. Tal y como había hecho con los carlistas, y tal como había predicho Cabanellas el día que le nombraron jefe de Estado, Franco se había creído que España era suya, incluido todo lo que había en ella, de manera que no tuvo ningún empacho en apropiarse de un partido con el que nunca tuvo ningún tipo de relación política. El único escollo que se ponía por delante era su carismático líder, José Antonio Primo de Rivera, mentor ideológico de FE-JONS y adorado como un héroe por todos los falangistas, desde los honestos hasta los bribones a los que les gustaba patrullar por las calles de los pueblos obligando a la gente a hacer el saludo fascista. José Antonio tenía un peso enorme en el falangismo, por eso era el gran obstáculo de Franco y por eso no prosperaron las repetidas iniciativas que tanto desde la Falange como desde el campo republicano se organizaron para canjear a Primo de Rivera, preso en la cárcel de Alicante, por hijos o familiares de importantes políticos republicanos que habían quedado en territorio enemigo. Al principio, Franco aceptó a regañadientes los planes que los falangistas y los propios alemanes, muy interesados en tener a un verdadero fascista libre en España, le presentaban, pero más tarde se opuso a todos ellos poniéndoles todo tipo de trabas administrativas.

Cuando los anarquistas se hicieron dueños de la cárcel de Alicante se corrió el rumor de que el líder falangista iba a ser inminentemente fusilado. Aunque Franco no terminaba de creérselo, ya que era un prisionero demasiado valioso y todo un símbolo para el falangismo, el rumor resultó ser cierto. Primo de Rivera fue salvado en el ultimo momento por intervención expresa del gobierno de la república. Pero el tribunal popular no cejó en su empeño de aniquilar a uno de sus más odiados enemigos, y haciendo caso omiso a las indicaciones del gobierno, volvió a juzgarlo. El 20 de noviembre de 1936 fue fusilado ante la impotencia del gobierno republicano y la alegría contenida de Franco, que no cabía en sí de gozo. Primo de Rivera vivo y libre era un rival muy duro, mientras que muerto sería un mito fácilmente manipulable, que convenientemente presentado actuaría en su favor y lo auparía a los altares de Falange. Era el banderazo de salida para el proceso de apropiación de la Falange. A pesar del posterior nombramiento de Manuel Hedilla como sustituto de Primo de Rivera, la maquinaria propagandística del régimen presentó a Franco como el heredero político de José Antonio, al tiempo que los escritos más incómodos del falangista fueron censurados o convenientemente manipulados en aras de la construcción del nuevo estado.

3

La guerra larga

El bastión

El año 1937 comenzó su andadura con un cambio de táctica con respecto a la lucha llevada a cabo para conquistar Madrid. Los nacionales habían concluído que era muy difícil tomarla de frente, de manera que lo intentaron por medio de maniobras envolventes. La primera ofensiva se desplegó sobre la carretera de La Coruña. Su objetivo era separar Madrid de la sierra, privando así a la ciudad de agua corriente y suministro eléctrico. Sesenta mil efectivos perfectamente pertrechados se lanzaron al ataque a la altura de Pozuelo y Majadahonda, pero si bien los primeros momentos resultaron ser de un cierto avance, los aviones y tanques rusos supieron plantar cara a los *Stukas* nazis, y la ofensiva pudo ser detenida. La sorpresa del alto mando de Franco fue mayúscula. Tampoco esta vez pudieron asaltar

Madrid. Los nacionales habían subestimado una vez más las resueltas defensas de Madrid, y los sueños de tomar la capital terminaron por derrumbarse como un castillo de naipes. La ciudad no caería fácilmente, ahora lo sabían.

Franco, además, sabía otra cosa quizá más importante: que Madrid se estaba convirtiendo en un símbolo internacional. Los ecos de lemas tan significativos como "Madrid será la tumba del fascismo" martilleaban obsesivamente su cabeza, porque sabía que no le convenía que la república formara su propio panteón de gestas heroicas. No le interesaba crear un símbolo izquierdista en la capital de España, pero no sabía cómo evitarlo, lo que le llenaba de rabia e impotencia. Querer tomar Madrid y no poder. Una y otra vez las fieras tropas africanas se estrellaban contra sus defensas. Era una ciudad inexpugnable.

Así las cosas, ocurrió un hecho que insufló una dosis extra de moral a los aún sorprendidos nacionales. En la costa andaluza, entre las ciudades de Marbella y Motril y con su núcleo central en la ciudad de Málaga, resistía aún un importante rincón republicano. Entre el 3 y el 19 de febrero los nacionales, asistidos por un importante contingente de tropas italianas, atacaron la ciudad, tomándola tras una breve batalla. La defensa de Málaga había sido deficientemente preparada, lo que acarreó su fácil derrota. En conclusión, la conquista fue relativamente sencilla y el premio inmenso; no solamente porque Málaga era la segunda ciudad mas poblada de Andalucía, sino porque encarnaba uno de los núcleos más activos de los movimientos de izquierda en

España y una ciudad de mucho peso en la república. La derrota provocó un violento cruce de acusaciones mutuas entre comunistas y anarquistas. Los primeros acusaban a los libertarios de desorganización, ineficacia e indisciplina, de jugar a hacer la revolución mientras los fascistas ganaban la guerra. Los anarquistas se quejaban ásperamente de que el Partido Comunista trabajaba con ánimo de dividir el bloque antifascista y crear suspicacias en él, lo que agriaba las relaciones y ello repercutía en el resultado de la guerra. Las críticas salpicaron también al titular del gobierno, Francisco Largo Caballero, a quien acusaron de no haber sido capaz de auxiliar a Málaga, al no enviar las vituallas y armamento suficientes para hacer frente seriamente a la invasión.

El 8 de febrero la capital de la Costa del Sol capituló sin condiciones, iniciándose una severa represión que ha sido considerada como la más brutal de toda la guerra civil: un total de tres mil quinientos hombres fueron fusilados sin juicio previo, tan solo por ser izquierdistas o no haberse opuesto con suficiente fuerza a la revolución. Las represalias se extendieron hasta bien entrado el régimen de Franco. Desde 1937 a 1944 fueron diecisiete mil los ejecutados en Málaga tras pasar por el tribunal en el que ejerció como fiscal un joven Carlos Arias Navarro, conocido con el apodo de "el carnicerito de Málaga", el mismo que treinta y ocho años mas tarde anunciaría lloroso por televisión la muerte de Franco.

Animados por la victoria, los nacionales se aprestaron a lanzar una segunda ofensiva envolvente contra Madrid. Esta vez el objetivo era establecer cabezas de puente en el río Jarama y cortar la carretera que unía a

Madrid con Valencia, para que la ciudad quedara totalmente cercada. Las operaciones se iniciaron el 6 de febrero, bajo una lluvia torrencial que no dio tregua en varios días. Durante los primeros compases de la ofensiva, la suerte parecía sonreír a los nacionales, que lograron el objetivo de rebasar el Jarama. Sin embargo, la reacción republicana no se hizo esperar y las milicias militarizadas, apoyadas por los tanques y aviones soviéticos, lograron de nuevo paralizar el avance. El 14 de febrero el frente volvió a estabilizarse. Los nacionales aceptaron de nuevo la realidad de los hechos: se cavan trincheras. Los de Franco no habían logrado cercar la ciudad, de manera que Madrid continuaba unida territorialmente a Levante.

La batalla del Jarama fue una de las mas feroces de la guerra. Se calcula que murieron unas quince mil personas. Para los nacionales supuso una clara derrota en el sentido de que solamente lograron avanzar unos pocos kilómetros sin haber logrado los objetivos marcados, mientras que para los republicanos suponía una nueva embestida que habían superado y que alimentaba la leyenda, tan poco deseada por Franco, de Madrid como nuevo símbolo del antifascismo mundial, la ciudad heroica, la nueva Petrogrado. Madrid la roja.

Mientras los ejércitos franquistas descansaban para lamerse las heridas de una nueva decepción, los madrileños se descubrían felizmente supervivientes de un asedio riguroso. Las repetidas intentonas nacionales concienciaron a los ciudadanos de Madrid de que podían hacer frente a los invasores, pero también de que la resistencia no sería cosa de dos días. Madrid pasó así de ser la alegre y caótica ciudad de los primeros momentos de la guerra, a convertirse en una urbe de ciudadanos monolíticamente dominados por el Partido Comunista; una ciudad silenciosa en la que todos los hombres, mujeres, ancianos y niños, organizados por comités de barrio o de distrito, tenían encomendada una labor y la cumplían casi con profesionalidad. Los desmanes del principio fueron sustituidos por una disciplina rígida que estaba dando sus frutos, pero al mismo tiempo sembraba en los madrileños una atmósfera de persecución política auspiciada por la labor de la Dirección General de Seguridad, de nuevo reconstruida, que se encargaba de perseguir a cualquier disidente. En medio de este ambiente se prohibió el uso de armas largas en Madrid capital y se pasó por encima de las protestas del POUM y los anarquistas militarizando y profesionalizando a las milicias. El PCE se hizo fuerte en la Junta de Defensa de Madrid y gracias a ello se introdujo en los cuerpos de seguridad, convirtiendo a la policía y el ejército en sus dos bastiones principales. Detrás de las detenciones o desapariciones de poumistas y algunos cenetistas estaba la policía republicana, que en gran medida servía a los intereses del Partido Comunista. De esta forma, comenzó a girar la rueda de las desapariciones de miembros activos de distintos partidos y sindicatos, entre los cuales había también socialistas que fueron torturados y asesinados en cárceles secretas de la Dirección General de Seguridad.

El dominio comunista se extendió también a los medios de comunicación. El ABC, uno de los periódicos de más tirada de Madrid, pasó a ser uno de los pilares sobre los que se apoyó la propaganda izquierdista, sufriendo una especie de bipolaridad extraña durante la guerra civil; así como en la zona de Franco seguía siendo un vocero de las derechas, en la zona republicana había sido incautado y salía con el subtítulo de *Diario republicano y de izquierdas*. La influencia del PCE también se dejó sentir en las juventudes: tal y como ocurrió años mas tarde en las naciones de la Europa oriental que cayeron bajo la órbita de influencia soviética, las juventudes del PSOE se fusionaron con las comunistas, dando inicio a una organización férreamente controlada por el PCE llamada Juventudes Socialistas Unificadas (JSU). Los socialistas se quejaron amargamente de la apropiación indebida del PCE de sus juventudes, el primero de ellos el propio presidente del gobierno, Largo Caballero, quien cada vez se mostraba más incomodo por las intromisiones de los soviéticos y el creciente protagonismo del PCE en todos los ámbitos de la vida republicana. Sobre este particular tomaron buena nota los agentes de Stalin, que dirigieron extensos informes a Moscú señalando que Largo Caballero empezaba a resultar un elemento incómodo e irritante.

El 8 de marzo Madrid se tuvo que preparar para una nueva ofensiva franquista. Las tropas italianas, embravecidas por el triunfo de Málaga, apoyadas por cuerpos españoles y aviones alemanes, se lanzaron a la toma de Guadalajara de nuevo con la intención de cortar las comunicaciones de Madrid. Treinta y cinco mil italianos se lanzaron al ataque con toda su fuerza, entre ellos los cuerpos de Flechas Negras y Llamas Negras. Como en el caso de la batalla del Jarama, los nacionales comenzaron con un avance importante llegando a tomar la ciudad de Brihuega, un nudo de comunicaciones muy importante. Pero de nuevo los republicanos lograron parar el avance nacional con un contraataque mortífero que rompió las líneas enemigas por el lado italiano, el que llevaba el peso de la operación, y las obligó a retroceder. Los republicanos reconquistaron Brihuega arrollando todo lo que se encontraban a su paso, y finalmente el pánico terminó por invadir totalmente a los italianos, que huyeron vergonzantemente, dejando fusiles, pistolas y hasta tanques abandonados. La espantada cubrió de ignominia a Italia y desmitificó el poderío militar del fascismo italiano. Los republicanos no solamente lograron rechazar al enemigo, sino que conquistaron varios kilómetros, en lo que se consideró la primera gran victoria del proletariado contra el fascismo. Los italianos fueron literalmente barridos y casi literalmente corridos a boinazos por los republicanos. Madrid se había salvado de nuevo y el mito de su inexpugnabilidad se estaba haciendo peligrosamente palpable para Franco. "Madrid será la tumba del fascismo", tronaba en la cabeza de un infinitamente despechado general Franco. Fracasado, abatido y profundamente encolerizado, Franco no tuvo más remedio que tragarse su furia, agachar la cabeza y aceptar la realidad de que Madrid no podía ser conquistado. A partir de entonces renunció a la toma rápida de la capital y se resignó a una guerra larga por toda la geografía peninsular.

Mientras tanto, el gobierno de Largo Caballero tramaba planes para contrarrestar la enorme influencia lograda por el Partido Comunista. El 23 de abril disolvió por decreto la Junta de Defensa de Madrid, escudándose en el hecho del descubrimiento de que varios policías directamente dependientes de ella hacían negocio liberando prisioneros de la CNT y el POUM a cambio de grandes cantidades de dinero. Largo Caballero lograba de esta forma deshacerse de un poderoso aliado de los comunistas y sustituirlo por un consejo municipal más acorde a los planteamientos del Frente Popular. Fue el pistoletazo de salida para que se airearan a los cuatro vientos las quejas que los demás grupos de la izquierda guardaban contra el PCE, destapando así tramas de asesinatos políticos, torturas y desapariciones a cargo de la policía filocomunista. Largo Caballeró también intentó limitar la influencia de los comunistas en el ejército, restringiendo las competencias que acaparaba la figura del comisario político, nexo de unión entre el PCE y los militares, y reservándose la facultad de su nombramiento.

Todos estos acontecimientos afectaron de manera directa a los miembros de las JSU. En su seno se abrió una peligrosa falla que dividió a la organización entre quienes se solidarizaban con anarquistas, socialistas y poumistas y quienes mantenían la disciplina y una fidelidad ciega a las órdenes del Partido Comunista. Los primeros acusaban al PCE de practicar una política contrarrevolucionaria al pretender dificultar las colectivizaciones campesinas, prefiriendo aliarse con la burguesía republicana y los socialistas reformistas. Santiago Carrillo, secretario general de las JSU, acusó rabiosamente a estos sectores de querer romper la unidad revolucionaria y de ser fascistas, comparándoles con Hitler y Franco. Las juventudes anarquistas y poumistas –Juventudes Libertarias y Juventud Comunista Ibérica (JCI), respectivamente– rebatieron a Carrillo, asegurando que Franco era solamente una vertiente de la contrarrevolución, que había otras vertientes, entre ellas el equipo PCE-PSUC y los republicanos moderados. Como es habitual en estos casos, las diferentes facciones de la izquierda radical acostumbran a acusar de fascista a todo el que se salga un milímetro de sus planteamientos.

El escándalo de las checas, la crisis en el seno de las JSU, el desplazamiento de la influencia del PCE dentro del ejecutivo de Largo Caballero... fueron minando el dominio comunista hasta extremos preocupantes. Como consecuencia, Largo caballero se convirtió en el chivo expiatorio de los agentes de Stalin. Según su interpretación de los hechos, él había sido el causante del desbarajuste, así que le declararon la guerra. A partir de entonces, una prensa convenientemente manipulada acusó al jefe del gobierno de todos los males, tachándole de "cacique" y "napoleoncito". Para la influyente prensa comunista, el Lenin español era ahora un paria, pero sobre todo un elemento peligroso a quien habría que depurar junto con los anarquistas y el POUM para restablecer así el dominio comunista dentro de una república fuerte y combativa.

Ofensiva en el norte

Los repetidos fracasos ante Madrid hicieron ver a Franco que había que prepararse para una guerra larga, lo que equivalía a un planteamiento diferente de la guerra. Así como hasta entonces el gran objetivo era tomar Madrid, confiando en que su caída hundiría política y militarmente a la república, ahora se hacía evidente que tendrían que disponerse a conquistar España metro a metro. Como consecuencia, Franco puso la vista en el norte.

El estrecho y alargado frente norte cubría el territorio republicano desde Asturias hasta el País Vasco. Dada su escasa profundidad en kilómetros, emparedado entre la zona nacional y el mar, desconectada por tierra, por mar –merced a un eficaz bloqueo marítimo franquista– y por aire del resto de la zona republicana, el frente del norte era la apuesta más segura para poder conquistar nuevos territorios con relativa facilidad y una neta superioridad en hombres y armamento. Con la desaparición de este frente, los nacionales se quitarían un engorro que no hacía más que tener ocupados cuerpos de tropa que podrían estar siendo utilizados en otras zonas. Además, la posesión de la industria, el hierro y el carbón de Asturias y el País Vasco alimentaría el poderío militar nacional, cayendo la balanza de fuerzas militares definitivamente del lado franquista. Atacar el frente norte parecía la decisión más sensata. Era una isla republicana rodeada por todos lados y los nacionales no tendrían que temer ninguna ofensiva en la retaguardia cuando atacaran.

El responsable de las operaciones del frente norte fue el general Mola quien, al contrario de otros pareceres, prefirió concentrar las fuerzas de ataque en el este, haciendo que la ofensiva fuera de este a oeste; esto es, empezando por el País Vasco avanzaría hasta Asturias, desechando la idea de atacar desde Navarra, Castilla y Galicia a la vez, lo que dispersaría sus fuerzas. Y es que, a pesar de su aparente debilidad, la *Euzkadi* republicana había

Cartel anunciador del sexto Aberri Eguna recogido en la revista *Gudari*.

reorganizado admirablemente sus fuerzas. Ya no era el caótico conglomerado de anarquistas, socialistas y comunistas, con un apéndice nacionalista, que las tropas de Mola se encontraron en Guipúzcoa durante los primeros compases de la ofensiva. En marzo de 1937 el País Vasco ya era un territorio autónomo dominado por el PNV y fuertemente mentalizado para resistir la embestida nacional. A pesar de su insignificancia territorial[14], era casi un estado independiente dotado de algo muy parecido a un ejército regular y unas estructuras institucionales cohesionadas y funcionantes. Todo ello construido en un tiempo récord.

---

14 La Euzkadi autónoma se limitaba al territorio vizcaíno sin incluir Ondárroa, con pequeños apéndices en Eibar, Aramayona y la zona de Amurrio.

En los primeros compases de la guerra, Vizcaya y Guipúzcoa imitaron al resto de territorios republicanos instituyendo Juntas de Defensa en las que se integraron todos los partidos del Frente Popular además del PNV. Si bien Vizcaya tuvo la suerte de mantenerse unida bajo una única Junta, presidida por el gobernador civil, en Guipúzcoa existieron juntas en San Sebastián, Irún, Eibar... Esta fue la primera provincia del norte en caer. Los milicianos, sobre todo, los anarquistas, mostraron los dientes a los de Mola en Irún y San Sebastián, pero finalmente fueron derrotados y, tras la caída de estas dos ciudades, el avance por Guipúzcoa se desarrolló con cierta facilidad. No existía un bloque sólido y unificado para hacerles frente.

La represión de Mola en territorio guipuzcoano fue, como acostumbraban los nacionales, feroz. Recayó principalmente sobre los izquierdistas, proporcionando a los simpatizantes nacionalistas una cierta tolerancia. Mola aún confiaba en que el PNV recapacitara, cambiando de bando o al menos desaprobando la actitud de los republicanos. Hasta fechas tan tardías como septiembre de 1936 se entrevistó con sacerdotes afines al PNV para lograr algún tipo de acuerdo, pero sin ningún éxito. El 7 de octubre de 1936, pocos días después de una concesión de autonomía de urgencia por parte del gobierno Largo Caballero, se constituyó el Gobierno Vasco autónomo bajo la presidencia de José Antonio Aguirre, lo que unió definitivamente los destinos del PNV a los de la república y enfureció a Mola, que se sintió burlado. Inmediatamente dio la orden para la persecución de todo símbolo nacionalista vasco. Los *batzokis* fueron cerrados y las ejecuciones sumarias incluyeron también a los miembros y simpatizantes del nacionalismo vasco. La furia de Mola llegó a tanto que amenazó con destruir totalmente Vizcaya hasta hacerla desaparecer del mapa.

El primer gobierno vasco de la historia, aunque limitado *grosso modo* al territorio de Vizcaya, se tomó la autonomía casi como una declaración de independencia. Estuvo formado por todos los grupos políticos miembros del Frente Popular, a excepción de la CNT y con la inclusión estelar del PNV, que contaba con la *lehendakaritza* (presidencia) y las cuatro carteras más importantes. La Junta de Defensa, republicana y frentepopulista, daba así paso a un gobierno que, aunque presentes miembros del PSOE o del PCE, se mostró claramente imbuido de las virtudes morales peneuvistas. Como partido católico y de orden que era, el PNV no permitió ningún tipo de conato revolucionario, ni en la sociedad ni dentro del propio gobierno, que se mostró fiel y unido en torno a Aguirre. Se mantuvo el orden público, ignorando completamente la revolución social que se estaba desarrollando en la España republicana, se permitió el culto religioso, que nunca fue suspendido ni disminuido, se protegió al empresario y se mantuvo intacta la propiedad privada, además de llevar a cabo una ambiciosa política de expansión y difusión de la lengua vasca. El gobierno se mostró tan eficaz que la falta de huelgas y conflictos sociales llegaron a crear la ficción de que se trataba, efectivamente, de un gobierno vasco independiente de España, tanto que ni siquiera parecía implicado en las efervescencias de la guerra civil. La economía vasca no se resintió tanto como la republicana por causa de la guerra y a falta de numerario, el gobierno vasco acuñó moneda propia. A efectos prácticos, la Vizcaya de Aguirre fue un estado independiente a fuer de la incapacidad republicana para evitarlo.

La interpretación doctrinal del gobierno vasco sobre la guerra civil predicaba la desgracia de un pueblo libre invadido por un ejército exógeno. Los nacionalistas vascos no luchaban por la república española, sino contra quienes pretendían invadir su territorio. Una idea que aún hoy muestra su fuerza cuando se dice que los vascos fueron derrotados en la guerra, pero que muestra sus terribles contradicciones ante la fehaciente realidad de que los que se les enfrentaban, los enemigos ante quienes enarbolaban la *ikurriña* como emblema nacional y no partidista, eran voluntarios navarros, alaveses y guipuzcoanos. Un hecho difícil de digerir para un nacionalista vasco, que considera que Navarra es una parte esencial del pueblo vasco. La guerra civil en el País Vasco fue algo mucho más complejo. Si siguiendo los postulados del PNV, consideramos a los navarros como vascos, uno no podría estar muy seguro sobre de qué lado lucharon la mayoría de los vascos en la guerra civil.

El fervor patriótico que fomentó el nacionalismo en el poder resultó decisivo. Al contrario que en el resto de la zona republicana, los vascos que lucharon en las filas del Ejército Vasco no lo hicieron por unas ideas políticas determinadas, sino por lo que consideraban que era su patria. Sentían que lo que estaban haciendo era defender su tierra de una invasión extranjera y que tenían que luchar hasta el último aliento por defenderla. Esta idea de patria unió a los combatientes vascos y les dio una capacidad de resistencia francamente sorprendente, habida cuenta de su gran inferioridad numérica y su deficiente equipación militar. Frente a los ejércitos nacionales, dotados de una superioridad numérica y armamentística abrumadora, los *gudaris* demostraron una capacidad de resistencia y sacrificio verdaderamente encomiable.

El gobierno vasco tuvo que enfrentarse a numerosos problemas que solventó de forma eficaz y en un tiempo récord gracias a una administración formidablemente unida. En cuanto a la justicia, se crearon tribunales directamente dependientes del gobierno vasco que realizaron juicios justos y con garantías, muy lejos de la *justicia revolucionaria* republicana. No se cometieron arbitrariedades, e incluso cuando la muchedumbre asaltó las prisiones de Bilbao asesinando a más de doscientos derechistas presos, el gobierno aceptó su responsabilidad reconociendo sus errores y ayudando a los familiares de las víctimas. Ante el problema del desabastecimiento, el racionamiento fue severo pero estrictamente observado por la población, y el gobierno burló con éxito el bloqueo franquista, logrando alimentos del extranjero. Al contrario que en otras zonas republicanas, la inflación fue mucho menor y el mercado negro no creció exponencialmente.

El gobierno de Aguirre disolvió la Guardia de Asalto y la Guardia Civil, instituyendo un cuerpo de policía propio, la Ertzaña[15], que pronto se expandió

15 Predecesor de la actual Ertzaintza.

con eficacia por todo el territorio vizcaíno, garantizando el orden. En el orden estrictamente militar, el PNV sabía que se enfrentaba a un potente ejército enemigo, por lo que no tardó en organizar uno propio, al que dieron el nombre de *Euzko Gudarostea* (Ejército Vasco). Aunque su estructura se basó en las milicias de partido, en todas ellas se impusieron mandos militares, una disciplina militar evidente, y grados, jerarquía y demás elementos típicamente militares, lo que hizo que a efectos prácticos se tratara casi de un ejército regular vasco. Lo que al gobierno republicano le costó mucho tiempo y no pocos disgustos, el gobierno vasco lo logró en un mes, y además con una eficacia envidiable, contando con brigadas de zapadores, infantería, artillería, intendencia…

Sin embargo, el control directo y efectivo del Ejército Vasco que llevó siempre el PNV, conllevó no pocos problemas con el mando militar republicano, que lo consideraba como un cuerpo del Ejército del Norte, concretamente el XIV Cuerpo, y en consecuencia se quejaba abruptamente ante el *lehendakari* de que se excedía en sus funciones al tomarlo como un ejército independiente. Entre Aguirre y los diferentes jefes militares republicanos de la zona norte[16] se iba a generar una mutua antipatía por este asunto, principalmente entre Llano y Aguirre debido a la realidad palpable de los *gudaris* a partir de noviembre. El gobierno vasco se negaba a permitir

[16] Los responsables militares republicanos de la zona norte fueron Francisco Ciutat hasta noviembre de 1936, y a partir de entonces Francisco Llano de la Encomienda.

la libre disposición de los *gudaris* por parte de los mandos republicanos y mucho menos que los utilizaran para defender territorios ajenos, lo que generó agrias disputas que enrarecieron innecesariamente el ambiente. A pesar de esto, el gobierno vasco tuvo a bien la entrega de unos pocos batallones de *gudaris* que combatieron en frentes distintos del vasco.

El 31 de marzo fue la fecha marcada para el inicio de la ofensiva. El objetivo de Mola era romper el frente por la zona de Elgueta-Elorrio y Ochandiano para confluir en Durango, importante nudo de comunicaciones desde donde atacarían Bilbao. El plan de la ofensiva comprendía otros ataques subsidiarios, como el que partiría desde Ondárroa, por la costa, a cargo de las Flechas Negras italianas y la ofensiva por Altube y Orduña. El grueso de las tropas lo componían las cuatro brigadas navarras de requetés carlistas, junto con otras brigadas alavesas y guipuzcoanas, una italiana, la Legión Cóndor alemana y una pequeña representación marroquí. Tal como prometió Mola en su ultimátum –si la rendición no es inmediata arrasaré Vizcaya–, la ofensiva comenzó con un durísimo bombardeo contra Durango que arrojó un total de doscientos muertos y doce toneladas de bombas. Acto seguido, y tras una encarnizada defensa de los *gudaris*, los nacionales lograron romper el frente por Ochandiano, pero la zona de Elorrio-Elgueta se les resistió más de lo que pensaban y no la rebasaron hasta varios días más tarde. Sin embargo, una vez superada la durísima y corajinosa defensa de los gudaris, estos se replegaron, pudiendo penetrar las brigadas navarras en Vizcaya, acelerando así el avance. Elgueta, Elorrio,

El gobierno de la República encargó a Pablo Ruiz Picasso una de sus más famosas obras: el Guernica. Esta pintura se ha convertido en uno de los testimonios más patéticos de lo que significa la destrucción de una ciudad mediante un bombardeo de aviones. Actualmente se encuentra en el Centro de Arte Reina Sofía de Madrid.

Durango... cayeron como piezas de dominó. Por la costa, Lekeitio, Guernica y Bermeo, que fue recuperada por breves momentos por los gudaris, también sucumbieron al avance de los italianos.

La resistencia ofrecida por el diminuto Ejército Vasco ralentizó y dificultó mucho la ofensiva, así que los nacionales hicieron uso de uno de sus recursos habituales: el miedo. Guernica, la ciudad sagrada de los vascos, fue cruelmente bombardeada con el único objetivo de infundir el terror en la población civil. Era lunes 26 de abril de 1937. Día de mercado, a las cuatro y media de la tarde. Los aldeanos y compradores se concentraban en el mercado para comprar y vender el género, y la ciudad estaba atestada de gudaris que se refugiaron allí huyendo de Markina y otras localidades caídas tras el avance enemigo. Sin previo aviso, aviones alemanes de la Legión Cóndor descargaron sobre el centro de la villa una lluvia de proyectiles de todo tipo, entre los que destacaban las bombas incendiarias de fósforo blanco, toda una innovación de la industria militar alemana, causando enormes incendios y una devastación sin límites en la que muchos ciudadanos murieron carbonizados. Los que intentaron huir por los caminos fueron ametrallados por los aviones, e incluso las vacas fueron objetivo militar en aquella criminal acción. Era la primera vez que se atacaba a la población civil en una ciudad sin ningún tipo de interés militar ni estratégico, de total retaguardia. En fríos términos militares, una acción absurda que se concretó tan solo para infundir el pánico, para que los tozudos vascos supieran lo que les esperaba si se mantenían en sus trece. Era también la primera vez que se destruía totalmente una población. Guernica quedó literalmente borrada del mapa. La saña con la que actuaron los aviadores alemanes, dispuestos a probar, a experimentar sus nuevas armas en combate real, fue terrible.

Guernica fue un escándalo a nivel internacional. A tanto llegó, que los mismos nacionales negaron su autoría diciendo que habían sido los propios republicanos quienes, en su huída habían quemado la ciudad, una versión falsa que se mantuvo como verdad oficial hasta la muerte de Franco, casi cuatro décadas mas tarde. Pero a pesar del escándalo internacional, la política de no intervención no se movió un ápice y los esfuerzos de los gobiernos vasco y republicano por ver denunciado el crimen desde gobiernos influyentes se perdieron en un mar de burocracia internacional.

Hay quien ha querido ver en los acontecimientos de Guernica una saña especial de los nacionales contra los vascos. Nada mejor que atacar el símbolo de la antigua democracia vasca, la ciudad donde están la Casa de Juntas y el árbol de Guernica, venerados por los vascos. Siguiendo esta teoría, no parece lógico que casi lo único que se mantuvo intacto de Guernica fueran precisamente el árbol y la Casa de Juntas, por un lado, y el puente de Rentería –lo único que podría tener algún valor estratégico militar en aquella ciudad– por el otro, lo que decididamente asegura que no se trató de un ataque estratégico. Quienes opinan que atacaron precisamente Guernica por lo que simboliza para los vascos, atribuyen a los nacionales un conocimiento sobre la cultura vasca mucho más profundo de lo que realmente tenían. Tanto los aviadores alemanes como los mandos militares nacionales se enteraron de su simbolismo después del bombardeo y no antes.

El crimen de Guernica trajo otra consecuencia inesperada: acusando de ineficacia a los republicanos, el *lehendakari* Aguirre se tomó la libertad de atribuirse él mismo el mando supremo del Ejército Vasco, nombrándose Jefe del Estado Mayor y Comandante en Jefe, y saltándose así todas las leyes militares de la república. Aguirre tenía poderosas razones para hacerlo. Quería asegurarse el dominio absoluto del Ejército Vasco para evitar la existencia de dobles poderes y potenciar así su eficacia. Su primera orden fue el repliegue tras el Cinturón de Hierro, una línea defensiva compuesta por blocaos, trincheras, nidos de ametralladora y fortines que protegían Bilbao y su *hinterland*. Allí habrían de esperar los gudaris a las tropas de Mola.

El inicio de la ofensiva en el norte y los avances militares de los nacionales hicieron reflexionar a los republicanos sobre la seguridad de los niños que vivían en las zonas directamente amenazadas por el enemigo. Aunque las evacuaciones de niños a zonas más seguras del extranjero y del propio territorio republicano –específicamente Cataluña y Valencia–, ya comenzaron desde el inicio de las hostilidades, oficialmente fue a partir de marzo de 1937, con la ruptura del frente vasco y la directa intervención de la administración. Fue el propio gobierno vasco quien organizó, con participación del republicano, las primeras expediciones de niños de entre cinco y doce años a zonas mas seguras, principalmente a Francia, con un carácter temporal que se fue alargando hasta el punto de que

El diario ABC republicano dedica su portada a la aprobación de la nueva Constitución de la Unión Soviética (5 de diciembre de 1936), también conocida como "Constitución de Stalin".

algunos de ellos no volverían hasta muchos años después, y una minoría nunca. Fueron evacuados unos treinta mil chiquillos, conocidos desde entonces como "niños de la guerra". Francia, Bélgica, Reino Unido, URSS y Méjico fueron los principales países de acogida y si bien los tres primeros facilitaron las repatriaciones, los dos últimos las dificultaron en extremo, y muchos de los niños que fueron destinados allí se quedaron de por vida.

O César o nada

La operación de Franco de control y dominio del Estado y de todos sus resortes de poder no estaba completa sin la estructuración política y social de la sociedad. El partido único había resultado un instrumento francamente eficaz para lograrlo, y para encuadrar y adoctrinar a la sociedad tras un gobierno determinado. Lo había sido en la URSS y en los regímenes fascistas de Italia y Alemania. Incluso en la España de Miguel Primo de Rivera se intentó poner en marcha con poco éxito un partido que estructurara a la sociedad tras el régimen. La Unión Patriótica de Primo de Rivera pereció sin pena ni gloria en el sueño de los justos, al igual que ocurrió con la milicia de imitación fascista pero ideológicamente conservadora del Somatén, una institución copiada del somatén catalán. Esas técnicas político-sociales se estaban poniendo muy de moda en aquella convulsa Europa de entreguerras y en general estaban demostrando su eficacia, de modo que Franco no dudó en aplicar el ejemplo. Era la prueba mas palpable de que estaba construyendo, con plena conciencia, un estado y un régimen de dictadura personal destinado a permanecer en el tiempo, firme y con bases muy sólidas. Decididamente, sus intenciones estaban muy lejos de los argumentos *buenistas* que soltaba a monárquicos o falangistas, aduciendo una supuesta interinidad hasta que las cosas se clarificasen después de la guerra.

Como sabemos, la idea de la unificación ya se estaba gestando desde hacía un tiempo, y se sabía que la base de semejante conglomerado de partidos sería la Falange Española. Franco tenía muy claro que ese conglomerado debía de dejar de serlo, de forma que todos los partidos y tendencias se diluyeran para formar algo nuevo, un partido franquista, fiel al Caudillo más que a una u otra ideologías determinadas. Para ello comenzó a desarrollar una campaña aduciendo la perentoria necesidad de un bloque unido, sin diferencias ni divergencias doctrinales, para lograr ganar la guerra. Se ponía como ejemplo de lo que no se podía hacer a la república, una víbora con múltiples cabezas, cada una de ellas mirando a un lado distinto. Todos los poderes del estado y el gobierno estaban ya reunidos en la persona de Franco; digamos que lo público era de Franco. Ahora le tocaba dar el paso a lo privado. Todo debía de ser franquista, estar en sus manos. Y lo sería por las buenas o por las malas.

Los partidos políticos, aún autónomos, eran perfectamente conscientes de que quienes llevaban la voz cantante eran los militares, y de que ellos solamente actuaban de meras comparsas con mayor importancia según aportaran más combatientes a la batalla. De esta manera la Falange y los carlistas se convirtieron en los núcleos políticos de mayor peso en la construcción de ese partido único franquista, en detrimento de agrupaciones que durante la república habían cosechado muchísimos mas éxitos electorales en el conjunto de España, como la CEDA o Renovación Española, reducidos a su mínima expresión debido a su pequeño aporte militar. Sin embargo, a titulo individual la influencia de los monárquicos y conservadores en el entorno de Franco fue muchísimo mas importante que la de falangistas y por supuesto que la de los carlistas, de manera que a pesar de que en 1937 estos partidos casi habían desaparecido, en realidad su ideología y su espíritu, su fantasma, poseía a Franco y fue lo que inspiró al nuevo partido.

La necesidad de llegar a un acuerdo obligó a los dirigentes de los dos partidos teóricamente mas importantes de la España nacional, FE y CT[17], a iniciar en febrero de 1937 una serie de conversaciones de cara a una unificación política que satisficiera a ambas partes. Aunque en un principio parecía que las conversaciones iban por buen camino, finalmente se rompieron sin llegar a ningún acuerdo, y es que el fascismo y el tradicionalismo son dos corrientes políticas que tienen muy poco en común. Los carlistas veían con desconfianza la unión con un partido radical, con una enorme difusión por toda España en contraposición a la CT, que solamente tenía una base realmente poderosa en Navarra. Los falangistas tampoco veían con agrado el irreductible conserva-

17 Falange Española y Comunión Tradicionalista (carlistas).

durismo de los carlistas y mucho menos su absurda obsesión de poner a un extranjero en el trono de España; una idea, la del trono, contra la que los falangistas puros renegaban con desprecio.

Las cada vez más famélicas tendencias políticas libres o al menos aún no ilegalizadas de la España nacional, se peleaban y desconfiaban unas de otras con la aquiescencia y fomento del dictador. Todas ellas habían sido descabezadas. En concreto la Comunión Tradicionalista tenía en el exilio a Fal Conde, quedando como principal representante en España un fiel valedor de Franco, Rodezno. La Falange no contaba ya con Primo de Rivera, que muy pronto fue instrumentalizado por Franco para legitimar su ascensión a la jefatura suprema, y además dentro del partido se vivía un periodo de luchas intestinas entre diversas facciones, debidas entre otras cosas a la debilidad de carácter de Hedilla, de quien ya hablaremos. Por su parte, Renovación Española y el Bloque Nacional se encontraban perdidos sin Calvo Sotelo, y la otrora poderosa CEDA, un partido del que se sabía que Franco fue simpatizante, veía ahora que la propaganda franquista vituperaba a su líder Gil Robles tratándolo como poco menos que responsable de la guerra civil, al no haber sido capaz de liquidar a los izquierdistas en la etapa de su gobierno durante la república. Gil Robles saludó con agrado el levantamiento militar, pero pasó toda la guerra en Portugal, y las pocas veces que acudió a España fue recibido con muestras de frialdad y hasta con cierto desprecio. Una de las últimas veces sufrió un intento de agresión de un grupo de falangistas descontrolados y de unas señoras de Pamplona. La anécdota deja bien clara la tremenda influencia de la propaganda franquista en determinados sectores de la sociedad.

Gil Robles acató los hechos consumados y accedió a la disolución efectiva de la CEDA no sin antes intentar su integración dentro de la CT, sin éxito. La penetración dentro de uno de los "dos grandes" fue un sistema de uso común de otros partidos para mantenerse vivos como corrientes de opinión. El caso del Partido Nacionalista Español del doctor Albiñana fue un claro ejemplo, integrándose con éxito dentro del tradicionalismo. Gil Robles, derrotado, se exilió definitivamente para convertirse en uno de los principales opositores derechistas al régimen franquista. De esta manera, logró Franco hacer desaparecer a las cabezas políticas de todos los partidos que podían haberle hecho sombra. Con las cabezas derrotadas, las bases, puramente derechistas, no constituirían ningún problema para la constitución del nuevo partido, más bien al revés: apoyaron en masa al franquismo en construcción, muy influidos por la propaganda del régimen. Al contrario que el fracasado experimento político de la Unión Patriótica de Miguel Primo de Rivera, Franco iba a lograr un partido político de masas que cerró filas en torno a su persona hasta el final.

Tras decidir que el nuevo partido se formaría sobre la base de Falange, Franco llamó a Hedilla para tratar el asunto de la unificación. El líder falangista[18] no terminaba de ver con buenos ojos las

---

[18] Hedilla aún no era el líder oficial de FE. Fue escogido para el cargo el 18 de abril de 1937.

intenciones de Franco. Sus exhortaciones a la unidad total bajo su mando le sonaban a excusas baratas para beneficiarse del partido. Además, el conservadurismo del militar producía en Hedilla una profunda desconfianza. El falangista era representante de la línea más purista de su partido, y en consecuencia favorable a una política social mucho más avanzada de lo que Franco estaba dispuesto a aplicar. Aún así, Franco confiaba en poder manipular al débil Hedilla, y lo logró.

El jefe de los falangistas accedió a la unificación propuesta. Según acordaron, Hedilla debía de moderar su discurso social y en compensación Franco le prometió el cargo de Secretario General de la Junta Política, lo que lo situaría como el número dos del nuevo partido, después del propio Franco. Hedilla actuaba con una candidez pasmosa. Era como un pollito frente al maestro de la manipulación. Pidió a Franco que respetase lo más posible el espíritu y la esencia de la Falange, en un intento de mantener la doctrina original, y pretendiendo que fuera FE quien controlase ideológicamente al nuevo partido y en consecuencia, a España. Cínicamente y con una suficiencia insultante, Franco le respondió que estuviera tranquilo, que tan solo iba a cambiar "dos o tres cosillas".

El 19 de abril de 1937 se publicó el Decreto de Unificación, por el que nacía Falange Española Tradicionalista de las Juntas de Ofensiva Nacional Sindicalista (FET de las JONS). Al nombre original de Falange se le añadía la "T" de "tradicionalista", en consonancia con la unión resultante de falangistas y carlistas; una fusión en la que, como hemos señalado antes, habrá más conservadurismo que falangismo o carlismo.

Tanto doctrinariamente como en su puesta en práctica efectiva, el nuevo partido tenía mucho más de conservador que de fascista. Estéticamente se hizo una extraña mixtura, uniendo la boina roja del carlismo con la camisa azul de Falange, con lo que se ponía la guinda a un engendro político creado exclusivamente para aupar y mantener a un hombre en el poder. Se conservó el emblema falangista del yugo y las flechas, que a su vez la Falange había adoptado a partir de su unión con las JONS de Ledesma Ramos en el año 1934.

Haciendo uso del poder ilimitado concentrado en su persona –empezaba ya a ser más una institución del régimen que una persona con un cargo– y saltándose la más elemental educación, Franco se proclamó Jefe Nacional de FET de las JONS, obviando mediante decreto cualquier tipo de propuesta u opinión de falangistas o tradicionalistas. Todos los partidos políticos fueron prohibidos, fuera cual fuera su adscripción, a excepción de FET de las JONS, que se transformaba en el aglutinador social del régimen por excelencia y su correa de transmisión al pueblo.

Los dirigentes de los partidos afectados, singularmente los tradicionalistas y falangistas, no acataron con gusto aquella unificación impuesta desde arriba que ellos nunca habían aprobado. Se veían impotentes ante lo que interpretaban acertadamente como instrumentalización y apropiación indebida de un partido por parte del Estado. A los carlistas les repugnaba unirse a la "chusma falangista", en la que muchos veían un nido de "rojos"[19]. Además, por razones obvias, los carlistas tampoco simpatizaban nada con la idea de unirse políticamente con sus enemigos seculares, los alfonsinos. Entre los falangistas ocurría otro tanto. Sin embargo, las bases acogieron con alegría la unificación. A los fieles, como Rodezno, les esperaba un premio en forma de poltrona; para los opositores, un destino como el de Hedilla, emblemático y ejemplarizante: el jefe nacional de Falange se sintió estafado por Franco cuando descubrió que, al contrario de lo que le había prometido, el Caudillo alteró sustancialmente la esencia ideológica del falangismo, haciéndolo casi irreconocible. Pero ahí no quedaba todo; Franco le traicionó doblemente al ofrecerle un puesto en la Junta Política que no era el acordado. Indignado, Hedilla se negó a aceptar el cargo. Fue detenido por insubordinación y acusado de haber ordenado a las falanges provinciales que no acataran a los nuevos mandos, sino a los de siempre –acusación que probablemente sea cierta–, y de haber instigado las revueltas entre falangistas con resultado de dos muertos en Salamanca el 16 de abril –lo cual era una acusación falsa, toda vez que, probablemente, fue el mismo Franco quien las instigó para debilitar a Falange–. Hedilla fue encontrado culpable y condenado a muerte, una pena que Franco no estuvo dispuesto a anular en ningún momento a pesar de las

---

19 El radicalismo social de muchos movimientos fascistas de primera hora y, en consecuencia, de un importante sector de Camisas Viejas conllevó a que, desde sectores conservadores del ejército y la derecha civil, fueran vilipendiados con el apodo de "fai-langistas".

constantes solicitudes de clemencia de falangistas, familiares, eclesiásticos e incluso las mismas autoridades nazis, que veían en Hedilla a un satisfactorio ejemplo de líder fascista salido de las clases obreras. Tan solo Serrano Súñer, que le hizo advertir que no era interesante crear un mártir de un don nadie, le hizo entrar en razón. La pena de muerte se transformó en cadena perpetua, pero el efecto ejemplarizante fue el mismo. Los españoles ya sabían lo que significaba decir no a Franco. Todas las resistencias que quedaban en Falange y la Comunión fueron acalladas de la misma manera. Franco dejaba así claro que el único que mandaba era él y que nadie tenía derecho a mover un dedo sin su consentimiento.

El 4 de agosto de 1937 se publicaron los estatutos de FET de las JONS, columna vertebral ideológica del régimen de Franco, y se comenzó a crear todo un maremagno de instituciones a su alrededor, entre ellas los organismos dirigentes del nuevo partido: la Junta de Mando y el Consejo Nacional. Se ordenó que en los pueblos pequeños falangistas y carlistas compartieran las mismas sedes, a pesar de lo cual las fricciones entre ambas adscripciones políticas se mantuvieron hasta pasada la guerra civil, reprimidas y castigadas con dureza por Franco y acalladas por una estricta censura. Así pasó desapercibida la operación de limpieza interna que Franco estaba haciendo en FET, expulsando de su partido a las fracciones más puristas del carlismo y el falangismo, que pronto pasarían a la oposición. Estos sectores se convertieron en una exigua minoría exiliada y perseguida dentro de España, al igual que los comunistas o los anarquistas.

Libres de purismos ideológicos, los representantes colaboracionistas de estos partidos trabajaron junto a Franco para dirigir a sus bases hacia el franquismo, una especie de agujero negro tras el que no había un gran contenido ideológico y sí grandes dosis de conservadurismo rancio y nacionalismo español. Ellos mismos aceptaron gustosos su encuadramiento dentro de las estructuras de poder del nuevo régimen, haciéndose simplemente franquistas, encantados de poder sentarse a diario en un despacho con un crucifijo y un retrato de Franco. Enriquecidos y, en consecuencia, dependientes de él y de sus decisiones, se convirtieron en obedientes lacayos deseosos de agradarle en todo momento. Franco había logrado no solamente una superioridad política, sino una superioridad moral. Ya nadie se atrevería nunca más a discutir su autoridad, ni a hacer nada sin su permiso o que le contrariase. Quedaba claro además, que él sería el supremo árbitro de los destinos de España, que nadie podía atreverse ni siquiera a soñar con aspirar a la máxima autoridad del estado, un puesto que ocupaba Franco sin discusión. El Caudillo estaba por encima del bien y del mal, encerrado en una torre desde la que podía ver pelear a los pequeños gusanos de la administración franquista para obtener prebendas del supremo mandatario. Franco logró así doblegar todas las resistencias y a todos sus posibles rivales políticos. No quedaba nadie que le pudiera hacer sombra, ni permitiría crear las bases para que nunca lo hubiera. En palabras de Serrano Súñer, "había muerto Falange y nacía el franquismo". Tenía razón.

Un estado duradero

Toda la estructura organizativa y de control de la sociedad que Franco había creado en torno suyo estaba concebida para durar. El Caudillo nunca pretendió, ni en lo más recóndito de su alma, dar pábulo a las aspiraciones de los monárquicos de retirarse en favor de una restauración monárquica. Visto desde una óptica de setenta años atrás, parece sencillo adivinar que todos los pasos dados por Franco estaban resueltamente encaminados a organizar un estado duradero y personalista, donde el centro de todo el universo, el astro rey, era él mismo, resultando de esta manera insustituible. La concentración de todos los poderes en su persona, la creación de un partido político franquista vacío de contenido ideológico real, la adoración propagandística obsesiva en la persona de Franco... todo apuntaba a un estado de intencionalidad totalitaria, que no fascista, destinado a la pervivencia y abocado a su desaparición una vez fallecido el dictador. Franco estaba haciendo suya a España y nadie parecía darse cuenta, o al menos presionar de manera suficientemente clara para evitar que el pequeño general se encaramara a las mayores cotas de poder que jamás haya tenido gobernante alguno en toda la historia de España.

Franco edificó su nuevo estado con andamios fascistas y contenido netamente conservador. Su España era la de los curas, los terratenientes y las clases pudientes. Fundó su estructura gubernamental en los consabidos tres pilares de cualquier estado conservador, a saber: iglesia, ejército y capital, y encuadró a la sociedad bajo el instrumento de dominio social que le aportaba la Falange tradicionalista y conservadora que, cual diestro ilusionista, se había sacado de la chistera. Copió del fascismo sus formas, como el saludo en brazo en alto[20] o el uso del partido como vertebrador social y correa de transmisión del poder estatal; sin embargo, obvió el contenido socialmente radical del fascismo, marginando todas sus aportaciones genuinas.

Si la España republicana era un país desbordado por la cartelería de todo tipo de partidos y tendencias políticas de izquierdas, la España de Franco no se quedaba atrás en cuanto a gasto de papel, pintura y propaganda en general. La diferencia fundamental estriba en que en la España de Franco la propaganda estaba totalmente focalizada en la figura del dictador. Sus imágenes, muchas veces acompañadas por las del rostro de Primo de Rivera para dar legitimidad a su apropiación de la Falange, anegaron las calles de todo el país y aquella España se llenó de yugos y flechas. Se creó un nuevo calendario en el que se proclamó festivo el 18 de julio como día del Alzamiento Nacional –ya no era una asonada militar, sino todo un Alzamiento Nacional nacido de un deseo de los hombres decentes de España, que recuperaba el alma de la nación, robada por los comunistas al servicio de una

---

20 Como se ha mencionado anteriormente, el saludo fascista fue institucionalizado como oficial en los primeros años del régimen franquista para dejar de ser obligatorio –e incluso mal visto– a partir de la derrota de las potencias del Eje en la Segunda Guerra Mundial. La institucionalización llegó a tal extremo que fue perfectamente definido en los códigos legales para su correcto uso, describiéndolo como "brazo en alto, mano abierta y extendida, con ángulo de 45 grados".

potencia extranjera–, y se comenzaron a contabilizar los años a partir de la efeméride como *Años Triunfales*. De esta forma quedaba señalado el supremo acontecimiento del Alzamiento Nacional, tan importante en la historia de España que suponía una ruptura con el calendario anterior para dar paso a una nueva era.

Como soldado que era, educado en la férrea disciplina militar desde muy joven, Franco no consideraba otra manera mejor para organizar España que la cuartelaria. Efectivamente, España se convirtió en un gran cuartel gobernado con mano de hierro en el que los militares coparon los resortes del poder, y por encima de ellos el astro sol, Franco. La persecución contra el izquierdista se practicó de una manera tan feroz como perfectamente diseñada desde el poder, y en consecuencia la sospecha se convirtió en moneda de cambio corriente. Un hombre como Franco, educado militarmente en las tierras del Rif, buen conocedor de las sangrientas costumbres de las cabilias y acostumbrado a utilizarlas en su beneficio, no podía sino aplicar esas mismas recetas en la España que quería postrar bajo sus pies. La consigna era no tener piedad. No solamente eliminar a los rojos, sino humillarlos; a ellos y a sus familias, como castigo y como garantía de que jamás volverían a levantar la cabeza por defender sus ideas o sus derechos. Todo esto se tradujo en torturas, asesinatos, desapariciones y ejecuciones sumarias siguiendo la teoría de que más vale matar a mil inocentes que dejar libre a un culpable. Los fusilamientos de primera hora dieron paso a un sistema organizado de tribunales y consejos de guerra que dictaminó condenas de muerte y largas estancias en prisión a ciudadanos a quienes no se les respetaban los derechos más básicos de representación y defensa jurídica, acusados en su mayoría del delito de rebelión, una imputación muy curiosa habida cuenta de que eran los franquistas quienes se habían rebelado contra la república.

Los cuerpos de funcionarios del estado fueron severamente depurados. Todo el personal educativo en todas sus escalas fue despedido en bloque y se les dijo que, si querían reintegrarse al trabajo, debían de solicitarlo por escrito en un plazo de veinte días. Para ello habrían de aportar un certificado firmado por el párroco de su localidad, el alcalde y el jefe local de la Guardia Civil, informando sobre la tendencia política del aspirante al puesto en cuestión y si había pertenecido a algún tipo de organización política, social o sindical. Además, se debía informar sobre el lugar donde había estado enseñando los años anteriores y donde había estado viviendo los últimos seis meses. La filosofía era clara: cada uno de los antiguos funcionarios debían de someterse a una severa investigación para poder recuperar sus puestos. Los que no superaban la criba se quedaban sin trabajo. No podía quedar ningún desafecto dentro de las instituciones del estado.

Esta estricta investigación del pasado de los funcionarios llevó a muchos de ellos a enfrentarse a consejos de guerra, por considerar las autoridades que tenían un pasado dudoso o considerado turbio por la razón que fuera. Para ello, y para un control estricto de la población, se organizó de urgencia un aparato policial al servicio del poder que desarrolló inestimables labores de policía política con la intención de profundizar en la obra de la depuración política de España. Igualmente, los gobernadores civiles fueron puestos directamente bajo la potestad de los gobernadores militares –un puesto restaurado tras su supresión en 1931–, y muchas veces eran los propios militares quienes desempeñaron el cargo de gobernador civil. Sobre ellos también se aplicó una severa criba que expulsó del puesto a todos los que lo ocupaban antes del 19 de julio de 1936, escogiendo exquisitamente a quiénes se les permitía retomar el puesto y quiénes serían sustituidos por personas de más confianza.

Del mismo modo, el control sobre los libros, películas y revistas se mostró muy severo, habilitando agrupaciones ciudadanas de pueblo, barrio o distrito entre los que se hallaban los mas destacados miembros de la comunidad, como cabezas de familia probadamente "decentes", el jefe local de Falange, el párroco y demás personas de confianza, que se dedicaron a analizar las bibliotecas de su localidad para retirar las obras consideradas perniciosas.

Todas estas medidas infundieron en la población una sensación de omnipotencia gubernamental, de control absoluto, que infundió un miedo paralizante en la sociedad. A excepción de casos como los "maquis" en diferentes zonas del país o las huelgas izquierdistas y protestas varias, que fueron severamente reprimidas con la complicidad de un silencio absoluto de los medios de comunicación, los españoles del lado franquista de la frontera se inhibieron políticamente con el miedo metido en el cuerpo hasta los tuétanos. La figura de Franco se alzó en el imaginario colectivo como una especie de ser superior, dominador y omnipotente, y de hecho esta imagen no era del todo incierta. Franco controlaba todos los resortes del poder. Las instituciones de mayor autoridad de España, singularmente el Consejo Nacional de la Falange y la Junta Política, no eran en la práctica más que órganos consultivos sin capacidad real de decisión compuestos por fieles lacayos, únicamente interesados en engordar su bolsillo a base de suculentas nóminas e irregulares pluses procedentes del pastel de la corrupción franquista.

Franco era un maestro de la pequeña psicología, la de la vida cotidiana. Sabía mucho de las bajezas morales de las personas, siendo perfectamente consciente de que casi todo el mundo tiene un precio. Con su apariencia tímida, callada e incluso apática, daba la impresión de ser algo torpe, incluso falto de rapidez mental. Sin embargo, en cuanto interpretaba que alguien podía hacerle sombra se le encendían todas las alarmas, demostrando una inteligencia fuera de lo común para enfrentarlo a otras personas y poder ver, desde las alturas, como se descuartizaban entre ellas sin que peligrase su mando supremo.

Falangismo y carlismo fueron deliberadamente arrinconados dentro de las estructuras de poder del nuevo régimen. Para que sus relaciones con el fascismo internacional no se dañasen, Franco intentó mantener las apariencias, pero ni a él ni a su cuñado Serrano Súñer les hacían gracia los planteamientos ateos y anticlericales del nazismo y amplios sectores del fascismo italiano. Además, las pretendidas prioridades que el gobierno de Franco prometió acometer ante la extrema situación social y económica del campesinado y el obrero español, y que los nazis acogieron con agrado, no resultaron ser más que una burla. Las condiciones sociales no se alteraron con respecto a la etapa republicana, y a mayor abundamiento, empeoraron a causa de la abolición de las medidas de reforma agraria promulgadas durante el gobierno del Frente Popular. Las reformas sociales, tan necesarias en España, acabaron por limitarse a obras de caridad sin un efecto verdaderamente influyente, realizadas por enfermeras o similares, voluntarias pagadas por el dinero de damas de alta alcurnia que aliviaban el peso de su alma destinando las migajas de sus fortunas a estos menesteres. La organización que acometió estas obras de caridad fue el Auxilio Social, directamente dependiente de la sección femenina de FET.

Pero la Falange tenía también otros menesteres en el nuevo diseño de España. Como organismo destinado a encuadrar a la sociedad, se convirtió en una estructura-pulpo que contaba con su organización femenina (la Sección Femenina), de juventudes (Flechas y Pelayos), o universitaria (la SEU). Falange contó también con un organigrama sindical que respondía a las teorías del llamado sindicalismo vertical, que obligaba a obreros y patronos a encuadrarse en el mismo sindicato, lo que dejaba a los obreros francamente indefensos. El sindicato único se fundó en enero de 1938, pero ya antes se puede seguir su rastro, puesto que desde el inicio de la guerra, con la prohibición de los partidos de izquierda, sus sindicatos también quedaron disueltos. Tan solo subsistieron el sindicalismo católico, muy potente en zonas como Burgos o Álava, y la

Central Obrera Nacional Sindicalista (CONS), el sindicato de Falange. Para encuadrar también a los empresarios se creó la Central de Empresarios Nacional Sindicalista (CENS), y durante un tiempo las dos centrales sindicales cohabitaron hasta que en 1938 se creó el sindicato único, llamado Central Nacional Sindicalista (CNS) como fusión de CONS y CENS. La CNS fue un claro instrumento de la dominación del patrón sobre los trabajadores. Era la puesta en práctica de una estructura de clara dominación de una clase sobre la otra. Lo que se saliera de los intereses de las clases pudientes no tenía ninguna cabida en la España nacional.

La exigua Falange de la etapa republicana, que estuvo a punto de perecer de inanición por falta de militantes, ya no se parecía en nada a la Falange adoptada y retocada por Franco. FET de las JONS se extendió velozmente por todo el territorio franquista. En todos los pueblos y ciudades existía una sede del partido único, y pronto se convirtió en un atrayente caramelo para quien quisiera medrar en política, además de una militancia obligada para acceder a ciertos cargos. Muchos eran quienes deseaban formar parte de ella, de manera que se organizó un sistema de selección que recuerda bastante al de las órdenes religiosas: los aspirantes a la militancia debían de pasar cerca de cinco años bajo el estatus de *adheridos*. Como tales, pagaban su cuota correspondiente y colaboraban con el partido como si fueran militantes, pero sin lograr la deseada categoría hasta que pasara el tiempo estipulado y los cabecillas locales de FET aprobasen la entrada del susodicho individuo como militante de pleno derecho.

La FET no fue la única institución que se llenó de adeptos gracias a las labores de Franco. También las iglesias, antes reducidas a cenizas por las masas revolucionarias, se veían ahora favorecidas por el régimen, reconstruidas y de nuevo repletas de gente que se afanaba en demostrar su ferviente catolicismo. La influencia de la iglesia creció hasta límites asfixiantes, y su severa moral se adueñó de todos los rincones de España. Sin embargo, donde con más fuerza se notó la influencia del clero fue en el notorio retorno de la enseñanza religiosa. Todas las escuelas y universidades fueron obligadas por decreto a colocar un crucifijo en un lugar bien visible de cada una de las aulas, generalmente en la parte superior central de la pared frontal, encima de la pizarra, y la instrucción religiosa –clases de religión, de doctrina y a veces hasta de apologética católica– se hizo obligatoria en todos los colegios y escuelas. La iglesia también se dedicó a hacer una feroz limpia de profesores, despidiendo a muchos sospechosos de laicismo y sometiendo a los que se quedaban a asfixiantes lecciones de doctrina. Y es que para todos los gobiernos la educación es muy importante. Principalmente para Franco, que quería crear una España nueva inculcando los valores tradicionales desde la niñez, eliminando cualquier tipo de contagio marxista y censurando cualquier libro o película que hiciera a los niños y jóvenes alejarse de la rectitud.

La tremenda influencia que obtuvo la iglesia y que fue premiada por esta con un apoyo total al régimen que Franco estaba construyendo, no le evitó al gallego deshacerse de sacerdotes incómodos que

El diario británico *Daily Worker* hizo eco de la difamación comunista contra el POUM, proclamando a cuatro columnas que los trotskistas españoles conspiran con Franco. Al margen, un lector de nuestra época ha escrito: *lies!* (¡mentiras!).

alzaron la voz contra las arbitrariedades que se estaban cometiendo. Muchos clérigos vascos, que comulgaban con el ideario del nacionalismo vasco, fueron fusilados sin miramientos, e incluso curas de otras regiones que en un primer momento se mostraron partidarios de la Cruzada, fueron víctimas de fusilamientos al protestar contra la crueldad franquista. Todo ello aderezado con el silencio más absoluto de la jerarquía católica española. Y quien calla, otorga.

Los signos de la ruptura

Al mismo tiempo que Franco imponía un estado fuerte con dominio único e incontestable concentrado en su persona, el campo republicano dibujaba cada vez con mayor nitidez una clara ruptura entre dos bloques que representaban ideas y planteamientos ante la guerra y la revolución cada día más separados. Los políticos republicanos y el sector moderado del socialismo cerró filas en torno al que consideraban mal menor y caballo ganador: los comunistas. Representados, como se sabe por el PCE y el PSUC en Cataluña, los comunistas defendían un orden revolucionario con fuertes dosis de disciplina y rigidez y se esforzaban por mantener el orden, relegando los proyectos revolucionarios para después de la guerra. Para ellos, lo primordial era la unión contra los franquistas, una amenaza real, y dejar de malgastar fuerzas en una revolución que si Franco ganaba la guerra nunca se iba a consolidar. Este planteamiento les hizo respetar las posesiones y comercios de los pequeños propietarios, quienes inmediatamente se pusieron de su parte.

En contraposición, los anarquistas consideraban posible y deseable hacer la revolución y la guerra a la vez, y se mostraban inmoderados a la hora de llevarla a cabo, procediendo a colectivizaciones masivas y ejecuciones sumarias sin orden ni concierto. Así, la república se fracturó entre el orden revolucionario de los comunistas y el caos revolucionario de los anarquistas, con apoyo de la burguesía republicana a los comunistas y el imprevisto y circunstancial apoyo del POUM a las filas de los anarquistas. Ciertamente, el POUM era un partido marxista que poco tenía que ver con las tesis del anarquismo; sin embargo, sus divergencias graves con respecto al comunismo ortodoxo del PCE lo transformaban automáticamente en su enemigo y víctima potencial. Para el tándem PCE-PSUC, no cabían divergencias dentro del seno del comunismo y mucho menos una como la del POUM, que había coqueteado durante largo tiempo con el trotskismo.

El POUM se vio unido a los anarquistas en la persecución sufrida a manos del comunismo granítico, sólido, intransigente, jerárquico y soviético del Partido Comunista y del PSUC en Cataluña. La alianza estratégica de los considerados enemigos de clase –los partidos republicanos– con los comunistas de cara a mantener el orden, fue considerada por el POUM y los anarquistas como una traición al movimiento obrero y un acto claramente destinado a ahogar la revolución genuina, que era la que se estaba llevando a cabo de forma espontánea en fábricas, comercios y campos, de la mano principalmente de los anarquistas. El POUM se vio obligado, quizá por oposición al PCE, a apoyar vehementemente el proceso revolucionario que los comunistas se empeñaban en desbaratar. La destrucción de las colectivizaciones anarquistas y la formación de un ejército homologable a cualquier otro, puntales de la hoja de ruta comunista, se antojaba a los del POUM como una marcha atrás declarada que no debía de ser admitida. Ahora que el proletariado español tenía la oportunidad de hacer su revolución, no estaban dispuestos a abandonarla. Estaban dispuestos a defenderla con las armas en la mano, contra los propios comunistas si hiciera falta.

Durante todo el mes de abril las protestas y acusaciones mutuas entre ambos bloques fueron en aumento. Los antiautoritarios afirmaban que el gobierno estaba actuando claramente contra ellos y que los quería ver desaparecidos porque eran la única garantía de una verdadera revolución en España. Entre los anarquistas comenzó a correrse el bulo de que Durruti había sido asesinado por agentes comunistas –murió durante la defensa de Madrid, víctima de fuego amigo, lo que enardeció aún más los ánimos de estos contra el PCE y el PSUC–. A mayor abundamiento, los anarquistas más radicales hacía tiempo que no se reprimían en criticar abiertamente a la CNT y a la FAI por actuar en contra de sus ideas anarquistas, tomando parte en los gobiernos de concentración de Largo Caballero y de la *Generalitat* de Cataluña, siendo así partícipes del estado burgués.

Los últimos acontecimientos protagonizados por el comunismo comenzaban a ser abiertamente criticados por anarquistas y poumistas. Los primeros solicitaron la formación de un gobierno sindical compuesto por miembros de la CNT y la UGT, un objetivo imposible de realizar en cuanto que el PCE se opondría con fuerza, y que la UGT se hallaba dramáticamente dividida. El sindicato socialista vivía momentos de lucha interna entre los que apoyaban a Largo Caballero y veían con simpatía las acciones de la CNT, y los de Prieto y Negrín, partidarios de la colaboración con los comunistas. La realidad era, sin embargo, que la influencia del PCE volvía por sus fueros en las altas instancias gubernamentales y que Largo Caballero, a pesar de sus valientes acciones por lograr la independencia del gobierno, cada día se encontraba más aislado dentro de su propio gabinete. El Partido Comunista pretendió varias veces sin éxito la fusión entre el PCE y el PSOE tal y como había ocurrido con sus juventudes, una pretensión que siempre fue tajantemente rechazada por

Francisco Largo Caballero. Estuquista de profesión, ascendió a la presidencia del gobierno español en septiembre de 1936, teniendo que abandonarla en mayo de 1937. Representó mejor que nadie a la corriente izquierdista del PSOE, destacándose por un ferviente deseo de unidad proletaria que le llevó a presidir consejos de ministros de concentración en los que logró integrar a los anarquistas. Tras la guerra, se exilió en Francia, donde fue detenido por la Gestapo y enviado al campo de concentración de Oranienburg. Murió en París el año 1946.

Largo Caballero y la mayor parte del PSOE. Los socialistas eran perfectamente conscientes de que esa unión propugnada por los comunistas no significaría más que la pura y simple absorción del PSOE por parte del PCE.

A pie de calle, muchos campesinos recibieron con agrado las medidas descolectivizadoras de los comunistas, reaccionando abiertamente contra el sistema de las colectivizaciones, lo que dio más fuerza y base social a los comunistas para lanzar una decidida campaña contra el anarquismo y el POUM, con la clara intención de barrerlos definitivamente del mapa político republicano y asentar y consolidar definitivamente su preponderancia. Esta campaña se hizo especialmente patente en Cataluña, donde tanto el POUM como la CNT tenían sus bastiones más fuertes.

El PSUC aseguraba por medio de sus órganos de comunicación que "tras varios meses de izquierdismo infantil, el resultado es un desabastecimiento general en Barcelona y una situación económica caótica". Exhortaban así a terminar de una vez por todas con el caos, con la anarquía, eliminando de raíz los comités de barrio anarquistas para crear un sistema de abastecimientos eficaz, centralizado y controlado por el gobierno de la *Generalitat*. Se denigró a las colectividades anarquistas por considerarlas desorganizadas y se tacharon sus resultados económicos como decepcionantes. En un congreso del PCE en Valencia, se dejó bien clara la postura del comunismo cuando uno de sus miembros afirmaba que, mientras el enemigo se dedicaba a ganar la guerra, "en Barcelona se discutía la colectivización de las vacas". Los comunistas estaban dejando bien claro que el anarquismo era, más que un apoyo, un obstáculo tanto para ganar la guerra como para la futura revolución. Querían dejar al descubierto la ineficacia del anarquismo, su inutilidad, al tiempo que incrementaban las difamaciones contra el POUM, acusándole de ser agente del fascismo. El POUM ya había sido apartado del gobierno catalán en diciembre de 1936, y desde entonces no había obtenido más que descalificaciones graves por parte de los comunistas.

Convencido por sus consejeros y fundamentalmente inducido por los comunistas, el gobierno se avino a dar luz verde a una política de fuerza dirigida a restituir el control del estado. El PSUC y la UGT dieron a conocer un plan de nacionalización de industrias militares e imposición del servicio a filas obligatorio. En principio, la cosa no gustó demasiado a los anarquistas, pero todavía quedaba lo más polémico: el plan conllevaba también la organización centralizada del transporte público, relevando de un plumazo el control de las milicias en este ámbito. El estado avisaba que volvía por sus fueros, y los anarquistas comenzaban a ponerse en guardia.

En un nuevo golpe de efecto, el día 17 de abril, carabineros y guardias de asalto se dirigieron a la frontera francesa con la intención de devolver al gobierno el control efectivo de fronteras y aduanas, que hasta entonces había recaído sobre las milicias anarquistas. Tanto comunistas como socialistas y republicanos sabían que era vital que las fronteras estuvieran bajo el control del gobierno. Sin embargo, las milicias de la CNT se negaron a obedecer las órdenes y abrieron fuego contra las fuerzas del orden, lo que incrementó aún más la tensión en la frontera y en toda Cataluña.

El 24 de abril fue abatido a tiros un importante miembro del PSUC, Roldán Cortada. El atentado fue utilizado por los comunistas para iniciar una guerra abierta contra los anarquistas, principales sospechosos del crimen. La caza de brujas no se hizo esperar. En toda Cataluña y específicamente en Hospitalet de Llobregat y Molins del Rey, bastiones libertarios, la policía y los miembros del PSUC desplegaron una sangrienta represión, supuestamente en busca de los asesinos de Cortada. Tras varias jornadas de abusos, los anarquistas respondieron de forma igual de violenta. La cúpula de la CNT, horrorizada por el cariz que habían tomado los acontecimientos, prefirió contemporizar y mostrarse partidaria de una mediación entre el PSUC y las bases libertarias. Repudió el asesinato de Cortada exigiendo la detención de los responsables, pero también alegó que la política de terror contra los anarquistas no era de recibo. Como quien oye llover, los milicianos anarquistas no hicieron caso a la sindical. Seguros aún de su superioridad numérica, recorrieron las calles de Barcelona armados, lanzando proclamas en contra de los comunistas y de la URSS. Mientras tanto, en la frontera, las hostilidades entre anarquistas y fuerzas del orden dieron como saldo un total de ocho milicianos muertos.

El gobierno prohibió cualquier tipo de manifestación, en un intento desesperado de aplacar los ánimos, pero entre los anarquistas se había corrido peligrosamente la voz de que el gobierno catalán estaba organizando una cruzada contra la CNT.

Los siguientes días fueron de calma tensa, rotos el 3 de mayo de 1937. Contando con el apoyo de republicanos, socialistas moderados y el nacionalismo catalán en pleno, desde la *Esquerra* hasta *Estat Catalá*, pero sin conocimiento del *president* Companys, el comisario de orden público Eusebio Rodríguez Salas, comunista, dio el paso definitivo hacia el abismo. En un intento de subir un peldaño más en la escalada de concentración del poder para el gobierno, se presentó frente al edificio de la telefónica de Barcelona junto con tres camiones repletos de guardias de asalto armados hasta los dientes. Tras reducir a los centinelas, intentaron subir para tomar el edificio en nombre del *govern* de Cataluña, pero fueron repelidos a tiros por los anarquistas de la primera planta. El edificio de la telefónica, en la céntrica plaza Cataluña de Barcelona, había sido confiscado a la compañía American Thelegraph and Telephone en los primeros compases de la guerra, siendo desde entonces controlado oficialmente por miembros de UGT y CNT, pero oficiosamente por los milicianos anarquistas. Para el gobierno, en su intento de conquistar nuevas cotas de poder, el control de aquel edificio resultaba vital. Desde allí se controlaban todas las emisiones telefónicas de la ciudad, pudiendo quienes lo poseyeran cortar las comunicaciones cuando quisieran y escuchar todas las conversaciones de Barcelona, incluyendo las del propio gobierno. Las llamadas telefónicas constituían una parcela de poder demasiado importante como para que un gobierno, con aspiraciones de reconstitución total de su antiguo poder, no pretendiera controlar.

El incidente de la telefónica fue la chispa que desató la tormenta. Inmediatamente, cientos de milicianos anarquistas se lanzaron a la calle a preparar barricadas con los adoquines de la calzada. De esta forma hacían frente a lo que consideraban un golpe de estado contrarrevolucionario. Anarquistas y miembros del POUM se dieron la mano instintivamente para defender la revolución frente a la gran coalición liderada por los comunistas que unió a PSUC, PCE, ERC, JSU, gran parte del PSOE, el grueso de la UGT y *Estat Catalá.*

Mientras tanto, los representantes de la CNT, FAI, POUM, Juventudes Libertarias y otras agrupaciones antiautoritarias se reunieron aquella misma noche para evaluar cómo hincarle el diente a una situación de virtual guerra civil. El POUM se mostró totalmente partidario de combatir a los contrarrevolucionarios comunistas con las armas en la mano. Sin embargo, la CNT y la FAI, viendo lo que se les echaba encima, se conformaron con convocar una huelga general para el día siguiente, en protesta por la actitud prepotente de los comunistas en la telefónica. Se confirmó así la ruptura entre los cuadros dirigentes de la CNT y la FAI con respecto a sus bases. Lejos de sumarse a la huelga propugnada por sus dirigentes, los anarquistas tomaron las armas.

Los hechos de mayo

La CNT, presente tanto en el gobierno central como en el de la *Generalitat*, solicitó formalmente la dimisión de señalados miembros del PSUC, y especialmente la de Aiguadé, a quien consideraban jefe directo de Rodríguez Salas y principal instigador de la provocación de la telefónica. Sin embargo, Companys se negó siquiera a plantearse semejante opción, cerrando así las esperanzas de la CNT. El sindicato anarquista se vio así atrapado entre dos aguas, por un lado la de sus bases, que ya estaban luchando en las calles contra los comunistas, y por otra la de su pertenencia al *govern*, lo que le obligaba a no dar pábulo a las alteraciones callejeras[21].

En Barcelona ya había estallado definitivamente una guerra civil, declarada dentro de la propia guerra civil española. Los sindicatos repartieron armas por las calles y comenzaron los tiroteos, con resultado de varios fallecidos. El hecho de que fueran los propios anarquistas quienes se hubieran levantado en armas contra un gobierno catalán en el que estaban integrados miembros de la CNT, preocupó a sus líderes, ya que podría agrandar hasta límites insalvables la ruptura entre la CNT y sus bases. En consecuencia, decidieron tirar por el camino de en medio, deplorando una guerra fratricida entre republicanos e intentando repetidas veces una mediación con el

---

[21] La integración de la CNT dentro de los gobiernos central y catalán supuso una traición a los postulados básicos del anarquismo, que repudia todo tipo de autoridad e institución de tipo estatal. La existencia de anarquistas dentro de las esferas de poder no fue comprendida por sus bases, y desde los sectores más exaltados se llegó a acusar a sus líderes de colaboración con la burguesía. Así se inició un proceso de apartamiento progresivo del anarquista de base con respecto a los líderes del movimiento. Como dato curioso, cabe señalar que la primera mujer ministro de la historia de España fue, precisamente, una anarquista: Federica Montseny.

govern al tiempo que pugnaban esforzadamente por convencer a los suyos de que debían de dejar las armas y llegar a algún tipo de tregua.

En un intento de apaciguamiento, el *president* Companys desautorizó el golpe de mano comunista sobre el edificio de la telefónica, pero los editorialistas de la prensa de su partido escribían cosas muy distintas, como "eliminar todas las llagas peligrosas del cuerpo político de Cataluña", en clara referencia a los rebeldes anarquistas y el POUM. En consecuencia, el día 5 la guerra seguía su curso y ya comenzaba a cobrarse víctimas ilustres, como el anarquista Domingo Ascaso o el ugetista Antonio Sesé. Tras ciclópeas sesiones de trabajo, la CNT y el gobierno catalán llegaron a un acuerdo de compromiso que sancionaba un empate: retirada de las fuerzas del orden a cambio de un alto el fuego. Sin embargo, ni los sectores afines a los "Amigos de Durruti", una organización anarquista radical que deseaba la continuación de la guerra, ni muchos miembros de base de la CNT, se avinieron a lo pactado por sus dirigentes, ni siquiera con la presencia, directamente llegada de Madrid, de los ministros anarquistas Federica Montseny y Juan García Oliver. Para desconsuelo de la CNT y del propio Largo Caballero, que sentía una sincera simpatía por ellos, la guerra continuó segando vidas en las calles de Barcelona.

Presionado por los comunistas, el gobierno central trasladó a Barcelona un amplio contingente de miembros de las fuerzas del orden para atajar el conflicto de la peor manera posible. Largo Caballero era muy consciente de que esto iba a reforzar la

Milicianos en Barcelona. Desde que el levantamiento militar fue abortado por las masas armadas, la ciudad condal se convirtió en el centro de una vorágine revolucionaria que culminó en una guerra civil interrepublicana que en mayo de 1937 enfrentó a comunistas, republicanos, socialistas moderados y nacionalistas catalanes contra anarquistas y miembros del POUM.

posición del PCE, pero la testarudez de anarquistas y poumistas de no abandonar las armas no le dejaba otra opción. Mientras tanto, los hechos de Barcelona iban tomando cuerpo y se extendieron a otras zonas de Cataluña, como Amposta o Tarragona. Ante la magnitud de los acontecimientos, varias brigadas de milicianos de la CNT y del POUM abandonaron el frente aragonés en dirección a Barcelona para apoyar a sus camaradas. Aunque nunca llegaron a su destino, los ánimos se calentaron más y la guerra abierta no parecía tener un cercano final. Barcelona se llenó de octavillas redactadas por los sectores mas radicalizados del anarquismo, en las que además de solicitar la socialización completa de los medios de producción y la desmilitarización de las brigadas mixtas, también se atrevieron a amenazar al gobierno y a sus apoyos políticos solicitando la ejecución de todos los contrarrevolucionarios –léase PCE y adláteres– y el desarme completo de las fuerzas policiales. Semejante discurso supuso una ruptura completa con cualquier partido republicano y la quiebra definitiva de la unidad frentepopulista, lo que desesperó a la cúpula de la CNT. En un violento comunicado provocado por el hartazgo, el sindicato anarquista deslegitimó el contenido de las octavillas, señalando que no solamente estaba en contra, sino que también estaba dispuesto a luchar contra semejantes desatinos. Era el 6 de mayo. La CNT se posicionaba con el gobierno y los comunistas, frente al radicalismo de los más extremistas. La determinación de los cenetistas logró por primera vez hacer dudar a gran parte de sus bases, que se descubrieron en el mismo barco que los radicales "Amigos de

Durruti" y frontalmente enfrentados al sindicato. La fuerza de los argumentos de la CNT también caló entre los dirigentes del POUM; visto el desmarque definitivo y visceral de la poderosa CNT con respecto a los disturbios de Barcelona, decidieron que lo mas prudente sería mantenerse a su sombra, instando a sus militantes a dejar las armas para acomodarse a lo negociado entre la CNT y la Generalitat.

La posición de los dos principales grupos del bloque antiautoritario conllevó que la mayoría de anarquistas y poumistas depusieran su actitud, siendo retiradas muchas de las barricadas que había en Barcelona. Solamente mantuvieron el fusil los sectores más radicalizados, que acusaron visceralmente a la CNT de ser un "lacayo de la burguesía", creyendo reafirmada la lectura que desde hacía meses habían hecho sobre la presunta traición de la dirección del sindicato anarquista con respecto a los ideales revolucionarios que decía representar.

El día 7 amaneció con muchas menos barricadas en las calles. La cosa iba decreciendo, algo de lo que se felicitaron tanto el *govern* como la CNT. Sin embargo, aquel iba a ser un día aciago. Esa misma mañana arribó a Barcelona el contingente policial enviado desde Madrid. En total, ciento cincuenta camiones que transportaban a cinco mil agentes de orden público. Todo un despliegue de autoridad dispuesto a poner fin definitivo a los desmanes. Como era de suponer, las fuerzas policiales entraron como elefantes en una cacharrería y lo que parecía que se estaba aplacando se apaciguó definitivamente, pero a base de un baño de sangre. Los radicales que se mantenían atrincherados tras las barricadas fueron reducidos sin misericordia ante la pasividad de los demás grupos políticos, y una vez que se hubo eliminado definitivamente cualquier foco de resistencia, comenzó, silenciosa pero efectivamente, la represión contra los acusados de participar e instigar la rebelión. El odio de los comunistas se tradujo en el inicio de una serie de procesos contra el POUM y numerosos anarquistas bajo la descabellada acusación de estar conchabados con Franco para crear disturbios en la retaguardia y facilitar así la victoria nacional. En consecuencia, muchos miembros de estas agrupaciones fueron perseguidos, torturados y ejecutados. Comenzaba de nuevo una etapa de "terror rojo" del que las principales víctimas fueron los miembros del POUM, partido que fue acusado abiertamente de fascista y como tal perseguido con saña. Entre otros, los anarquistas Berneri y Barbieri o el secretario del Frente de la Juventud Revolucionaria, Alfredo Martínez, fueron tres de las personalidades más influyentes que resultaron víctimas del expeditivo método del "paseo".

Aunque la versión oficial declaraba con autocomplacencia que no había habido ni vencedores ni vencidos, los hechos de mayo de 1937 en Barcelona sentaron las bases del dominio comunista en la España republicana y de una progresiva pérdida de competencias por parte de la Generalitat en favor del gobierno central. Los comunistas aprovecharon la situación para poner fin definitivo al sueño libertario y dar paso a una nueva etapa de control militar, económico, político y social del gobierno. Una concentración de poderes que los comunistas estimaban imprescindible para ganar la guerra, y unos argumentos que taladraron los tímpanos de los ciudadanos de la república hasta convencerlos de que el pueblo de Cataluña pedía justicia por los hechos de mayo. Así querían justificar la represión contra unos partidos que comenzaban a no poder rebatir las acusaciones debido al cierre masivo de sus órganos de expresión. A pesar de todo, la CNT continuó formando parte del gobierno y probablemente, gracias a ello no sufrió el destino del POUM.

El 13 de mayo se celebró un importante consejo de ministros en el que los miembros del Partido Comunista expusieron vehementemente las razones por las que el gobierno debía de ilegalizar al POUM y detener a todos sus dirigentes a la mayor brevedad. La prohibición y desaparición definitiva de este partido era uno de los deseos más largamente soñados por el PCE y ahora estaban en condiciones de exigirlo. Tras escuchar la solicitud de los miembros comunistas del gobierno, Largo Caballero no pudo aguantar más y explotó. Se negó rotundamente a sancionar la desaparición de un partido obrero y mucho menos a encarcelar a sus líderes. Terriblemente enojado, acusó a los comunistas de embusteros y calumniadores, escupiendo las palabras con una rabia infinita muchas veces reprimida. Había certificado su destino. Los comunistas se levantaron de sus asientos y se ausentaron de la sala, seguidos de todos los demás partidos a excepción de la CNT. Nunca se pudo definir de forma más gráfica la soledad del presidente del gobierno.

Francisco Largo Caballero se había convertido en un estorbo para los comunistas. El presidente había defendido a los cenetistas y al POUM siempre que pudo, y si bien comprendía que el sistema de milicias era ineficaz, no deseba de ninguna manera la instauración de un ejército regular como deseaban los comunistas. Sus simpatías por la obra colectivizadora de los anarquistas eran conocidas, tanto como su alergia hacia un Partido Comunista que le había decepcionado. Se había opuesto tercamente a la idea de la unificación del PSOE y el PCE bajo la férula de los comunistas y había defendido a la CNT cuando se quejaban amargamente de las actuaciones de los comunistas. Y ahora ponía palos en la rueda de la eliminación total del POUM. Desde la óptica del PCE, un personaje que anteriormente era catalogado como amigo de la URSS, se había vuelto un elemento extraordinariamente incómodo que había que eliminar.

Los comunistas, apoyados principalmente por republicanos y socialistas prietistas, buscaron un nuevo hombre para dirigir el gobierno de la república, alguien más acorde con sus ideas e intereses, o en su defecto, alguien que no pusiera tantos obstáculos a la construcción de un estado fuerte. Lo encontraron en la persona de Juan Negrín López, militante del sector posibilista del PSOE. Lejos de ajustarse al modelo de militante obrero que encajaba con los comunistas, Negrín provenía de una familia acomodada y era considerado como un burgués de izquierdas. Para el PCE resultó un personaje altamente interesante, ya que creía vehementemente en la construcción de un estado y un ejército fuertes, y en la urgencia de dedicar todos los esfuerzos a ganar la guerra. Además, los comunistas sabían que un miembro del PCE al frente del gobierno republicano despertaría las suspicacias tanto dentro como fuera del país y soliviantaría los ánimos de los republicanos reformistas, de modo que para mantener unido el conglomerado político que habían creado, era necesario poner al frente a una figura reconocidamente reformista pero mediatizada por el PCE. Negrín se convirtió así en el hombre de los comunistas, o como han querido verle otros, "el hombre de Moscú". Para muchos no fue más que un títere en manos del PCE, para otros fue un hombre posibilista que creía que la alianza estrecha con ellos era lo mejor, o lo menos malo, para la España republicana de aquel tiempo. Sea como fuere, los comunistas ya habían encontrado un recambio para Largo Caballero.

Largo Caballero era plenamente consciente de que los comunistas tenían la partida ganada. Abandonado por todos a excepción de la CNT y dependiente extraordinariamente de las ayudas materiales y militares de la Unión Soviética, el presidente sabía que era irreal mantener una pretendida ilusión de independencia gubernamental. Tarde o temprano el gobierno caería en manos de los comunistas. A pesar de ello, Largo Caballero intentó exorcizar la "espantada" general de sus ministros con un proyecto de formación de nuevo gobierno que presentó a Azaña, pero que se estrelló contra la terquedad del Partido Comunista. Finalmente, los comunistas informaron a Largo de una serie de puntos que debía de incluir en su programa de gobierno para obtener su bendición, concretados en unos cambios inaceptables que el presidente en funciones rechazó indignado. Ninguno de los partidos firmó el proyecto de Largo Caballero, ni siquiera los cenetistas, a quienes no les satisfacía la distribución de poderes que planteaba. Ante la imposibilidad de formar gobierno, Largo Caballero se vio obligado a abandonar el poder. Era el 15 de mayo de 1937. Y era el resultado de una permanente labor de zapa dentro de su propio gobierno por parte de los sectores a los que incomodaba, además de una de las consecuencias indirectas de los sangrientos hechos de mayo en Barcelona.

La ruptura del Cinturón

La concentración del mando militar supremo en la persona del *lehendakari* José Antonio Aguirre logró un efecto balsámico entre las sufridas tropas de *gudaris* que defendían Vizcaya de las acometidas nacionales. Por decreto de 26 de abril de 1937 –el mismo día en que se bombardeó Guernica–, el departamento de defensa del gobierno vasco se arrogó el poder de nombrar y quitar mandos militares, lo que supuso un paso importante en la separación efectiva del Ejército Vasco de la estructura militar republicana. Los pasos que dio el gobierno vasco en este sentido resultaron muy positivos, en cuanto que aparentemente pareció zanjado el inveterado problema de la competencia entre mandos, el republicano y el vasco, sobre lo que para los primeros era el XIV Cuerpo del Ejército del Norte y para los segundos simplemente el Ejército Vasco. Un problema que pareció definitivamente resuelto cuando el 31 de mayo el gobierno de la república se avino a los hechos consumados aceptando al *Euzko Guda-*

José Antonio Aguirre Lecube,
primer *lehendakari* del gobierno vasco.

rostea como ejército independiente, separado de las estructuras del Ejército del Norte. A partir de entonces, Llano de la Encomienda se mantuvo como responsable del Ejército del Norte, pero con dominio limitado a las regiones de Cantabria y Asturias, mientras que para el teatro vasco se nombró a Gámir Ulíbarri. A cambio de esta concesión oficial, el *lehendakari* dejó de ostentar el mando militar del Ejército Vasco.

Sin embargo, el reconocimiento de la independencia de su ejército no era la única reivindicación del gobierno vasco. Los vascos protestaban por la práctica inexistencia de aviones y de apoyos militares, quejándose de indefensión, de que se hallaban solos frente al enemigo. Ante aquella permanente solicitud de ayuda, la república se aprestó a enviar armamento, tropas y munición, además de aviones, pero la situación de aislamiento del frente norte y el férreo bloqueo marítimo nacional del Cantábrico eliminaron toda posibilidad de hacerles llegar los envíos militares en una cantidad satisfactoria.

En mayo los nacionales ya habían avanzado sobre Munguía y Amorebieta, llegando a las inmediaciones del Cinturón de Hierro, una línea defensiva compuesta por búnkeres, trincheras y nidos de ametralladora que defendía Bilbao en una circular de unos 80 kilómetros de longitud y una profundidad de unos 10 a 15 kilómetros. El Cinturón comenzó a construirse en octubre de 1936, sin embargo, a pesar de lo épico de su nombre, era una obra inacabada con demasiados puntos débiles como para suponer una seria amenaza al avance de las brigadas de Mola. En muchos de sus puntos era una simple línea de trincheras, y no estaba defendida por suficientes hombres. Además, la falta de aviones y de antiaéreos lo hacía muy vulnerable a los ataques por aire y por si fuera poco, el ingeniero que lo diseñó, Alejandro Goicoechea, se pasó a las filas del enemigo con los planos de la obra.

Los *gudaris* se aprestaron a la defensa de la capital vizcaína detrás del Cinturón, esperando un ataque inminente, pero el 3 de junio se acostaron rumiando aún la grave noticia del fallecimiento de Mola en accidente de aviación, al chocar contra un cerro en Briviesca (Burgos). La inesperada desaparición del responsable de las operaciones del norte quiso ser vista desde el lado del PNV como un respiro que les daba la providencia para defenderse del ataque, sin embargo no fue así. Franco nombró a Fidel Dávila como sustituto de Mola en cuanto se enteró de la noticia, sin dar muestra alguna de tristeza por el desgraciado suceso. De hecho, según el testimonio de personas cercanas a Franco, parecía que desde la muerte de Mola se sentía más contento, como si con la desaparición de aquel posible enemigo político se hubiera quitado un gran peso de encima. Y es que los últimos días Mola había comenzado a dar muestras de una cierta independencia, atreviéndose a expresar públicamente su arrepentimiento por haber cedido tan fácilmente a las pretensiones de Franco cediéndole el poder supremo. Mola había redactado días antes un documento de su puño y letra en el que consideraba que el futuro gobierno militar debería de reinstaurar un régimen republicano, desechando definitivamente la institución monárquica, y que en sus puntos progra-

Cartel republicano en el que se representa al generalísmo con el rostro cadavérico de la muerte, arropado por el fascismo internacional representado por la svástica que luce en su pecho. Un militar, un burgués con escapulario y un clérigo *trabucaire* (el que carga un arma de fuego) llevan su capa.

máticos asumiera irrenunciablemente la libertad religiosa, concesiones a los trabajadores y una eventual vuelta al sistema parlamentario una vez liquidados los problemas de orden público que generaron el levantamiento militar. Consciente de que él había sido el *alma mater* del alzamiento y de que Franco se estaba quedando con todos los laureles, Mola destilaba últimamente una ironía muy ácida cuando valoraba a Franco y sus acciones. En conversación con el Caudillo, llegó a referirse a la FET como "ese partido tuyo", mostrando un evidente desprecio hacia una obra política que le parecía un engendro.

Las muertes fortuitas de los rivales políticos de Franco han despertado las sospechas de que quizá no fueron lo que se dice fortuitas. Sanjurjo y Mola –ambas en accidente de aviación– y el fusilamiento de José Antonio Primo de Rivera en la cárcel de Alicante, algo en lo que Franco no puso especial interés en evitar, sumadas a la muerte en extrañas circunstancias del general Amado Balmes, ya referido en el primer capítulo, resultan ciertamente sospechosas. A Franco se le morían los enemigos políticos. Casualmente, de todos ellos se encargó el destino. Las sospechas de asesinato han sido desechadas y la historiografía considera que, efectivamente, la suerte sonrió a Franco, pero tal cúmulo de "accidentes" no deja de ser sospechoso.

El 11 de junio, sin retraso alguno por la muerte de Mola, se iniciaron las operaciones para el asalto final a Bilbao. Tras un ataque intensivo de aviación y artillería, las tropas de Franco rompieron el Cinturón el 12 de junio en el sector del Monte Gaztelumendi, desparramándose por el Txorierri. Una vez superado el principal escollo, la penetración fue rápida y en seguida Bilbao se vio envuelta por todos lados. Mientras las columnas italianas avanzaban por la costa y tomaban la población de Getxo, las brigadas navarras avanzaban por Miravalles, culminando los montes que circundan Bilbao. Con el paso cortado por el bloqueo marítimo y la ciudad rodeada por todas las esquinas, la situación parecía irreversible. Bilbao iba a caer. Lo que se debatió en la dramática reunión del Gobierno Vasco el 17 de junio de 1937 no era la victoria o la derrota, sino cuánto tiempo iba a poder aguantar la ciudad en pie y si realmente merecía sacrificar gudaris defendiéndola calle por calle, como se había hecho en Madrid. El alto mando militar vasco se mostró pesimista, asegurando que vista la superioridad en hombres, armamento y aviones del adversario, lo mejor sería replegarse hacia Cantabria y las Encartaciones, renunciando a la defensa de Bilbao. La evidencia de la terrible inferioridad del Ejército Vasco se tornó pesada como una losa y el *lehendakari* decidió hacer caso al mando militar. El gobierno vasco evacuó Bilbao junto con el grueso de los gudaris para instalarse en Villaverde de Trucíos, mientras que en la ciudad se dejó una Junta al mando de José María de Leizaola con el objetivo de mantener el orden y llevar a cabo la evacuación de tropas y civiles de forma ordenada. Bilbao se transformó en una ciudad abierta que iba a ser entregada sin lucha. Desde el gobierno de la república llegaron órdenes de destruir toda la industria pesada de Bilbao y su margen izquierda para que los franquistas no pudieran beneficiarse de ella, lo que decantaría mucho la balanza en su favor. Sin embargo, el gobierno vasco desaprobó semejante solución. No estaba ni remotamente dispuesto a destruir la potente industria de la que vivían miles de ciudadanos vascos, abocándolos al hambre y la desesperación después de la guerra. Y mucho menos para favorecer la lucha de una república con la que seguían sin sentirse identificados. Para el PNV, perdido el territorio, se acababa la guerra. Ya no había razón para luchar, de manera que la industria vasca se mantuvo incólume, cayendo intacta en poder de los franquistas que la usarían para pagar favores a los alemanes y construir bombas que después caerían sobre Madrid o Barcelona.

Singularmente, hubo casos de milicianos asturianos y cántabros de obediencia comunista que se negaron a entregar Bilbao y que intentaron atentar sin éxito contra industrias como los Altos Hornos de Vizcaya, siendo repelidos a tiros por miembros del Ejército Vasco y de la Ertzaña. De esta forma, Bilbao y su *hinterland* no fueron destruidos y el 19 de junio las brigadas navarras entraron en una ciudad intacta y vacía, tan solo afectada por la destrucción de los puentes que unen la ría del Nervión para dificultar el avance enemigo y así facilitar la escapada. Allí se encontraron con los batallones de *gudaris* que guardaban el orden, entregando la ciudad sin oponer resistencia.

Bilbao no sufrió las salvajadas que acaecieron otras ciudades, como Badajoz o Málaga. En atención al ferviente catolicismo de los nacionalistas vascos, la Santa Sede medió ante Franco para lograr una especial deferencia para con ellos, y en cierto modo lo logró. Sin embargo, no por ello dejó de haber "limpieza", y casi mil vascos fueron ejecutados y dieciséis mil personas encarceladas. Como ya era habitual tras la caída de una ciudad, comenzaba en Bilbao la era de los consejos de guerra y los fusilamientos en masa. Se persiguió a cualquier sospechoso de simpatías republicanas o nacionalistas, y cualquier resquicio de cultura vasca fue tajantemente suprimido, cubierto por un denso velo de oscuridad. La lengua vasca fue proscrita, al igual que cualquier símbolo o actitud que insinuara diferencia alguna del País Vasco con respecto de España. Terminaba así la guerra en Euskadi. Una vez caído Bilbao y conquistado el territorio vasco, la mayoría de los nacionalistas vascos, que percibían la guerra más como una lucha nacional que ideológica, no veían razón alguna para seguir peleando, y muchos de ellos retornaron a sus casas mientras otros se amontonaban en la costa cántabra a la espera de acontecimientos o de un barco para escapar al extranjero. Y mientras las provincias traidoras de Vizcaya y Guipúzcoa perdían el concierto económico como castigo, Navarra recibía la Cruz Laureada de San Fernando, la máxima condecoración militar española; una insignia que luciría en su escudo hasta la muerte del dictador, concedida en reconocimiento a la gran aportación de Navarra en la conquista del País Vasco.

De Brunete a Santoña

La caída de Bilbao supuso un mazazo muy importante para los recursos y la moral de los combatientes republicanos. Una inauguración nefasta para el renovado gabinete presidido por Negrín, el hombre cuyo lema era "hago la guerra" y que trabajaba codo con codo con los comunistas para crear una estructura política y militar fuerte. La propaganda gubernamental hablaba del fin de los malos tiempos, de que con la caída de Largo Caballero la república se lanzaría a la ofensiva y lograría recuperar el territorio perdido. De hecho, los gobiernos de Negrín fueron pomposamente apellidados "de la victoria" a fin de fortalecer esta idea. Sin embargo, un mes escaso después de la formación del nuevo y "victorioso" gabinete, el frente vasco se había desplomado tras entregar sin combate una importante ciudad. Negrín buscó algún tipo de revulsivo para animar a sus combatientes en el sentido de que se podía ganar la guerra, y el desplome definitivo del frente vasco no era precisamente lo que necesitaba. Sin embargo, Bilbao tan solo era la primera batalla de una larga partida. Negrín estaba honradamente dispuesto a plantar cara a Franco y a lanzar a la república a una ofensiva en gran escala. Basta ya de estar a la defensiva, basta ya de una conciencia de inferioridad que en nada beneficiaba a la república. Era el tiempo de las ofensivas. Con Negrín la república dejaba de ordeñar a las vacas colectivizadas y tomaba las armas. "Hago la guerra".

En el mes de julio la república desarrolló una maniobra de distracción a gran escala con el objetivo de distraer tropas del frente norte y evitar así un asalto inminente a Cantabria. Antes de esta iniciativa ya se habían desarrollado otras con objetivos similares, también para liberar el frente norte, pero con poco éxito: fueron las ofensivas republicanas de La Granja y Huesca. La primera de ellas, aún en la era de Largo Caballero, no logró el objetivo de tomar Segovia. La segunda tampoco logró detener el avance sobre Bilbao y el sitio republicano de Huesca se pudrió al sol sin poder tomar la ciudad. Esta vez, sin embargo, la cosa tenía que ser diferente. Si la república iniciaba una ofensiva tendría que ser con muchas garantías de éxito y eso exigía un gran esfuerzo militar con grandes contingentes de armas, hombres y aparatos. Tendría que ser una ofensiva verdaderamente contundente.

Durante un tiempo se estuvieron valorando una serie de posibilidades, entre las que se encontraba un ataque sorpresa por Extremadura a fin de partir en dos el territorio nacional, pero el traslado de un fuerte contingente de tropas hasta allí evaporaría el tan deseado y necesario efecto sorpresa, de modo que finalmente se optó por lanzar el ataque en el sector de Madrid. Su objetivo era doble: detener o al menos ralentizar lo más posible la inminente ofensiva contra Cantabria, y envolver al ejército franquista en una gran bolsa desde Navalcarnero hasta Alcorcón. El epicentro del plan se situaba en la pequeña población de Brunete, una de las zonas más débilmente protegidas por los nacionales. Una vez tomado el pueblo, sería fácil avanzar hasta Navalcarnero mientras un cuerpo de tropa secundario se dirigiría hacia Alcorcón para hacer la bolsa. Así pues, el gobierno republicano hizo acopio de todo el material que pudo y unió a sus mejores tropas en la ofensiva más ambiciosa y numerosa de las que había llevado a cabo la república hasta el momento. Un total de ochenta mil hombres, entre los que se hallaban los comunistas del Quinto Regimiento y los de la División Líster, con un apoyo masivo de la artillería y de casi toda la aviación de la que disponían, se conjuró para perforar el sector de Brunete. Había que romperlo. Sí o sí. Y para eso el acopio de fuerzas habría de ser fenomenal.

La ofensiva se inició la noche del 5 al 6 de julio. El ejército republicano logró el efecto sorpresa y en los primeros momentos de la ofensiva lograron avanzar sin problemas hasta tomar Brunete, a unos veinte kilómetros de Madrid. Habían logrado perforar el sitio de Madrid por uno de sus sectores y, aunque no lo sabían, poner nervioso a Franco, que exclamó alarmado que le habían "tirado abajo el frente de Madrid". Según el testimonio del general Antonio Barroso, aquel fue el día que vio más preocupado a Franco en toda la guerra. Inmediatamente se dieron órdenes para posponer la ofensiva sobre Cantabria y desviar tropas al sector de Brunete. Los republicanos a punto estuvieron de crear la bolsa que envolvería a las tropas franquistas, pero sorprendentemente, la división que debía de tomar Alcorcón fue rechazada y no pudo avanzar, de modo que la bolsa se convirtió en un objetivo imposible. La esperanza estaba puesta tan solo en que desde el sector de Brunete se pudiera avanzar y ensanchar la abertura del cerco. La división Líster, que había ocupado Brunete, pudo hacerlo, pero prefirió esperar a los demás contingentes republicanos, que se habían encontrado con una resistencia mayor de la que esperaban. El 7 de julio la ofensiva había quedado prácticamente paralizada y el envío de refuerzos franquistas desde el norte logró reorganizar a los efectivos nacionales, que taponaron eficazmente la grieta, transformando el veloz avance republicano en una guerra de posiciones de la que, como mucho, solamente se podían sacar en limpio algunos metros de terreno.

El 18 de julio, aniversario del Alzamiento Nacional, los hombres de Franco ya se sentían lo suficientemente preparados como para acometer la contraofensiva. El avance fue devastador y obligó a replegarse a los republicanos, que maltrechos y presos de hambre y sed por estar combatiendo bajo un sol de justicia y un calor agobiante, no pudieron defender las posiciones recientemente conquistadas. El día 24 ambos bandos se vieron las caras en Brunete, donde se luchó como en Madrid; casa por casa, calle por calle, una batalla cruel que dejó cientos de muertos y un saldo victorioso para los nacionales, que el día siguiente plantaron de nuevo su bandera en un pueblo destrozado. Aquel 25 de julio, día de Santiago Apóstol, un Franco satisfecho y aliviado afirmó que la intervención del santo le había dado fuerzas para lograr la victoria.

La batalla de Brunete fue una de las más sangrientas de toda la guerra civil española. Durante los veinte días que duró, y una vez contenida la ofensiva republicana, se convirtió en una guerra de desgaste que se saldó con un resultado de miles de muertos y heridos. Y todo por tomar un pueblo. Brunete supuso para Franco un espaldarazo a su superioridad armamentística y militar, y para la república un sonoro fracaso que si bien logró el objetivo de aplazar el ataque en el frente norte hasta agosto –el ataque contra Cantabria estaba previsto para el 10 de julio–, fue la causa de que veinticinco mil hombres de la república pereciesen sin romper el frente de Madrid, que volvió a estabilizarse prácticamente en el mismo lugar que antes de la ofensiva. La república ganó unos pocos kilómetros y perdió esos veinticinco mil hombres por diecisiete mil franquistas. Un resultado decepcionante para una operación de tal envergadura.

El 14 de agosto la aviación nacional dio inicio a la pospuesta ofensiva en el norte con bombardeos sobre las ciudades cántabras. La toma de la provincia de Santander, como era conocida por aquel entonces, se presumía mucho más sencilla que la de Vizcaya. No en vano, Cantabria era una región predominantemente conservadora que por azares del destino había quedado dentro del campo de la república. Los desmanes de la izquierda contra los propietarios y la iglesia horrorizaron a los píos ciudadanos de una provincia tan religiosa, y no hicieron más que acentuar el gran peso de la quinta columna franquista, que era en Cantabria una fuerza a tener muy en cuenta. Cuando los nacionales iniciaron el ataque, las fuerzas del gobierno ordenaron una leva general de la población, en general poco dispuesta a luchar por una república antipática. A este hecho habría que añadir el descontento de la población por el asfixiante dominio de los partidos revolucionarios y el incremento de la población flotante debido a la llegada masiva de refugiados vascos, unos doscientos mil civiles a los que había que sumar los militares. Los pueblos costeros de la Cantabria oriental se convirtieron en una suerte de hormigueros repletos de ciudadanos vascos a la espera de un barco.

Las relaciones entre los gudaris, que hacían lo que podían por ordenar aquella marea de gente, y las autoridades republicanas de Cantabria nunca fueron lo buenas que habría sido deseable para tratarse de aliados militares. De hecho, en muchos casos pueden considerarse como francamente malas. Y es que los milicianos cántabros, como revolucionarios que eran, no veían en los refugiados vascos más que a una chusma de reaccionarios y enemigos de clase a los que acogían a regañadientes. El gobierno vasco denunció tratos vejatorios propinados por las autoridades republicanas contra los nacionalistas vascos, denunciando incluso el asesinato de siete vascos por la policía republicana. Una queja que nunca se llegó a investigar.

Los *gudaris* concentrados en Cantabria habían recibido la orden de continuar la lucha y una vez caída Reinosa, el 16 de agosto, replegarse hacia Asturias; pero no acataron las órdenes del gobierno de la república. Perdido su territorio, los vascos se negaban a combatir más. Aguirre no opinaba así, mostrándose partidario de enviar contingentes a Cataluña y al frente de Aragón, pero el grueso de los gudaris optó por concentrarse en las costas de Santoña, Limpias y Laredo para rendirse a los italianos sin mostrar resistencia alguna el 26 de agosto, el mismo día de la caída de Santander. La república interpretó la rendición de los combatientes vascos como un acto de traición, pero el PNV lo consideró una forma de salvaguardar las vidas e intereses de los vascos. Parece ser que ni Irujo, por entonces ministro sin cartera del gobierno republicano, ni el *lehendakari* Aguirre tenían conocimiento de las conversaciones separadas con los italianos llevadas a cabo por el presidente del PNV, Juan de Ajuriaguerra, que desembocaron en la rendición y que han pasado a la historia con el nombre de Pacto de Santoña. Según el acuerdo, los *gudaris* habrían de rendirse a los italianos y solo a ellos, poniéndose bajo la protección de aquel país contra la furia de Franco. Era, por tanto, una rendición con condiciones en cuyas negociaciones no participaron ni republicanos ni franquistas, tan solo el PNV y los italianos. A cambio de la rendición de los batallones vascos, los italianos debían de permitirles embarcar en buques ingleses expresamente fletados para ello y permitir su evacuación. Además, los italianos debían de garantizar la salvaguardia de la población civil vasca de la represión franquista y tomar a los batallones vascos como prisioneros de guerra italianos que nunca habrían de ser entregados a Franco.

Ni nacionalistas vascos ni italianos se imaginaban la reacción del Caudillo al saberse marginado de unas conversaciones para las que consideraba que los italianos no tenían ninguna legitimidad. Desde el cuartel general de Franco, el Pacto de Santoña fue declarado nulo, despreciando a los italianos como incompetentes para la negociación y recordándoles que en aquella guerra no eran más que unos meros auxiliares. Era Franco quien estaba al mando supremo y era solamente a él a quien competía negociar rendiciones. El enfado de Franco se mostró en toda su plenitud cuando prohibió la salida de puerto de los buques ingleses Bobie y Seven Spray, donde habían embarcado los dirigentes nacionalistas a la espera de un permiso de salida que no llegaba. Tras varios días de angustiosa espera en puerto y ante el pasmo de los atónitos italianos, las tropas nacionales ordenaron desembarcar a los nacionalistas vascos a punta de fusil. Los términos del acuerdo se habían roto unilateralmente por parte de quien no había tomado parte en ellos, y los nacionalistas vascos fueron encarcelados y muchos de ellos condenados a muerte. Los horrorizados italianos descubrieron en cabeza ajena la inquina de Franco, y en la propia el infinito desprecio de los nacionales hacia unos ejércitos extranjeros sin cuyo apoyo no habrían sido capaces de trasladar a la península a las tropas coloniales.

4

El estado fuerte

La obra de Negrín

El nuevo presidente del gobierno de la república española, Juan Negrín López, ha pasado a la historia reciente de España como uno de los personajes políticos más denostados del campo republicano. Entre acusaciones de quedarse con parte del oro de Banco de España trasladado a la URSS y lindezas apócrifas parecidas, se ha achacado a Negrín, como anteriormente señalábamos, ser “el hombre de Moscú”, un hombre de paja instrumentalizado por los comunistas. Lo fuera o no, de lo que no cabe ninguna duda es de que era un hombre decididamente crítico, muy realista y reacio a idealismos absurdos. Se dio cuenta de que, sin el apoyo de la Unión Soviética, a la república no le cabía esperar ninguna posibilidad real de supervivencia, así que se adaptó a las circunstancias lo mejor que pudo. La dramática dependencia de la URSS no lo llevó, como se ha asegurado demasiadas veces, a echarse en brazos de los comunistas. Negrín intentó conservar en todo lo posible la independencia interior y exterior de la república. Era un luchador, y como tal se esforzó en apretar los dientes y resistir todo lo posible a los nacionales. "Resistir es vencer" y "Hago la guerra", se convirtieron en dos de sus divisas más conocidas, y es que Juan Negrín se apoyó en los comunistas para hacer la guerra, para imponer orden en la retaguardia y para reforzar el poder del estado lo más fuerte y rápidamente posible.

A pesar de lo que se ha dicho, el Negrín que accedió al poder en la primavera de 1937, era tanto el hombre de los comunistas como el de los republicanos y socialistas moderados. De hecho, Azaña buscó a Negrín tras la caída de Largo Caballero y se mostró feliz de nombrar presidente del gobierno a un hombre enérgico y de ideas claras, capaz de mantener el orden, garantizar el respeto a la pequeña y mediana propiedad y hacer la guerra. Luego, como se verá, las relaciones entre ambos políticos se tornaron muy amargas, pero en un principio, Negrín era un hombre del bloque comunista-burgués. Sabía cuales eran las prioridades del gobierno y no dudó en ponerlas en práctica con puño de hierro.

Su primer gobierno no contó con la participación de cenetistas ni ugetistas, pero sí con la presencia de un PSOE depurado en el que no existía representación de la facción caballerista. Libres de esta rémora, el nuevo gobierno, de la mano de los comunistas y con el apoyo de los moderados, comenzó con comodidad y determinación la inacabada y

Juan Negrín trabajó denodadamente para restablecer la autoridad del estado. Su supuesta complicidad con el Partido Comunista no fue bien vista por el resto de los republicanos, que iniciaron un proceso de distanciamiento que degeneró en odios enconados hacia su persona.

tantas veces enturbiada labor de crear un estado fuerte, poderoso y defendido por una policía y un ejército disciplinados. Para ello era estrictamente necesaria la concentración del poder en manos del gobierno central, y cuanto más, mejor. Solamente así afrontarían la guerra con garantías.

Caído el gobierno vasco y marginados los anarquistas y socialistas de izquierda, frente a los designios centralistas de Negrín solamente existían dos escollos principales: la *Generalitat* y el Consejo anarquista de Aragón. En el primer caso, los hechos de mayo en Barcelona justificaron la acción unilateral por la que el gobierno asumió el control del orden público en Cataluña, en detrimento de las competencias otorgadas a la Generalitat en su estatuto. El caos de mayo y las necesidades de la guerra fueron para Negrín justificaciones más que suficientes para adoptar tal medida, con el apoyo del PCE. Al jefe del gobierno le repugnaba la desgana con la que muchas veces el gobierno catalán respondía al central cuando este le pedía algún tipo de ayuda, considerando la actitud catalana casi como una traición a la causa. En sus variadas declaraciones al respecto llegó a afirmar que no valía solo con apoyar "de boquita" a la república, ya que las buenas palabras debían de acompañarse con los hechos, en caso contrario habrían de considerarse colaboración con el enemigo. Era una clara y muy directa alusión, con amenaza velada incluida, a un gobierno catalán que comenzaba a sentirse intranquilo por el talante del nuevo titular de la presidencia del gobierno. Comenzó así, de modo tormentoso y conflictivo, una pésima relación entre los gobiernos de Negrín y la

Generalitat catalana que no haría sino empeorar a medida que pasaba el tiempo; y es que con Negrín se encaramaba al poder un progresismo burgués de componendas autoritarias que recuperaba sin disimulo un profundo nacionalismo español. Preocupado por contrapesar la propaganda franquista, que identificaba a Franco con España y a la república con la antiEspaña, Negrín se desvivió por destacar que la guerra no era solamente ideológica, sino una lucha patriótica de España y los españoles de verdad contra un grupo de generales retrógrados apoyados por ejércitos extranjeros. Las proclamas patrióticas retumbaron de nuevo en los oídos de los nacionalistas catalanes como una cercana amenaza. El nuevo jefe de gobierno cerraba siempre sus discursos con un potente y sentido "Viva España" acompañado del puño en alto, algo a lo que Largo Caballero no les tenía acostumbrados.

El 31 de octubre de 1937 Negrín trasladó su gobierno a Barcelona. La ciudad condal se transformaba así en la nueva capital de la república, forzando una incómoda situación de duplicidad de poderes entre el gobierno central y el de la Generalitat que no hizo más que confundir las competencias entre ambas administraciones. La decisión fue justificada sin ningún rubor por Negrín como una forma de reforzar el dominio sobre Cataluña, una declaración que disgustó mucho a Companys. El presidente catalán tuvo que aceptar el traslado de la capitalidad, pero evitó sistemáticamente a Negrín en todos los actos públicos.

El Consejo de Aragón era otro de los organismos susceptibles de una fulminante desaparición. La

España que Negrín quería construir no permitía ningún tipo de semiautonomía en ningún punto de la geografía republicana. El Consejo de Aragón era una peligrosa anomalía que había que erradicar. Además, era un bastión de los anarquistas, una tendencia política frontalmente contraria al centralismo estatalista propugnado por Negrín y el PCE. La disolución del Consejo de Aragón supondría matar dos pájaros de un tiro: el reforzamiento de la autoridad estatal en toda la república y la supresión definitiva del último bastión de una peligrosa disidencia antiautoritaria, anticentralista y antiestatalista en la izquierda.

El gobierno no se anduvo con contemplaciones. El 10 de agosto el Consejo de Aragón fue disuelto por decreto y las colectividades suprimidas. Se enviaron divisiones militares comunistas acompañadas de fuerzas del orden, en previsión de resistencias que, para sorpresa de todos, no se reprodujeron a gran escala. A pesar de ello se practicaron centenares de detenciones y el presidente del Consejo, Joaquín Ascaso, fue acusado de robo y de ser uno de los instigadores de los hechos de mayo. El periódico del Consejo fue sustituido por otro, fiel a las consignas del gobierno, y los locales de la CNT fueron cerrados *manu militari*.

Otra de las obsesiones del PCE a la que Negrín dio cuerpo fue el reforzamiento definitivo del Ejército Popular de la República. Era una de las grandes prioridades del gobierno, de modo que tan pronto como tres días después de su constitución, Negrín nombró a Vicente Rojo como jefe del Estado Mayor Central. Negrín y Prieto, ministro de Defensa, comenzaban a hacer realidad el sueño de un ejército fuerte, dinámico y capaz de tomar la iniciativa en la guerra, compuesto por profesionales y técnicos militares, y no por políticos y ciudadanos aficionados. No eran tropas para simultanear la guerra con la revolución, sino para ganar la guerra. Al ejército profesional de Franco, Negrín oponía otro ejército profesional, siguiendo las pautas que le estaban dando desde la URSS. Fruto de esas instrucciones fue la captación para el ejército de militares profesionales que se sabía que no eran totalmente simpatizantes del bando republicano, pero que las circunstancias les habían hecho recalar en dicho bando. Los asesores soviéticos se basaron en la experiencia de la constitución del Ejército Rojo en su país para hacer ver a los españoles que más que políticos, aquellos militares eran profesionales, y que cumplirían fielmente sus labores dentro del Ejército Popular. El gobierno les aupó a puestos de oficialidad, como hicieron los bolcheviques rusos cuando crearon, casi de la nada, el poderoso Ejército Rojo haciendo uso de los profesionales zaristas.

Las reformas militares conllevaron un incremento del potencial bélico de la república, y en seguida se creó una estructura militar eficaz que cubría todo el territorio. Se instaló una comandancia militar en cada provincia aún controlada por la república, y centros de reclutamiento profesional, además de la aplicación de la leva forzosa en cada vez más lugares. Bajo la apariencia estética y práctica de un ejército al uso, con su vorágine de galones, jerarquías, disciplina y burocracia, el republicano podía ya considerarse como un ejército español paralelo al de Franco, dando punto final a su etapa de formación.

Sin embargo, la preeminencia de los comunistas en las altas instancias militares y el proselitismo continuado e impune que llevaban a cabo en las filas de los reclutas enfadaron al ministro Prieto, que tuvo una serie de graves encontronazos con los comunistas.

Los comunistas eran un verdadero poder en la sombra. Si bien su influencia dentro del nuevo gabinete Negrín era irrebatible, el nuevo presidente del consejo de ministros intentó por todos los medios moderar las consecuencias de dicha influencia con un cierto nivel de éxito. Los primeros decretos Negrín satisficieron al PCE y al PSUC, y les invitaron a creer que, efectivamente, habían aupado al poder al hombre adecuado. Negrín no puso reparos a la caza de brujas contra el POUM, primero porque le convenía estar a buenas con los comunistas y segundo, porque a él y a los socialistas moderados y republicanos de izquierda también les interesaba que un elemento revolucionariamente tan activo fuera eliminado de un plumazo. Así pues, cuando el PCE puso encima de la mesa las mismas razones que adujo ante Largo Caballero para exigir la ilegalización del POUM, Negrín las aceptó sin rechistar.

El 15 de junio de 1937 el POUM fue prohibido y declarado ilegal. Como consecuencia de su consideración oficial como elemento antirrevolucionario y presuntamente fascista, fue perseguido con la saña de los comunistas y la bendición del gobierno y sus decretos ministeriales; en definitiva, con una impunidad manifiesta que el ejecutivo favoreció. Bajo un maremagno de pruebas falsas, los comunistas persiguieron con saña al POUM, acusándole de haber instigado el "levantamiento fascista de Barcelona,

Andreu Nin fue uno de los dirigentes más carismáticos del POUM. A pesar de su historial intachablemente revolucionario, fue detenido, torturado y finalmente asesinado por agentes comunistas bajo la descabellada acusación de ser un fascista. Su desaparición desacreditó definitivamente al PCE y al gobierno Negrín ante la opinión pública.

calumniado a un país amigo de la república (la URSS) y hallarse al servicio del fascismo europeo". Todo ello devino en el cierre de todas sus sedes políticas, la detención y juicio de cientos de sus militantes, la disolución de las brigadas del POUM del frente militar, la expulsión de todos los ayuntamientos donde tenían representación y el cierre definitivo de todos sus órganos de expresión. El binomio PCE-PSUC estaba llevando a cabo la eliminación sistemática de la disidencia o de la divergencia de opinión dentro del comunismo.

El día 16 Andreu Nin, destacado líder de la formación obrera, fue enviado junto con el resto de la cúpula del POUM a los sótanos de la Dirección General de Seguridad en Madrid, donde fue interrogado y días más tarde trasladado en un furgón policial a una cárcel privada, donde fue puesto en manos de una policía paralela compuesta por agentes soviéticos y del PCE. Nin fue torturado e interrogado brutalmente al menos durante tres días (18, 19 y 20 de junio) y finalmente asesinado y enterrado en las cercanías de Alcalá de Henares. La desaparición de Nin causó una honda impresión en todos los militantes progresistas de España, que no tardó en multiplicarse en las paredes de Barcelona en forma de pintada: "¿Dónde está Nin?". Una pregunta que casi era una afirmación, y que señalaba con dedo acusador al gabinete de gobierno.

Negrín prefirió pasar de puntillas sobre el caso, excusándose en no tener ningún conocimiento y dando así toda la impresión, cierta o no, de que el presidente y tras él todo su gobierno estaba encubriendo un secuestro legal. Para políticos como

Federica Montseny, que cuestionó al ejecutivo varias veces sobre el asunto, debía de ser muy frustrante comprobar la enorme diferencia entre la experiencia de haber participado en las responsabilidades de gobierno con Largo Caballero y encontrarse ahora con el muro informativo de Negrín.

Pasaron los días y Nin seguía sin aparecer. Para paliar los rumores de asesinato, el PCE se encargó de hacer correr el bulo de que, como agente fascista que querían que fuera, había huido a la zona nacional. Semejante patraña no caló. Nin era un reconocido líder revolucionario con un largo historial político y un prestigio y honradez sin tacha. Su reputación resistía tan ridículo intento de difamación. Finalmente el gobierno tuvo que admitir la desaparición del líder catalán, asegurando que murió a consecuencia de la confusión que se produjo cuando miembros de la Gestapo alemana intentaron sacarle de su prisión vestidos de brigadistas internacionales. Una justificación aún más ridícula que, a pesar de que tampoco caló entre la gente, fue adoptada como verdad oficial.

El caso Nin puso en evidencia la incapacidad del gobierno para poner freno a las irregularidades de su principal apoyo político, el PCE, y despejaba definitivamente todas las dudas que pudiera haber sobre la existencia en la zona republicana de una justicia paralela al servicio del Partido Comunista. Ante el cariz que tomaban los acontecimientos, Manuel Irujo, por entonces ministro de Justicia, abrió una investigación para esclarecer el turbio asunto de Nin, pero se topó con enormes trabas en la investigación y el juez que lo llevaba se salvó de milagro

Lluis Companys, presidente de la *Generalitat* de Cataluña. Sus relaciones con Negrín empeoraron a medida que pasaban los días, hasta llegar a un punto de no retorno. Se exilió en Francia, donde fue capturado por los alemanes y reexpedido a la España de Franco, siendo fusilado el 15 de octubre de 1940.

de un intento de secuestro. La situación de indefensión jurídica en la que se hallaba inmersa la república obligó al ministro a presentar su dimisión meses más tarde; pero lo que es aún más grave, la desaparición de Nin desacreditó a Negrín como gobernante desde el primer momento. El caso Nin fue una mancha que, junto con la del oro de Moscú, le iba a acompañar toda la vida y que le erosionó como líder. A partir de entonces comenzaron a fallarle sus apoyos en el Partido Socialista y en Izquierda Republicana, lo que agudizó su dependencia de los comunistas.

Una vez superado el enemigo común caballerista y los peligros revolucionarios de la CNT y el POUM, los antiguos aliados experimentaron un proceso de distanciamiento cada día más acusado que separó a la república en dos bloques: los republicanos y socialistas moderados (Prieto, Azaña, Besteiro) por un lado, y el PCE y los negrinistas por el otro. Los informes de los agentes soviéticos en España son muy elocuentes al respecto, señalando a Prieto como a un futuro enemigo de clase, viendo en Azaña a un pequeño-burgués y al ministro Irujo como un fascista de libro que, con su afán de investigar el caso Nin, estaba llevando una labor claramente contrarrevolucionaria. La conclusión de los comunistas en un informe a Stalin será definitiva: "La revolución popular no triunfará si el Partido Comunista no toma el poder en sus propias manos".

Sin embargo, las apreciaciones de los agentes soviéticos no tuvieron la virtud de hacer cambiar de opinión a Stalin. La consigna siguió siendo la de apoyarse en la burguesía de izquierdas y ganar la guerra para después hacer la revolución. Sin quererlo estaban copiando como en un calco el proceso seguido en la propia Rusia cuando, después de la toma del poder, los bolcheviques tuvieron que enfrentarse a una guerra civil contra los elementos contrarrevolucionarios que les hizo preocuparse tan solo de armar un ejército fuerte y una policía política eficaz para mantener el orden en la retaguardia mientras se respetaba la pequeña y mediana propiedad; una policía secreta que fue terriblemente eficaz en Rusia y que comenzaba a ser legendaria en la España republicana a raíz de las misteriosas desapariciones de militantes obreros disconformes con la línea del comunismo oficial. Los asesinatos de los internacionales Bob Smile o Kart Landau abrieron una etapa de impunidad que se centró políticamente en aislar al sector caballerista del PSOE hasta convertirlo en una minoría sin importancia. Los periódicos partidarios del presidente saliente fueron acallados por medio de fulminantes despidos, traslados o sustituciones en su dirección, hasta silenciar a toda la prensa socialista independiente. La ortodoxia del PCE se impuso rápidamente también en las juventudes unificadas, donde el sector disidente, disconforme con el trato dado a los caballeristas, fue investigado y censurado sin miramientos.

Sin embargo, Largo Caballero guardaba un as en la manga: había dejado el gobierno, sus opiniones políticas ya no contaban nada dentro del PSOE, pero seguía siendo el secretario general de la UGT, desde cuyo estrado se convirtió en uno de los más demoledores críticos de la política del gobierno Negrín y de la del comunismo. Como consecuencia, el 21 de octubre fue detenido bajo arresto domiciliario. En el siguiente congreso de la UGT, las presiones gubernamentales lograron que Largo no fuera reelegido, quedando fuera de todo poder político y relegado a ser un ciudadano más. Así fue anulado Largo Caballero y con él el ala izquierdista del PSOE.

Los comunistas esperaban que con la subida al poder de Negrín fuera más fácil la tan deseada unificación del PCE y el PSOE, sin embargo olvidaban que a pesar de todo Negrín era un socialista moderado; firme y estricto, pero para nada partidario de extremismos doctrinales. Al mismo tiempo, los comunistas habían cometido el error de aliarse con el PSOE moderado de Prieto y Besteiro, mucho más cercano a la idea de una república burguesa parlamentaria que a la dictadura del proletariado, con la que se identificaba más el defenestrado Largo Caballero. Se encontraban así con la barrera de un PSOE consciente de que esa unión significaba en la práctica su absorción dentro del PCE y la adopción de una teoría política estalinista con la que no comulgaban. El PSOE moderado, posibilista y republicano que con la inestimable colaboración de los comunistas había destruido a la facción revolucionaria de Largo Caballero, se transformaba así en un decidido opositor a cualquier idea de unificación, y en el nuevo enemigo a batir.

Los comunistas habían borrado literalmente al POUM, desvitalizado al sector caballerista del PSOE y marginando a los anarquistas. Se convertían así en el único poder de referencia dentro de la izquierda revolucionaria, en la única opción en la que en el futuro próximo se debía de apoyar el proletariado para echar del poder a los débiles y maleables burgueses que aún lo ocupaban. El PCE hablaba ya sin ambages de construir una república de "nuevo tipo", una coletilla que a los partidarios de una república parlamentaria les sonaba especialmente mal.

Los comunistas no cejaron en el empeño de absorber al PSOE. Arreciaba la campaña en favor del partido único del proletariado que uniría a PCE y PSOE bajo la consigna de convertirse en la vanguardia revolucionaria de la sociedad. Aquellas repetidas ideas de partido como vanguardia, ejército fuerte y centralismo democrático –un eufemismo creado por la nomenclatura soviética para suavizar la definición de dictadura del proletariado–, tan vehementemente repetidas por los voceros del PCE, tuvieron la virtud de reforzar la alianza republicano-socialista contra los comunistas. Una situación que tiempo mas tarde se transformaría en guerra abierta.

Mientras tanto, el PCE continuaba sembrando las bases de su futuro poder, logrando que se aprobara un plan de poderes especiales para la policía. La censura aumentó hasta límites asfixiantes y se tipificó como delito cualquier opinión contraria a la Unión Soviética, equiparándola con la traición. Igualmente, las reuniones sindicales fueron controladas desde el poder, teniendo que solicitar para ello permiso al delegado de Orden Público desde al menos tres días antes de su celebración. Ante semejante panorama, Azaña escribió que "los periódicos parecen escritos por una misma mano, no imprimen más que diatribas contra el fascismo internacional (...) ni asomo de indicaciones políticas útiles (...). Todos hablan de revolución. Diríase que ya no hay partidos políticos diferentes".

Las reformas tuvieron su guinda con la creación en agosto de 1937 del Servicio de Investigación Militar (SIM). A pesar de lo marcial de su nombre, el SIM fue la policía política republicana, creada por el ministro Prieto pero pronto dominada por el PCE. El SIM llegó a tener más de seis mil agentes en activo que vigilaron e investigaron a la población en busca de disidentes o quintacolumnistas, y administraron campos de trabajo dominados casi en exclusiva por los comunistas. El escritor George Orwell fue investigado y, según sus memorias, a punto de ser asesinado por agentes del SIM. Orwell, un escritor muy comprometido con la izquierda, volvió de la guerra civil española más comprometido aún si cabe con ella, pero abiertamente enemigo del comunismo ortodoxo, contra el que escribió severos alegatos en sus aclamadas obras *1984*, *Rebelión en la Granja* y

Homenaje a Cataluña, una obra impresionante en la que describe con detalle la brutalidad de los métodos del Partido Comunista contra la izquierda antiautoritaria. Como Orwell, otros muchos extranjeros que arribaron a España movidos por sus ideas de izquierdas retornaron decepcionados. Uno de los casos más famosos es el de Arthur Koestler, quien después de su experiencia española[22] abandonó su militancia en el Partido Comunista, convirtiéndose en uno de sus más acérrimos detractores desde posiciones de izquierdas.

La república ignorada

El apoyo necesario de los gabinetes de Negrín al Partido Comunista intentó ser contrastado con una marcada política prooccidental en la arena internacional. Por ideología y convicción, Negrín simpatizaba con Inglaterra y Francia en contraposición a un eje Roma-Berlín que comenzaba a dibujarse cada vez con contornos más definidos. Sabía que a las potencias occidentales les horrorizaba el comunismo tanto como a los nazifascistas –el PCE también lo

22 Koestler fue detenido tras la caída de Málaga. Acusado de colaboración con el bando republicano, fue hecho prisionero y finalmente canjeado por la esposa de un oficial franquista. Sus decepcionantes experiencias en la URSS, con los comunistas españoles y posteriormente en la cárcel de Sevilla lo convencieron de que el franquismo y el comunismo soviético eran equiparables desde el punto de vista humano. En cuanto retornó de España abandonó definitivamente su militancia comunista.

sabía, así que siempre prefirió quedarse en una posición secundaria como apoyo de gobernantes socialistas–, de manera que intentó mostrarse como un hombre de orden que había eliminado de raíz la anarquía y el caos revolucionario. La política exterior de Negrín trató de recuperar para la república la respetabilidad que los buenos oficios de Franco habían destrozado, y en seguida se dispusieron visitas del presidente a diferentes capitales occidentales.

Francia era la nación europea más proclive a actuar activamente por la república, de modo que se convirtió en el país más trabajado por la diplomacia negrinista. También se acudió con cierta frecuencia a Ginebra, para hablar en el marco de la sede de la Sociedad de Naciones sobre la situación real de la república. Los exhortos de Negrín repetían machaconamente lo que ya todos sabían, pero por interés o miedo a despertar al fantasma del fascismo no querían ver: Italia y Alemania no habían respetado el pacto de no intervención desde el minuto uno de la contienda española, y habían introducido una cantidad de armas y soldados que superaban en mucho a lo que la república podía poner encima de la mesa para hacerles frente. La república, un estado legalmente reconocido por todo el mundo antes de la guerra, estaba siendo abandonada a su suerte mientras que italianos y alemanes, y en menor medida portugueses, se estaban volcando con Franco con una desfachatez y un descaro contra el que no era posible que la Sociedad de Naciones no fuera capaz de redactar una nota de protesta. Negrín pidió, al menos, el reconocimiento de las potencias fascistas como beligerantes, ya que era claro para todos que de neutrales no tenían absolutamente nada, reconociendo de rebote al gobierno republicano la posibilidad de comprar armas sin ninguna traba. Sin embargo, la activa política exterior negrinista no tuvo los efectos deseados, y si es bien cierto que exaltó los ánimos en su favor dentro del gobierno francés, no logró mover un ápice la rígida postura del Reino Unido, para quien la interesada neutralidad internacional era el estátus deseable para una guerra en la que cada vez estaba más claro quién tenía todas las de ganar.

Negrín era perfectamente consciente de que con la inminente caída del frente norte, la república comenzaba a mostrarse mucho más débil, y que la balanza caía pesadamente del lado de los militares sublevados. La crítica situación provocó que comenzaran a oírse en su gabinete las más exóticas ocurrencias, entre ellas la de extender el conflicto a Europa, para forzar así a los occidentales a tomar partido contra los fascistas. Meses más tarde, en 1938 y después, los republicanos habrían de alargar artificialmente una guerra ya perdida, para intentar acoplarla a una guerra europea –la Segunda Guerra Mundial– que llegaría en breve plazo. Sin embargo, y aunque este segundo extremo estuvo cerca de hacerse realidad[23], ni una cosa ni otra pudieron lograrse. La internacionalización del conflicto español se rozó cuando en mayo de 1937 un crucero alemán, que supuestamente estaba cumpliendo

23 La guerra civil española terminó en abril de 1939 y la Segunda Guerra Mundial comenzó en septiembre del mismo año.

misiones de patrulla en aguas del Mediterráneo, fue alcanzado y seriamente dañado por aviones republicanos[24]. La agresión fue contestada por los alemanes con un ataque contra la indefensa ciudad de Almería, que fue bombardeada con un resultado de unos veinte muertos. Prieto vio la oportunidad de extender el conflicto a Europa declarando la guerra a Alemania, y lo propuso ante el gobierno. Era una oportunidad única que podría salvar el futuro de la república, ya que el hecho había puesto en evidencia, de forma flagrante y pública, una acción hostil de una nación supuestamente neutral contra la república española. Sin embargo, el gobierno Negrín nunca llegó a semejante acto de intrepidez y el incidente fue olvidado.

En agosto del mismo año, Franco decidió matar de inanición a la república cortocircuitando su única ayuda internacional masiva: el comercio de alimentos y armas con la URSS. Los republicanos habían formado un grueso cordón umbilical con el gigante euroasiático que, a través del Mediterráneo, unía los puertos soviéticos del mar Negro con los de Valencia, Barcelona o Cartagena, proveyéndoles de lo más necesario. Por deseo expreso del Caudillo, los italianos desplegaron su poderío naval por el Mediterráneo occidental, atacando sin bandera a buques de diversas nacionalidades, principalmente republica-

24 El Comité de No Intervención designó a Italia y Alemania la misión de patrullar el Mediterráneo a fin de velar por el cumplimiento de sus acuerdos. Era patente para todos que ambas potencias no eran las más indicadas para tal misión, dada su evidente beligerancia en el conflicto a pesar de su oficial neutralidad.

Negrín preside un acto castrense flanqueado
por altos cargos del Ejército Popular.

nos y soviéticos, de manera que las comunicaciones entre ambas naciones resultaron seriamente lesionadas. Comenzó a hablarse de piratería en el Mediterráneo occidental, dado el desconocido origen de los barcos y submarinos agresores que actuaban atacando a cualquiera. Aunque todos sabían que eran italianos y que los ataques a los intereses de la república fueron generalizados, nadie movió un dedo hasta que algunos barcos comerciales británicos fueron también atacados. Contrasta la parsimonia que el Reino Unido había mostrado hasta entonces en este asunto con el resuelto viraje de su política mediterránea después de que sus naves fueran agredidas. Los ingleses organizaron rápidamente una conferencia destinada a solucionar el problema con veladas amenazas a Italia. Mussolini se dio cuenta de que atacar a los ingleses no era una buena idea y decidió dejar las acciones bélicas aparcadas de momento. Con estos mimbres se abrió la Conferencia de Nyon (10-14 de septiembre de 1937), en la que franceses y británicos, rodeados por una comparsa de países ribereños del Mediterráneo, acordaron la legitimidad del ataque directo contra todo barco pirata que encontraran o que atacara a cualquier nave, a excepción de que la nave agredida fuera de pabellón español, en cuyo caso no habría respuesta militar. Además se decidió defender los convoyes comerciales con patrullas navales de nacionalidad francesa o británica. En las sesiones de la Conferencia de Nyon se excluyó la presencia de cualquiera de las dos Españas, invitando en su defecto a Italia, Alemania y la URSS, de los cuales los dos primeros no asistieron. En Nyon la incompetencia inglesa se volvió competencia y los italianos no volvieron a piratear la zona.

Para España, Nyon supuso el más sonoro ninguneo y casi una burla al excluir a los barcos españoles –en la práctica solo a los republicanos, que eran los únicos que se movían por el Mediterráneo– de la protección militar franco-británica. Negrín logró corregir semejante despropósito tiempo más tarde, pero no que se reconociera la intervención militar de los gobiernos italiano y alemán en España. A lo sumo reconocieron la presencia de extranjeros como voluntarios, lo cual no implicaba oficialmente a dichas naciones en la contienda, sino solamente a los voluntarios como personas individuales y responsables de sí mismas. Las potencias occidentales hicieron un guiño a Italia al solicitarle, no que retirase sus tropas, sino que intentara no aumentarlas, algo que no cumplió y que, como tantas otras cosas, volvió a ser pasado por alto en las reuniones del Comité de No Intervención.

Estrangulado el aprovisionamiento militar soviético por el Mediterráneo y caído gran parte del frente norte, en agosto de 1937 la república se había quedado huérfana de nuevo armamento. Las fábricas de Vizcaya eran las mejor perfiladas para la producción militar y las habían perdido. De esta manera, tanto la España republicana como la franquista se convirtieron en un jugoso pastel para las industrias y empresas de guerra extranjeras, que sacaron pingües beneficios de la contienda. Mientras que italianos y alemanes proveían a los franquistas y los soviéticos a la república, los británicos se hacían de oro negociando a dos bandas, hasta el punto de que un alto dirigente del Foreign Office aseveró que se hacía necesario aumentar los envíos de alimentos y demás aportaciones solidarias, para que la guerra de España durase el mayor tiempo posible. La afluencia de dinero desde España a Inglaterra, Francia, Alemania, Italia y la URSS se convirtió en una costumbre demasiado dulce para desear un pronto final de la guerra.

Los nacionales negociaron mejor que la república, ya que lograron de alemanes e italianos un aplazamiento de la deuda, sus materiales militares eran nuevos y modernos y tuvieron la oportunidad de pagar en especies, como hierro, cobre o wolframio. Así, se calcula que durante solamente el año 1937, Alemania recibió de la España nacional un total de dos millones y medio de toneladas de hierro, de las cuales un millón seiscientos mil procedían de Vizcaya. La república, en cambio, además de a la

URSS, tuvo que recurrir al mercado negro internacional, recibiendo armas antiguas y de mala calidad; algunas de ellas gracias a la buena voluntad del gobierno de México, que pudo hacerlas llegar desde Francia.

Aparte de la Unión Soviética, México fue el único país del mundo que alzó la voz a favor de la república española. Acogió una gran cantidad de niños de la guerra republicanos, –los niños de Morelia–, y aportó lo que sus dimensiones de pequeña potencia le permitían en el campo del armamento y suministro de alimentos, destacando especialmente las lentejas, que pasaron a ser conocidas en España como las "píldoras del doctor Negrín" y que verdaderamente salvaron de la inanición a los hambrientos republicanos.

La república sintió el azote del hambre a medida que la guerra se hacía más larga y el comercio internacional se cerraba cruelmente. La situación llegó a tal punto que los imaginativos españoles llegaron a fabricar un sucedáneo de patatas fritas a partir de mondas de naranja. Por supuesto, los gatos, perros y palomas de las plazas de las ciudades desaparecieron mágicamente, y la picaresca se hizo dueña del país cuando las colas de racionamiento se llenaron de cartillas falsas o a nombre de un fallecido. Todos los productos básicos fueron sometidos a racionamiento, y productos como la leche solamente eran proporcionados con receta médica. En consecuencia, la especulación y el mercado negro hicieron su entrada en las ciudades con una fuerza inusitada que no se tradujo de forma tan grave en los autoabastecidos pueblos. La inflación galopante y la devaluación de la peseta republicana hizo que en varias localidades rurales se prefiriera abandonar el sistema monetario y retornar al tradicional trueque de productos.

La receta de Negrín para todos estos males se resumía en la centralización. El gobierno propugnó un fuerte intervencionismo en la política de abastos a fin de eliminar los numerosos comités sindicales que aún controlaban el sector de forma autónoma. Esto suponía que cada barrio o municipio llevaba a cabo su propia distribución alimentaria de forma descoordinada con el resto, lo que no favorecía un reparto racional de los suministros y además fomentaba el mal endémico del favoritismo. En muchos casos, los que primero recibían la comida eran los simpatizantes o afiliados del sindicato proveedor en cuestión. Así, en agosto de 1937 se creó la Dirección General de Abastecimientos como organismo grupuscular de lo que a partir de finales de 1938 fue la Junta Reguladora de Abastos de la República, un organismo perfectamente estructurado dentro del sistema estatal y controlado por el gobierno a través de las jefaturas administrativas comarcales.

La situación de desabastecimiento sufrida por los republicanos fue explotada por los propagandistas de Franco, poniendo como contraste la supuesta opulencia de la España Nacional. Obviamente, esto no dejaba de ser pura propaganda con el objeto de desanimar a los republicanos. En la España de Franco también hubo escasez y hambre, y como en la república, las cartillas de racionamiento fueron cotidianas. Sin embargo, obligado es decir que la España nacional contaba con las tierras productoras de cereal y que al menos el trigo no escaseó, base de la alimentación de los españoles. Además, los nacionales tampoco contaban con ciudades tan populosas y absorbentemente insaciables de alimentos como la república, que tenía que abastecer a Madrid, Barcelona o Valencia. La escasez en la España de Franco fue menor, y la inflación aumentó en un 170% el valor de los productos, pero no se disparó tanto como en la otra España. Se decretaron medidas como la del "día sin postre" o el "plato único" y, mal que bien, la España nacional logró una cierta estabilidad económica.

La mejor situación de los abastecimientos en la zona nacional permitió publicar en su prensa anécdotas como la de un singular bombardeo sobre Madrid, en el que los nacionales lanzaron no bombas, sino "147.000 panes que el buen pueblo de Madrid se apresuró a recoger despreciando las amenazas de Negrín y sus secuaces"[25]. Semejante bombardeo alimenticio tiene toda la pinta de ser una mentira fraguada por los periodistas adictos a Franco, para ensalzar la bondad de los nacionales y la terrible situación de hambre sufrida por los republicanos. Sin embargo, y a pesar de lo descabellado de la idea, lo cierto es que si hubieran querido, los franquistas habrían podido realizar aquel bombardeo. Tenían capacidad para hacerlo. En su España había pan para bombardear, cosa que Negrín no tenía. Sin embargo, al contrario que las equitativas disposiciones de Negrín, Franco no tuvo ningún miramiento con los odiados rojos, permitiendo un

---

25 Revista *Odiel*, 16 de octubre de 1937.

Francisco Franco durante un acto público haciendo el saludo que lo caracterizaba.

favoritismo chusco y vulgar en el reparto de los alimentos según las simpatías políticas del receptor.

El fin del frente norte

El 24 de agosto de 1937 los republicanos lanzaron un ataque masivo en el amplio frente de Aragón que cogió de sorpresa a las tropas franquistas. Era un nuevo Brunete, un símbolo de la nueva república fuerte y ofensiva que Negrín quería imprimir y que no renunciaba a tomar la iniciativa a pesar de las consecuencias de la batalla de Brunete. La ofensiva tenía un doble objetivo: tomar Zaragoza y desviar un buen número de tropas del frente norte para retrasar la toma de Santander y la presumible ofensiva sobre Asturias. Rojo y sus generales consideraron que era una buena oportunidad para dar un zarpazo decisivo que insuflaría moral en los republicanos, ya que la concentración de hombres y armamento en el frente aragonés era considerablemente superior a la que tenían los nacionales. Y es que el aragonés había sido desde el principio de la guerra un frente somnoliento en el que nunca pasaba nada y donde las tropas de ambos bandos se limitaban a mantener la posición, luchando en dura batalla más contra los golpes del sol que contra los del enemigo. Pero la ofensiva en Aragón tenía otra razón que al gobierno republicano le atraía con fuerza: era la excusa perfecta para, además, justificar la presencia de tropas comunistas y guardias de asalto, todas ellas firmes defensoras de la legalidad gubernativa, con las cuales pudieron imponer la disolución efectiva del Consejo de Aragón.

La toma de Zaragoza se planeó en un movimiento de tenaza en tres líneas: por el norte, por el sur y la central. Tras cerrar las comunicaciones con Huesca y Teruel, las fuerzas republicanas se lanzarían como una exhalación hacia Zaragoza, atacándola en forma de tenaza y cerrándose sobre la ciudad, que quedaría totalmente sitiada e indefensa. La toma de Zaragoza tendría un importante efecto propagandístico y moral: la primera gran conquista republicana de toda la guerra, y ya iba siendo hora. Así que, animados por la supuesta facilidad del objetivo, concentraron en el frente aragonés un número muy elevado de contingentes militares, de nuevo unos ochenta mil hombres, gran parte de ellos procedentes de Cataluña.

Como en Brunete, el avance republicano fue todo un éxito en los primeros momentos. El efecto sorpresa fue devastador en las filas enemigas y los republicanos profundizaron con facilidad, tomando pequeñas poblaciones en dirección a sus objetivos militares. Pero, como en Brunete, la ofensiva republicana se encasquilló en pequeñas poblaciones que ofrecían una resistencia inesperada, de manera que el avance se ralentizó y dificultó hasta que se paralizó para transformarse en una guerra de posiciones cuya batalla más cruel se desarrolló en el casco urbano del municipio de Belchite, a menos de 50 kilómetros de Zaragoza. La ciudad presentó una defensa numantina que los republicanos no fueron capaces de superar. La resistencia de los franquistas convirtió a Belchite en una obsesión del alto mando militar republicano, que casi por orgullo ordenó concentrar los esfuerzos en tomar la pequeña ciudad. Un error que les saldría muy caro, puesto que permitió la reorganización franquista de retaguardia y dio al traste con el avance sobre Zaragoza.

Finalmente, tras doce largos días de combate en los que la calle mayor de Belchite se convirtió en la línea de separación entre las dos Españas, los republicanos lograron conquistar la ciudad, pero el frente quedó de nuevo estabilizado y la ofensiva en el norte no se pospuso. Franco quería liquidar el norte antes de la llegada del invierno, de manera que prefirió perder Belchite y otras aldeas sin ningún valor estratégico antes que sacrificar la ofensiva sobre Santander y Asturias. En consecuencia, no hubo contraofensiva nacional y los republicanos conquistaron varios kilómetros de tierra yerma, quedando el frente estabilizado a veinticinco kilómetros de Zaragoza. En conclusión, los republicanos ganaban el dudoso premio de quince kilómetros tomados a los nacionales y un pueblo en ruinas.

Santander fue tomada al mismo tiempo que las tropas nacionales del frente aragonés defendían Belchite. Franco no movió ni una unidad norteña, a pesar de lo cual logró frenar el avance republicano en Aragón. Quizá si la resistencia cántabra hubiera sido más tenaz, las cosas habrían sido distintas, pero la realidad es que no fue así. Los republicanos se enfangaron más de la cuenta en Belchite, algo que a Franco le pareció estupendo. Su mirada estaba fija en el norte, un frente que además de ser un engorro a liquidar, parecía suficientemente maduro para darle el golpe de gracia.

Los nacionales sabían por la quinta columna santanderina que en la ciudad se vivía un clima de derrota que favorecía mucho sus aspiraciones, y el hervidero de gente en que se habían convertido sus

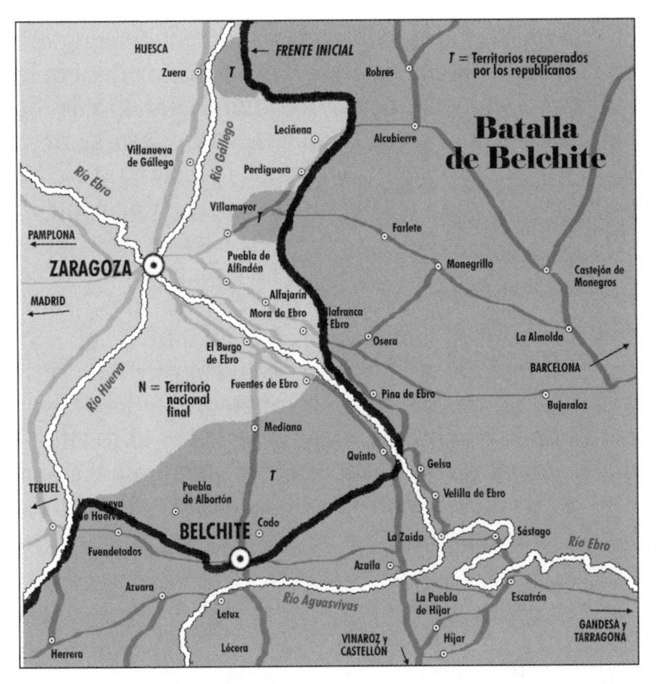

costas favorecieron tumultos y conflictos entre soldados y civiles. Sin demasiada resistencia, las brigadas navarras tomaron Reinosa el día 16. El 24, Torrelavega, y ya amenazaban directamente a Santander, a partir de lo cual los republicanos recibieron órdenes de replegarse hacia Asturias. La caída de Santander supuso el desplome completo de un frente cántabro que tan solo pudo oponer cierta resistencia en la linde occidental del territorio, a la altura de Comillas y San Vicente de la Barquera (1 de septiembre), pero el día 5 los nacionales ya habían deglutido toda la región y tomaban Llanes, en Asturias. Comenzaba el último capítulo del frente norte.

Asturias había sido tradicionalmente una región con alta conciencia de clase. Su economía minera le había concedido el merecido título de ser uno de los baluartes de la izquierda en España, y eso se dejó notar en una serie de capítulos de la historia reciente de la región, entre los cuales destaca notablemente la revolución de Asturias de 1934. Cuando estalló la guerra civil la región no tardó en ponerse del lado de la república, a excepción de Oviedo, que quedó como un pequeño enclave nacional dentro de un mar republicano. La capital del principado sufrió un sitio memorable desde el primer momento de la guerra, pero nunca cambió de manos, resistiendo los diferentes embates republicanos hasta que desde Galicia los nacionales lograron soldarla a su territorio. Igualmente, con la caída de Vizcaya y Cantabria, la propia Asturias se transformó en un gran Oviedo republicano, rodeado por territorio nacional por sur, este y oeste y al norte paralizado por el Cantábrico, un mar infestado de barcos nacionales.

La caída de Asturias se presumía sencilla, de modo que se planeó una ofensiva por el este y el sur, dejando el frente oeste estable con un fuerte contingente de tropas de vigilancia. Sin embargo, la resistencia de los defensores de Asturias se reveló tan memorable como la de los *gudaris* vascos, y las tropas franquistas notaron la gran diferencia entre el rápido y fácil avance por Cantabria y el súbito frenazo asturiano. Tardaron la friolera de trece días para recorrer los ocho kilómetros que separan a Llanes de Posadas.

La resistencia de los republicanos asturianos no solamente era pasión. Llevaba detrás una eficaz organización emanada desde el Consejo de Asturias, un autoproclamado gobierno regional que surgió junto a otros de similares características por toda España al principio de la guerra, y que Negrín no logró eliminar debido a la separación física de Asturias con respecto al resto del territorio republicano. Su nombre completo era Consejo Interprovincial de Asturias y León, ya que incluía una pequeña franja de la provincia de León que se mantenía dentro del campo republicano.

El 25 de agosto de 1937 el Consejo tomó una decisión decididamente audaz que tanto su presidente, Belarmino Tomás, como el resto de los miembros de su gabinete a excepción de los miembros del PCE, consideraron necesaria dadas las circunstancias: la asunción de todos los poderes del estado, autodenominándose a partir de entonces como Consejo Soberano de Asturias y León y pasando a ser, *de facto*, un estado independiente. El Consejo intentó ponerse en comunicación con la Sociedad de Naciones para informar sobre la nueva entidad soberana y, a través de ella, amenazar con asesinar a todos los presos derechistas si no cesaban los bombardeos sobre Gijón.

A pesar de la unilateral declaración de independencia de Asturias, el Consejo se cuidó mucho en dejar claro que seguían siendo fieles a la república española, y que esta tan solo era una medida coyuntural para administrar mejor la urgente situación de la guerra. En los billetes propios que emitió, los popularmente conocidos como "belarminos" en referencia al presidente de la institución, se destacaba que los emitía el Consejo Soberano de Asturias y

León, marcando España entre guiones y en un lugar bien visible para que no hubiera dudas. Esta precaución no pareció suficiente al gobierno republicano, para el que la proclamación de soberanía asturiana resultó francamente irritante. El ejecutivo se limitó a mostrar su sorpresa y enfado. Poco más podía hacer para evitarlo. Asturias quedaba demasiado lejos.

El nuevo gobierno soberano de Asturias organizó la guerra con eficacia no exenta de cierto nerviosismo por la crítica situación militar. Para nadie era una revelación el hecho de que Asturias se encontraba sola frente a los nacionales y que la derrota parecía asegurada, a pesar de lo cual se organizó una defensa numantina. Se puso en vigor el toque de queda a partir de las diez de la noche, acompañado de un férreo control a cualquier tipo de propaganda, prensa o emisión de radio que favoreciera el pesimismo o el derrotismo. Las manifestaciones fueron prohibidas en aras a una militarización de la sociedad. "Asturias la roja", no caería, ya que era el baluarte de las izquierdas. Nadie en Asturias era derechista. Eso al menos querían creer Belarmino Tomás y los suyos.

Los avances nacionales continuaban a paso lento pero inexorable. A finales de septiembre cayó Ribadesella, el día 1 de octubre los nacionales se apoderaron de Covadonga y el 11 de Cangas de Onís. El Consejo se dispuso a organizar las primeras evacuaciones de civiles y militares por mar, que continuaron hasta el fin mismo del frente asturiano. A partir de este momento, el Consejo comenzó a resquebrajarse entre los que eran partidarios de continuar resistiendo hasta el final y la mayoría, que prefirió continuar con la política de evacuaciones y proceder a un repliegue estratégico. La situación se estaba haciendo desesperada y las tropas nacionales avanzaban ahora más rápidamente hacia Gijón, donde la noche del 21 de octubre la guarnición local se levantó en armas, tomando el control de la ciudad y facilitando así la entrada victoriosa de los franquistas.

Con la caída de Gijón y Avilés se dio por finalizada la guerra en Asturias y por extensión, en el frente norte. Los franquistas liquidaban así una engorrosa línea de batalla para poder ahora centrarse en un solo frente. Además, la desaparición del norte supuso que los barcos que patrullaban el Cantábrico pudieron ser destinados al Mediterráneo, así como las divisiones y unidades ocupadas en la zona podían ser concentradas en el frente único. Dos tercios de España estaban ya en manos de los rebeldes, que se veían cada vez más como los vencedores de la contienda. Para los republicanos, en cambio, el fin del frente norte supuso un mazazo moral muy duro.

La represión fue brutal en Asturias, ensañándose con muchísimos izquierdistas que fueron masivamente pasados por las armas. Al mismo tiempo, unos dieciocho mil hombres escaparon a las montañas, formando una importante milicia que resistió durante meses y en algunos casos años, empleando un sistema de guerrillas que importunó gravemente el dominio de los franquistas.

El fin del frente norte no solamente significó para Franco la liberación de un fuerte contingente de tropas que podía utilizar para golpear a la república en lo que le quedaba de territorio, sino que incrementó el número de sus soldados, poniendo en práctica un plan de reconversión militar por el que la gran mayoría de los combatientes republicanos, que demostraron no tener opinión política, fue reutilizada como fuerza de tropa en sus ejércitos. Mientras tanto, los prisioneros políticos fueron concentrados, juzgados y fusilados o utilizados como mano de obra en los batallones de trabajo, desarrollando tareas de construcción de carreteras, apoyo logístico, reconstrucción de pueblos destruidos, construcción de líneas férreas y similares, en régimen de semiesclavitud. Estos prisioneros fueron utilizados como mano de obra gratuita y sometidos a una situación de miseria y subalimentación comparables a los que poco más tarde empezaron a practicar los nazis en los campos de concentración. De hecho, es en esta etapa cuando comienza a ser notable el número de campos de concentración franquistas. La idea era hacer una limpieza completa en España, no solo ideológica, sino también social, eliminando la lacra de las ideas políticas equivocadas y sacándoles el máximo rendimiento posible.

La situación que vivieron los presos republicanos se silenció durante los cuarenta años que duró la dictadura del general Franco. Como rojos que habían sido, merecían el castigo y el escarnio social. Muchos de los que pertenecieron a estos batallones de trabajo volvieron a sus casas después de la guerra o pocos años más tarde, pero mantuvieron durante años la obligación de presentarse a diario ante la Guardia Civil. El escarnio de los vencedores sobre los republicanos fue tan terrible como fomentado por las autoridades, algo a lo que parece que nada

Diez días después de la conquista republicana, los nacionales sitiaron Teruel, sometiéndola a una inclemente lluvia de obuses, calculándose en mas de cien toneladas las bombas que cayeron en la ciudad por aquellos días. Tras ello, y con el apoyo de la aviación, los nacionales avanzaron con vigor, pero con grandes dificultades debido a la corajuda resistencia republicana y las espantosas condiciones meteorológicas, que les obligaron a luchar sufriendo temperaturas que llegaron a rebasar los 20 grados bajo cero. Muchos combatientes murieron de frío, los soldados que hacían guardia debían de ser relevados del puesto cada quince minutos si no querían morir congelados, y un número muy elevado sufrieron la amputación de sus extremidades congeladas. Sin embargo, poco a poco los republicanos acusaron la fuerza del avance nacional, siendo empujados hasta el río Alfambra, donde fueron estrepitosamente derrotados, tras lo cual el avance nacional se tornó imparable y Teruel recapturado el 22 de febrero de 1938.

La batalla de Teruel supuso la muerte para cuarenta mil soldados nacionales y sesenta mil republicanos. Todos ellos fallecieron por la obcecación rabiosa de Franco por reconquistar una ciudad sin excesivo valor estratégico. Pero supuso más que eso: las recientes batallas en el frente aragonés dejaron exhausto al ejército republicano, de manera que para Franco se perfilaba el aragonés como el mejor frente para, esta vez sí, organizar una ofensiva que llegara hasta el Mediterráneo, cortando en dos a la república y atacándola directamente al corazón. A partir de Teruel, Franco renunció a tomar Madrid a cambio de avanzar por el núcleo duro del territorio republicano, frente a un Ejército Popular destrozado que había sido sacrificado inútilmente en macroofensivas fallidas.

La debacle republicana en Teruel supuso un grave mazazo para los gobernantes republicanos y en cierto modo una ducha de realidad. A pesar de los esfuerzos de la república, era evidente que el Ejército Popular no estaba suficientemente maduro, ni militar ni estratégicamente, para combatir con ciertas garantías de éxito a las bien formadas tropas nacionales. Además, la abrumadora superioridad armamentística y de aviación hacían a los nacionales prácticamente indestructibles. Teruel supuso el fin de una ilusión: la de que se podía ganar la guerra. Una idea que desde hacía tiempo rondaba en la cabeza de muchos miembros del gobierno, pero que ahora, por primera vez empezó a tomar cuerpo en voces tan importantes como la del propio ministro de Defensa, Indalecio Prieto. Los sectores más realistas del gobierno propusieron una serie de medidas dirigidas a llegar a algún tipo de acuerdo negociado con los franquistas, unos planteamientos que causaron fricciones muy graves dentro del gabinete.

Los comunistas eran los más firmes partidarios de la resistencia a ultranza. Acusaron a Prieto de traidor y derrotista, y solicitaron a Negrín su apartamiento del cargo. El argumento era claro: no puede ser que el propio ministro de Defensa no crea en la victoria. Se hace necesario relevarle del cargo. Sin embargo, detrás de estos argumentos se escondía una vieja enemistad larvada entre Prieto y los comunistas que se inició cuando el ministro se opuso frontalmente a la penetración ideológica del PCE dentro de las estructuras del ejército y la policía.

Prieto había pasado de ser un firme aliado estratégico del PCE en la etapa de Largo Caballero, a convertirse en un estorbo que entorpecía sus designios. Y es que una vez restablecida la autoridad del estado, el PSOE moderado se presentaba como el principal opositor de los comunistas.

Las derrotas en los frentes asturiano y aragonés sirvieron de justificación para sacar a Prieto del ministerio. No tardaron en airearse acusaciones pergeñadas por el PCE que tachaban a Prieto de traidor y enemigo del pueblo por derrotista y por plantear un posible acuerdo negociado con Franco. Llegaron a acusarlo de ser el responsable de la explosión que en junio de 1937 destruyó el acorazado republicano Jaime I, para con dicha acción justificar sus ansias de trabar negociaciones con Franco.

Prieto comenzaba a sentirse perseguido, difamado, y así con fecha 1 de marzo de 1938 escribió una carta a Negrín en la que se quejaba amargamente de la campaña de desprestigio contra su persona que estaba llevando a cabo el PCE. En el escrito afirmaba que "como tengo dicho a los ministros comunistas, y repetí a la Pasionaria, no me hallo dispuesto a soportar una campaña como la que dichos elementos hicieron contra Largo Caballero". Unas líneas más tarde presentaba su dimisión diciendo que "puede usted disponer libremente de la cartera de Defensa Nacional". Negrín no aceptó la dimisión y Prieto siguió un mes más en el puesto, pero la campaña comunista arreciaba organizando tumultuosas manifestaciones en las que se solicitaba castigo contra los derrotistas y capituladores y se señalaba a Prieto poco menos que de dictador, acusándolo de acometer la llamada política del silencio al no permitir la extensión del comunismo en el ejército y la policía. Se iniciaba así una auténtica caza de brujas, una campaña de difamación de la que los comunistas eran unos auténticos maestros.

La presión contra Prieto amenazó peligrosamente con romper la unidad de los principales socios de gobierno, e incluso la del propio PSOE, fraccionado entre negrinistas y prietistas. Prieto se vio apoyado por las izquierdas desahuciadas del anterior gobierno, pero a pesar del apoyo prefirió no causar un cisma ni una revuelta anticomunista, ofreciendo repetidas veces el cargo a disposición del presidente del gobierno. Finalmente, el 5 de abril Negrín destituyó a Prieto, tomando personalmente el cargo de defensa en sus manos y formando un nuevo gobierno en el que, dadas las graves circunstancias militares, integró también a UGT y CNT. Meses más tarde, Prieto acusó amargamente a los comunistas de ser ellos quienes le habían echado del gobierno y a Negrín de no ser más que un títere que se limitaba a cumplir la orden de su amo. Unas acusaciones que no retirará nunca en lo que le quede de vida.

Contra las cuerdas

La crisis que desembocó en la salida de Prieto del ministerio y al final del propio gobierno, se inscribe en un escenario dramático para las armas republicanas. Mientras en Barcelona acaecía esta crisis ministerial, en Aragón los nacionales iniciaban una arrolladora ofensiva que les llevó a tocar la costa mediterránea. No en vano la reconquista de Teruel y la lección que habían dado a los deshechos ejércitos republicanos les hacían sentirse verdaderamente exultantes, capaces de arrollar a todo ejército que se pusiera por delante. Nunca se había visto en toda la guerra española una ofensiva tan extraordinaria. Por primera vez se avanzaba por todo un frente de doscientos sesenta kilómetros, no por un lado concreto del frente. Franco puso en marcha a doscientos mil hombres bien armados, alimentados y entrenados, dejando de reserva otro montón de ellos.

La gran ofensiva se inició el 9 de marzo de 1938. Las tropas nacionales arrollaron casi sin despeinarse a los vestigios del ejército republicano, cuando no se limitaban a avanzar sin resistencia alguna. Al día siguiente, los nacionales conquistaron un Belchite en ruinas, impresionante en su fastuosa decrepitud que, por órdenes expresas de Franco, no fue reconstruido, manteniéndose tal y como lo habían encontrado para perpetuar el recuerdo de los desastres de las "hordas rojas". Hoy, casi setenta años después de la batalla de Belchite, el llamado "pueblo viejo" sigue abandonado, las casas destruidas y las torres de los campanarios agujereadas por efecto de las bombas y la metralla, como silencioso y acusador símbolo de los horrores de la guerra.

El avance nacional se produjo de una forma pasmosamente fácil. Los valientes republicanos estaban completamente hundidos y no eran capaces de ofrecer una resistencia seria a la magnífica ofensiva. El día 15 de marzo un pletórico Franco anunció, henchido de satisfacción, que los republicanos están tan desmoralizados que era hora de darles la puntilla

Los nacionales en Vinaroz. Alcanzaban así las costas del Mediterráneo, separando a Cataluña del resto del territorio republicano.

y avanzar hasta el Mediterráneo. La proclama se convirtió en orden y objetivo militar. "Al Mediterráneo, ¡Todos al Mediterráneo!", Sin embargo, el Mediterráneo de Franco no era el mismo que el de sus asesores militares. Mientras que estos se mostraban partidarios de liquidar el alma económica, política y social de la república dirigiendo la ofensiva contra Cataluña, Franco prefirió dejarse caer por el valle del Ebro y dividirla en dos, separando Valencia de Barcelona. "Nunca he jugado una carta sin ver la siguiente, y en ese momento no podía ver la siguiente carta", dijo Franco más tarde para justificarse.

Por aquellas fechas Austria había sido integrada dentro del Reich alemán, y la guerra mundial se sentía cada vez mas cerca. Los franceses amenazaban seriamente con intervenir en España por medio de una ocupación de Cataluña que nunca se hizo realidad, pero que parecía que tenía visos de ello, de manera que el sibilino Caudillo optó por no provocar a los galos. En consecuencia, la ofensiva se dirigió hacia el delta del Ebro para tomar la costa mediterránea en la playa de Vinaroz el 15 de abril de 1938. La república quedaba partida en dos, y mientras la prensa franquista alababa al Caudillo como a un nuevo héroe mitológico que cortó el territorio enemigo con su espada victoriosa, la crisis dentro de las estructuras gubernamentales de la república se hacía cada vez más profunda. El 15 de junio Castellón cayó en manos de los nacionales. Las poblaciones costeras en dirección al sur fueron también cayendo como fichas de dominó, hasta que los nacionales se apostaron a cuarenta kilómetros de Valencia, donde fueron frenados por los republicanos.

La destitución de Prieto y la crítica situación militar generaron un malestar generalizado contra Negrín, los comunistas y su política de resistencia. Las voces más importantes del panorama político republicano comenzaron a alzarse contra ellos con repetida e inusual viveza, tanto desde los sindicatos anarquistas como por boca de Companys o Azaña, que se sentía desplazado por la enérgica personalidad de Negrín. Para los opositores a su política, el presidente del gobierno era un aprendiz de dictador en manos de los comunistas, que hacían con él lo que se les antojaba. Cierto o no, Negrín aseguró varias veces y en variadas circunstancias que su cercanía al PCE se debía a que la URSS era el único apoyo militar y aliado tangible de la España republicana, razón por la cual no podía más que hacer lo que hacía. En un intento de ganarse las simpatías británicas, aseguró a un alto cargo del Foreign

Office que si la república contara con el apoyo del Reino Unido, sería capaz de deshacerse de todos los comunistas en menos de una semana. Para demostrarlo, y como anteriormente se ha referido, optó por un segundo gobierno de concentración, respetable, amante del orden y nada revolucionario, donde solamente había un ministro comunista. El aparente descenso de peso político del PCE en el nuevo gabinete Negrín se debía más a que el propio Stalin lo propició, ya que vista la panorámica internacional le interesaba estar a bien con las potencias occidentales. La orden de Stalin fue muy mal recibida desde los órganos dirigentes del PCE, pero fue acatada con el máximo respeto. No en vano los partidos comunistas de España e Italia tenían fama de ser los más estalinistas de Europa.

La apariencia de respetabilidad que Negrín quería dar a su gobierno coincidía con la estrategia de Stalin, de manera que no tuvo excesivos problemas en reorganizar el nuevo gabinete y aprobar un programa de trece puntos que ni los comunistas ni los sectores más revolucionarios compartían, debido a su considerable retroceso revolucionario. Los trece puntos fueron presentados públicamente el 1 de mayo de 1938 como programa del nuevo gobierno y como declaración de intenciones. Era un programa reformista, nada radical, que tenía más interés propagandístico que otra cosa. Clamaba a gritos la aprobación del Reino Unido y Francia y en cierto modo, venía a decir a estos países que "somos como vosotros, no unos revolucionarios comunistas. Salvadnos". Un SOS en toda la extensión de la palabra.

Entre otros, los trece puntos declaraban la indisolubilidad de la unidad de España sin menoscabo de las peculiaridades regionales, y una serie de acciones encaminadas a garantizar un sistema de democracia dentro de un estado fuerte. En cierto modo el programa del gobierno lanzaba también un guiño a los españoles del otro bando, ya que se mostraba abierto a un gran acuerdo nacional que renunciara al uso de la guerra entre españoles, al tiempo que solicitaba una amplia amnistía para todo el que trabajara con ahínco por el engrandecimiento de España.

La política de moderación propugnada por Negrín dentro del estado fuerte y unitario, tuvo un importante gesto hacia una Iglesia que se había volcado completamente del otro lado. Consciente del enorme daño que la quema de iglesias y fusilamientos masivos de sacerdotes habían hecho a la imagen de la república a nivel mundial –un hecho que Franco supo utilizar con malicia y maestría–, comenzó a sancionar tímidas reformas que fueron dificultadas por sus socios de gobierno, el PCE y sus propias convicciones personales. Animado por Irujo, el ministro católico del PNV, la Iglesia pudo volver a celebrar el culto en todo el territorio de la república, eso sí, en privado, habilitando pisos o pequeñas y discretas capillas para ello. Finalizaba así la prohibición religiosa que había caracterizado la etapa de Largo Caballero y el primer gobierno de Negrín. Sin embargo, poca gente se apercibió de ello. Así de discretamente comenzaron a celebrarse los oficios religiosos. Otra de las medidas aperturistas que se llevaron a cabo con respecto a la Iglesia fue la liberación de todos los sacerdotes que cumplían penas de prisión tan solo por el hecho de serlo, aunque dado el ambiente anticlerical que se respiraba, muchos de ellos prefirieron la seguridad del calabozo a enfrentarse al pueblo armado.

Ni los países occidentales ni Franco prestaron una mínima atención a estas medidas. Para el Generalísimo no cabía la posibilidad de negociar nada, estando tan al alcance de la mano una victoria total en la que él pondría las normas de manera unilateral e incondicional. Si Negrín tuvo alguna esperanza de que los nacionales respondieran con algún tipo de gesto a su programa de gobierno, es que no conocía a Franco.

5

Jaque mate

EBRO: EL ÚLTIMO CARTUCHO

El desbordamiento del frente aragonés y la ruptura del territorio republicano en dos hirieron de muerte a la república. El estado que, con paciencia y mucho trabajo, Negrín había logrado sacar de la situación de falta de autoridad en la que se encontraba, volvía peligrosamente a sufrir las convulsiones clásicas de la desintegración, pero esta vez provocada por el pánico. La derrota parecía segura, y desde importantes sectores de la cúpula republicana se hablaba ya abiertamente de llegar a un acuerdo con los nacionales y terminar de una vez una guerra de la que mucha gente estaba ya cansada.

Negrín y el PCE han quedado para la historia como los adalides de la resistencia a ultranza, hasta el último momento. En consecuencia, para muchos son los responsables de las muertes de miles de ciudadanos inocentes que fueron enviados al matadero para luchar por una república que ya había perdido la guerra, tanto en el campo militar como en el internacional y político. Estos comentarios maledicientes que no han hecho más que echar basura sobre la figura de Negrín tampoco han ayudado al conocimiento objetivo de uno de los gigantes de la historia reciente de España, injustamente desconocido. En los últimos años, un grupo de historiadores ha realizado un gran esfuerzo por sacarle de la oscuridad, un trabajo que sorprendentemente estaba por hacer, gracias al cual por fin se ha cubierto un clamoroso vacío en la historiografía española del periodo. Como el lector comprenderá, las páginas de este libro no son el foro adecuado para realizar un debate sobre el que fue presidente del gobierno de la república en sus años finales, si bien es necesario mencionar el hecho cierto de que durante muchísimos años Juan Negrín ha sido víctima de acusaciones muy graves desde casi todas las vertientes políticas, empezando por los franquistas y terminando por los miembros de su propio partido –el PSOE–, pasando por los nacionalistas vascos y catalanes. Por tanto, un acercamiento crítico con afán de conocimiento y sin clichés en torno a Negrín es muy de agradecer por lo necesario y balsámico que resulta.

Negrín resistió a ultranza, pero no solamente por convencimiento, sino porque no le quedaba otra opción. Las puertas de las naciones occidentales se le cerraron en las narices en repetidas ocasiones y aunque varias veces tuvo a Francia a punto de intervenir a favor de los intereses de la república, nunca se atrevió a dar el paso decisivo. En consecuencia, y visto el acontecer del año 1938, en el que con la incorporación de Austria a Alemania y el conflicto de los sudetes checos, que comenzó en mayo para resolverse vergonzantemente en septiembre, Negrín consideró que la única salida para la república era alargar el conflicto para confundirlo con una cercana y más que probable conflagración general europea. Si lograban empalmar con la guerra mundial, la república sabía que debía declarar la guerra a Italia y Alemania, lo que le convertiría indefectiblemente en un aliado directo de Francia y el Reino Unido, escapando así de la situación de agonía política y militar en la que se encontraba. Sin embargo, el resultado de la crisis de los sudetes, sancionando la inclusión del territorio dentro de las fronteras del Tercer Reich sin la participación de la propia Checoslovaquia, supuso un terrible golpe para los intereses de la república española. El Pacto de Munich representó el final de una esperanza. Los occidentales, y más específicamente el Reino Unido, demostraron que eran capaces de sacrificar casi cualquier cosa por mantener la situación de paz tensa, lo cual denotaba que la llama política del apaciguamiento seguiría encendida durante mucho más tiempo.

El Pacto de Munich ponía fin definitivo a lo que parecía un seguro *casus belli* entre las potencias europeas, ya que Hitler había amenazado con la intervención militar si no se cumplían sus reivindicaciones. Munich resolvió el problema a plena satisfacción del alemán. En consecuencia, los ecos de la guerra se alejaban momentáneamente de Europa para cierto alivio de sus habitantes y desasosiego completo de una república abandonada a su suerte.

Para Negrín y los suyos, Munich sancionaba el abandono y la derrota internacional de la república. Solamente le quedaba, como siempre, la alianza con la URSS. "La Unión Soviética ha sido nuestro único amigo", declaró amargamente Negrín después de la guerra. Para Franco supuso un alivio el saber que tendría las manos libres para continuar conquistando España.

Sin embargo, en el verano de 1938 aún no se había producido la conferencia de Munich y los aires volaban turbios para la política europea. Negrín lanzó una grandiosa ofensiva para romper el frente en el Ebro a la altura de Cataluña, a fin de soldar de nuevo la república y demostrar a Franco y al mundo que aún no estaban derrotados. Fue la gran apuesta en la estrategia de alargar la guerra.

La ofensiva dio paso a lo que se ha conocido como la batalla del Ebro, la última ofensiva republicana y sin duda la más larga y cruenta batalla de todas las que jalonaron la guerra civil española. Negrín dispuso de lo que quedaba de las fuerzas republicanas de retaguardia y ordenó una leva general a la que también fueron incorporados hombres que por causas de edad o capacidades habían sido declarados exentos en ocasiones anteriores. Desde los dieciocho hasta los cincuenta años, todos los ciudadanos, la mayoría catalanes, fueron encuadrados en un nuevo ejército que fue bautizado como Ejército del Ebro. Se les solicitó encarecidamente un último y supremo esfuerzo para destrozar –esta vez sí que tenían que lograrlo– a los franquistas. Además, gracias a que Francia abría de vez en cuando sus fronteras al paso de armas, los republicanos pudieron rearmarse con cierta solvencia, lo que no fue óbice para señalar que en cuanto a armamento, número de hombres y preparación, los nacionales seguían siendo arrolladoramente superiores. De nuevo, pues, había que agarrarse al coraje, a la bravura, más que a la superioridad técnica, numérica o militar en lo que a muchos les pareció, en silencio, un suicido, una muerte anunciada, y para otros, más optimistas, un todo o nada.

La ofensiva del Ebro fue organizada por los comunistas, los más arduos defensores de la política de resistencia a ultranza, los que nunca perdieron la esperanza cuando los demás ya la habían perdido. La inmensa mayoría de mandos militares eran comunistas, lo cual convirtió al Ejército del Ebro en un grupo sólido y muy disciplinado, tanto en las formas como en los ritos militares. Por primera vez los republicanos enfrentaron a los nacionales un ejército que ya no recordaba en nada a los antiguos milicianos. No hacía tanto que los republicanos enviaban a los campos de batalla a un valeroso y desorganizado grupo de campesinos con fusiles y gorros del POUM o de la CNT; ahora contaban con un auténtico ejército regular, ortodoxo, con galones y sin símbolos políticos aparte de la estrella roja que jalonaba sus uniformes. Se enfrentaban dos ejércitos de verdad. Atendiendo a las apariencias, incluso el de los republicanos parecía ahora más ejército que el nacional.

La ofensiva fue preparada cuidando hasta los últimos detalles para no fallar en nada. Durante días estuvieron probando las balsas con las que cruzar el río, y los puentes y pasarelas para infantería y vehículos rodados fueron escondidos cerca de la orilla. Los nacionales supieron de estos movimientos sospechosos y Franco fue puntualmente informado de que los republicanos estaban preparando una ofensiva en el extremo sur de la provincia de Tarragona, pero el Generalísimo no le dio importancia. Estaba demasiado seguro de que la república estaba exhausta y juzgaba que no serían capaces de organizar una ofensiva triunfante con lo que les quedaba de ejército y aún de moral. Terminus[26] decidió no hacer caso de las informaciones y centrarse en la ocupación de Valencia, de manera que la medianoche del 24 al 25 de julio la ofensiva republicana cogió a las tropas nacionales completamente por sorpresa. Un total de seis divisiones cruzaron el Ebro por varios puntos, embarcados en pequeños botes neumáticos, matando sigilosamente a los vigilantes franquistas. Acto seguido, dejaron el paso libre para que las tropas y vehículos motorizados cruzaran el río por las pasarelas y puentes puestos al efecto, de forma que logró cruzar el río un importante contingente de unos doscientos hombres que avanzaron en dos direcciones: la primera en dirección a Villalba y la segunda a Gandesa y Corbera de Ebro. Asegurado el paso del Ebro, los republicanos

---

26 Terminus era el nombre del cuartel general itinerante de Franco. Cuando el Caudillo tomó la decisión de abandonar la conquista de Madrid y prepararse para una guerra larga, escogió un vagón de tren para moverse con comodidad por todos los frentes de guerra. Otras veces, Terminus era un coche o cualquier otro vehículo que utilizara Franco para su transporte.

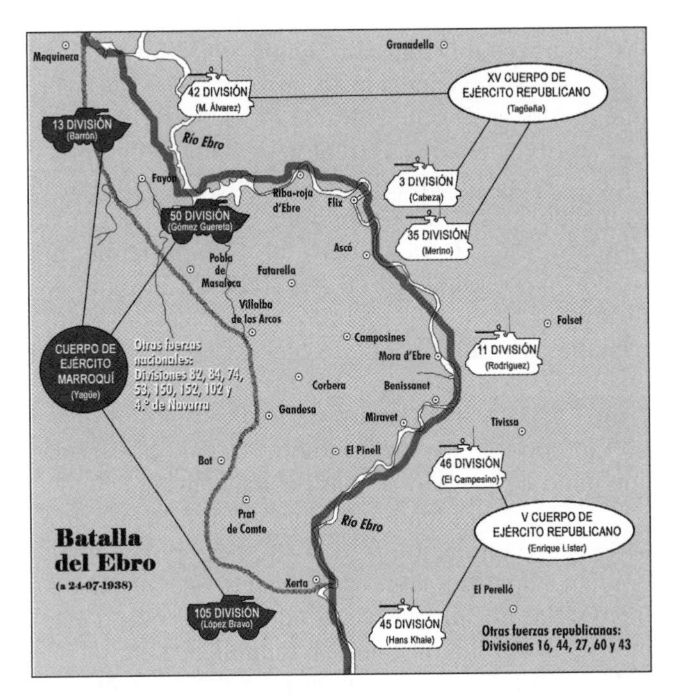

lograron juntar unos ochenta mil hombres en la margen derecha del río y avanzaron con decisión hacia sus objetivos militares.

Como era ya costumbre, el efecto sorpresa benefició al principio a los republicanos, que se abalanzaron sobre el territorio nacional a gran velocidad. Una a una iban cayendo poblaciones como Flix, Ascó, Corbera de Ebro... sin embargo los nacionales no tardaron en reaccionar. Franco decidió redirigir el grueso de sus tropas a la zona atacada, olvidándose de la ofensiva sobre Valencia. Aunque se mostraba flemático, la ofensiva republicana le había hecho daño. Franco se obstinó en aniquilar a las tropas republicanas allí donde le habían plantado batalla. Sus consejeros le aseguraron insistentemente que no debía de concentrarse en el Ebro, que tenía que aprovechar que Barcelona estaba indefensa y todo el ejército republicano en el Ebro para dar el golpe de gracia a la república y tomar la ciudad condal desde Lérida, pero el Generalísimo era tozudo, y se mantuvo en sus trece de liquidar los últimos restos del ejército republicano. No le bastaba con ganar la guerra; necesitaba aniquilar al enemigo, exterminarlo. Que no quedara ni un solo "rojo" vivo, y nada mejor para ello que humillar a un Ejército Popular que se había atrevido a golpearle con tanto desparpajo en más de una ocasión.

Los puentes tendidos sobre el Ebro fueron arrasados por la aviación franquista, pero por la noche volvían a aparecer como por encanto nuevos puentes y pasarelas que de nuevo eran destruidos por la aviación nacional. La obstinación republicana era tal que Franco no cabía en su asombro. La desesperación de ver aparecer nuevos puentes todos los días le llevó a ordenar la apertura de los embalses del Ebro, aumentando así artificialmente en dos metros el caudal del río, con lo que la mayoría de los puentes fueron arrastrados por la fuerza de las aguas y se dificultó la colocación de otros nuevos. Esto complicó extraordinariamente el abastecimiento de víveres, material y tropas de refresco desde la otra zona del río, lo que supuso una clara ventaja para los nacionales.

Los refuerzos franquistas se concentraron en la bien defendida plaza de Gandesa, donde chocaron con los republicanos y se detuvo la ofensiva. Por enésima vez, una gran ofensiva republicana se atran-

Soldados republicanos pasando el Ebro.

caba para transformarse en una guerra de posiciones en la que, tarde o temprano, y a pesar del valor republicano, los nacionales tendrían todas las de ganar. La república no logró tomar Gandesa y allí terminaron todos sus sueños. El 1 de agosto el Ejército del Ebro pasó a la defensiva, intentando no perder un palmo del terreno recién capturado.

La decisión y el valor republicanos no fueron suficientes. La resistencia fue debilitándose y lentamente los soldados de la república fueron perdiendo terreno, soportando nada menos que siete terribles ofensivas franquistas que diezmaron a un ejército republicano dispuesto a no dar ni un solo paso atrás.

Finalmente, las migajas del Ejército del Ebro cruzaron de nuevo el Ebro para volver al punto de partida. Era el 15 de noviembre de 1938, y tras cuatro meses de dura batalla, diez mil muertos y treinta mil heridos nacionales por quince mil muertos y treinta mil heridos republicanos, el frente seguía en el mismo punto que al principio de la ofensiva. Tal y como Franco quiso, aquello fue una auténtica guerra de aniquilación. La república se había quedado sin ejército, y se dibujaba ya como un muñeco roto al que Franco no tardaría en imponer sus condiciones sin réplica. De hecho, tras la victoria del Ebro lo anunció a bombo y platillo: no habría una paz negociada, no habría amnistía para nadie, no habría una rendición con condiciones. La única esperanza de los republicanos era rezar, si es que no se les había olvidado, para que no estuvieran incluidos en una lista negra en la que ya figuraban más de dos millones de nombres, y que crecía y crecía sin cesar a medida que los nacionales conquistaban nuevas ciudades y pueblos. La famosa lista negra de Franco, tan cacareada por él y sus fieles, existía realmente, y nació del acopio minucioso de material documental que los franquistas hicieron de la documentación de sindicatos o partidos políticos "rojos" en las poblaciones que iban conquistando. Así, listas de afiliados a determinados partidos políticos, donativos y un largo etcétera, fueron a engrosar un enorme archivo rigurosamente clasificado y organizado que tuvo su sede en Salamanca y que, si al principio tuvo un uso exclusivamente político, con el tiempo se convirtió en el famoso Archivo Histórico de la Guerra Civil de Salamanca.

La conquista de Cataluña

La batalla del Ebro tuvo graves consecuencias tanto en el momento en que las cosas comenzaron a torcerse para la república, como al final, tras la derrota. La república era cada vez más consciente de su ruptura política entre los que creían que había que llegar a algún tipo de acuerdo con Franco, quizá por medio de la intermediación de Gran Bretaña o Francia, y los que reivindicaban la resistencia a ultranza, los comunistas y Negrín. Esta última opción cada vez era más impopular. La gente estaba cansada de tanta desgracia y no estaba tan dispuesta a luchar como en los primeros meses de la contienda. La feliz revolución de los primeros días se trastocó en una triste pesadilla en la que ya casi nadie quería tomar parte, y los alegres fervores revolucionarios de primera hora se transformaron en una moral de resistencia plomiza y represiva.

Los políticos republicanos y socialistas moderados, de la mano de nacionalistas vascos y catalanes, sabían que para lograr algún tipo de entendimiento con las potencias occidentales a fin de lograr una mediación con Franco, había que destronar al monstruo comunista que apoyaba a Negrín. Echarles del gobierno. La tarea parecía sencilla si se sabía cómo llevarla a cabo, puesto que se habían ganado la antipatía de gran parte de la población. Sin embargo, los republicanos también eran conscientes de que eliminar a los comunistas suponía prescindir de la única ayuda que tenían, la de la URSS, de manera que si la mediación franco-británica fracasaba no habría ya nada que hacer.

Durante la batalla del Ebro se formó en la oscuridad un fuerte bloque anticomunista y antinegrinista que apoyó sin fisuras al presidente de la república, Manuel Azaña, convencido de que las cosas no podían seguir así. La decisión estaba tomada, había que desplazar a Negrín y sus amigos del poder. La crisis larvada tenía ya cuerpo y la atmósfera cada día se volvía mucho más densa. Además, entre Azaña y Negrín se había desarrollado una mutua animadversión, no solamente derivada de sus divergencias políticas, sino de su propia personalidad. El carácter dominante y arrollador, enérgico, de Negrín anuló totalmente a Azaña en sus funciones.

La situación de hostilidad que se palpaba en el ambiente provocó que Negrín se apoyara aun más en el PCE, el PSUC y las JSU frente al resto de partidos de la república, y a las tres "P" de Azaña (paz, piedad y perdón), respondió con sus tres "R" (resistir, resistir, resistir), a pesar de lo cual nunca dejó de intentar algún tipo de negociación o paz honrosa con el otro bando. Negrín no era tonto, y detrás de su verborrea comunista de resistencia a ultranza se escondía un hombre pragmático que sabía derrotada a la república, pero que creía firmemente en la idea de que sin resistir no se lograría un acuerdo honroso. "La guerra se pierde solo cuando uno la da por perdida", dijo en una ocasión. Una frase decidida y valiente que le acarreó muchas críticas bajo la acusación de llevar a gente inocente al matadero.

A Azaña le asustaba el tono decidido y brutal que a veces acostumbraba a tomar el jefe del gobierno. Se dice que una vez, en una conversación entre ambos, cuando Azaña le aseguró en tono de crítica que las atribuciones que se estaba tomando disminuían gravemente la potestad de los partidos políticos, le espetó con asco que "los partidos son restos de antiguas oligarquías que hay que disolver, la única voluntad auténtica del país es la representada por el ejército". Unas palabras que recuerdan a aquellas que muchos años mas tarde dirá Mao Zedong con aquello de que "el poder nace de la boca del fusil". Sin embargo, y a pesar de sus puntuales extremismos verbales, Negrín seguía siendo un pragmático muy alejado de las posiciones ideológicas del PCE.

Negrín no solamente tenía una dura batalla planteada con los políticos más moderados de su propio gobierno, sino que desde los hechos de mayo de 1937 en Barcelona, y sobre todo a partir del traslado de la capitalidad de la república a la ciudad condal, sus relaciones con la *Generalitat* y, en general, con el nacionalismo catalán se habían enfriado muchísimo. La presencia de la administración central en el mismo espacio que la *Generalitat* generó una serie de conflictos competenciales en detrimento del *govern*, que terminaron por destruir las relaciones entre ambas administraciones. Se había iniciado un proceso de progresiva superposición del gobierno central en Barcelona y una absorción completa de casi todas sus competencias dejando a la Generalitat prácticamente vacía de contenido.

En vísperas de la ofensiva contra Cataluña, el dominio del gobierno Negrín era casi total. El estatuto catalán fue obviado por razones de urgencia militar, y las competencias de educación, justicia o industria fueron absorbidas unilateralmente por el gobierno central, hasta que en agosto de 1938 el ministro catalán Aiguadé renunció al cargo por considerar que se estaba aplastando la dignidad de Cataluña. El intento de imponer un tribunal especial de justicia militarizado central en Barcelona, dependiente del ministerio, fue la gota que colmó el vaso del ministro, pero a Negrín no pareció importarle. En su sustitución colocó a otro catalán, también comunista pero menos permeable al catalanismo. Y es que Negrín parecía que solamente se sentía cómodo con los comunistas, los miembros del ejército y con los que no simpatizaban con el nacionalismo catalán.

Negrín miraba cada día con mayor desconfianza a unos catalanistas a los que siempre había acusado de no apoyar el esfuerzo militar republicano con toda la fuerza que deberían de haberlo hecho, y de quienes sospechaba abiertamente que intentaban ponerse en contacto de forma indirecta con Franco, a través del gobierno francés, para llegar a un acuerdo de paz separado. Por aquella época, las sospechas mataban; arreció así una lluvia de acusaciones provenientes del PCE que tildaban a los nacionalistas catalanes de separatistas y traidores, y al propio PSUC de haber sido contaminado por el nacionalismo pequeñoburgués. El PCE se ponía, también en la cuestión catalana, del lado de un nacionalismo español de izquierdas perfectamente representado por Negrín cuando dijo que "no estoy haciendo la guerra contra Franco para que nos retoñe en Barcelona un separatismo estúpido y pueblerino. No hay más que una nación ¡España!".

La renuncia de Aiguadé no fue la única respuesta a la actitud de Negrín. Como sabemos, desde hacía tiempo estaba tomando cuerpo un movimiento dispuesto a acabar con Negrín y los comunistas. La posibilidad de que Azaña destituyera a Negrín parecía asegurada, y ya se empezaban a barajar nombres como Prieto o Julián Besteiro, un socialista moderado que no podía ni ver a los comunistas. Fue precisamente el decreto que hizo abandonar el gobierno a Aiguadé, junto a otros dos proyectos más, los que provocaron un amago de crisis que dio la oportunidad a Azaña de decapitar políticamente al gobierno. Además de la medida que hizo dimitir al catalán, Negrín pretendía militarizar las industrias de guerra y los tribunales especiales. Además, el SIM continuaba aportando nuevos reos políticos, a veces quintacolumnistas, pero la mayoría de las veces supuestos enemigos del pueblo que terminaban fusilados tras el "enterado" de Negrín. Pero lo que terminó por sacar la crisis a la superficie fue que, bajo la excusa de un falso levantamiento quintacolumnista en Barcelona, Negrín llenó de militares la ciudad, una acción por medio de la cual apuntaló su poder (15 de agosto). Azaña aseveró que las medidas de Negrín y la repentina presencia masiva del ejército en Barcelona significaban un golpe de estado en toda regla y que no lo iba a permitir. El momento era el adecuado. Todos los políticos, desde Companys hasta los republicanos de su propio partido, le instaban a que lo destituyera… pero Azaña no lo hizo. Con la batalla del Ebro en medio, sabía que no era el momento de plantear una crisis de gobierno.

La crisis de agosto supuso una severa derrota moral para los antinegrinistas. Tanto Azaña como el presidente Companys reconocieron que en aquel momento no era posible un cambio gubernamental. No de momento. Se resignaron a esperar el final de la batalla del Ebro. Mientras tanto, Negrín dio una nueva sorpresa leyendo el 21 de septiembre un texto en la Sociedad de Naciones por el que anunciaba la retirada unilateral de las Brigadas Internacionales. El anunció resultó impactante y supuso un favorable golpe de efecto a nivel internacional. Desde hacía mucho tiempo, el Comité de No Intervención había estado abogando por la retirada de los voluntarios extranjeros –se reconocía la presencia de italianos y alemanes en España, y también soviéticos, pero con el estatus de voluntarios para no implicar a estos países como beligerantes– sin éxito alguno, y hete aquí que repentinamente el gobierno de la república española lo iba a hacer de *motu propio*, solicitando además la formación de una comisión que se habría de encargar de verificar la correcta salida de los voluntarios extranjeros de España. La jugada de Negrín no estaba exenta de astucia, ya que el número de efectivos extranjeros en las filas de la república era infinitamente más bajo que en el lado franquista, y además los brigadistas no eran más de doce mil hombres, lo cual no era una fuerza verdaderamente relevante en la guerra. Además, la llegada de brigadistas prácticamente se había interrumpido desde julio, y muchas brigadas habían tenido que ser cubiertas por personal español. A cambio, la participación extranjera en la España franquista era mucho más clamorosa y como bien supuso Negrín, su acción presionó a Franco, que recibió desde la Sociedad de Naciones requerimientos para que hiciera lo mismo. Franco no aceptó ningún tipo de movimiento hasta que le declarasen como beligerante legal, pero finalmente licenció a un numero similar de italianos, un continente mínimo en comparación a lo que había en "su" España y, al contrario que la república, sin ningún tipo de control internacional. Los italianos que se licenciaron fueron cuidadosamente seleccionados por ser los más deficientes –enfermos, heridos y similares–, quedándose los aviadores y técnicos en España y una tropa italiana que ascendía a cincuenta mil hombres. La acción de Negrín no fue suficiente para poner del lado de la república a la comunidad internacional, algo que quedó suficientemente demostrado tras la solución de la crisis sudete en el Pacto de Munich. Después de Munich, Franco ya sabía que las potencias occidentales no le pondrían traba alguna en su ataque frontal contra la república y se decidió a dar la puntilla contra su pilar fundamental: Cataluña.

La ofensiva contra Cataluña era ya algo esperado por el alto mando republicano, que quiso prevenirla con una serie de ataques de distracción en Motril, Extremadura y Villarroya que, o no llegaron a plasmarse en la realidad o finalmente resultaron un fracaso. La ofensiva comenzó el 23 de diciembre de 1938, con una clara superioridad numérica y militar del bando franquista. La balanza caía pesadamente del lado nacional.

El ataque se desarrolló básicamente en dos líneas: por Montblanc y Valls, y por Igualada y Cervera. Los defensores de Cataluña se encontraban desfondados y si bien los nacionales tuvieron que hacer frente a pequeñas bolsas de resistencia, lograron avanzar con fuerza y el día 15 de enero caía la ciudad de Tarragona. Desesperado, el día 16 el gobierno de la república decretó una movilización general de todos los ciudadanos de entre los diecisiete y los cincuenta y cinco años. Esta leva masiva se inscribe en un ambiente de pesimismo, hastío y sensación de derrota que los contundentes pasquines, solicitando la resistencia a ultranza, no lograron disolver. La situación militar era tan catastrófica como la moral y el avance sobre Cataluña continuaba con fuerza.

Barcelona comenzó a sufrir a diario terribles bombardeos, la moral de resistencia se vino completamente abajo, y en vez de aguantar, sus hastiados ciudadanos optaron por la huída masiva. Durante días los barceloneses y demás catalanes escaparon con lo puesto o arrastrando sus enseres como podían, a pie o en coche o autobús, hacia la frontera francesa, intentando evitar los ametrallamientos de los aviones enemigos. Igualmente, las tropas se retiraban en desbandada, dejando libres los puestos del frente. Cataluña estaba entregada.

El 25 de enero de 1939, los nacionales ya estaban a la altura de Manresa y Badalona. Aquel mismo día el gobierno se trasladó a la ciudad de Gerona, distribuyéndose las distintas administraciones y ministerios en diferentes edificios y dispersándose también por diferentes poblaciones de la provincia, como Figueras. Los nacionales avanzaban ya por el Tibidabo y Montjuic, y Barcelona a esas alturas ya era una ciudad fantasma. Los establecimientos comerciales tenían las persianas bajadas o habían sido asaltados por ciudadanos hambrientos que se aprovisionaron de comida para echar a correr hacia la frontera francesa. El 26 de enero los nacionales entraron victoriosos en una Barcelona silenciosa. Solamente les recibieron los carteles republicanos rotos, movidos por el viento, y un pequeño grupo de felices quintacolumnistas que habían soportado ocultos los años revolucionarios. Acto seguido se procedió a la confiscación de periódicos y el inicio de una terrible represión que afectó en los primeros días a diez mil personas.

Mientras tanto, una masa ingente de hombres, mujeres, niños y ancianos se apelotonaba en la frontera esperando a que las autoridades francesas, ahogadas por la magnitud de la desgracia, dieran la orden de abrir las fronteras. La orden se dio, pero a plazos. Primero los heridos o enfermos, luego los civiles, después los militares, obligados a dejar las armas antes de cruzar la línea. El 3 de febrero los nacionales se encontraban ya a cincuenta kilómetros de la frontera, y las autoridades no tuvieron mas remedio que mezclarse con el gentío y cruzar también la línea de separación de España con el triste y duro exilio, lo que ocurrió el día 5 con Azaña, Companys, Aguirre[27], Martinez Barrio y Giral y el 9 con Negrín y Rojo. Los dirigentes fueron recibidos con honores militares por los franceses, presentándoles armas en un respetuoso silencio. Al

---

27 La presencia de Aguirre en Barcelona se explica por el traslado de la sede del gobierno vasco a esta ciudad con fecha 2 de noviembre de 1937.

día siguiente, los nacionales llegaron a la frontera, cayendo definitivamente el frente catalán. Muchos soldados y civiles, en su nueva calidad de refugiados, fueron apelotonados en campos hasta saber qué es lo que se haría con ellos. La derrota republicana era inapelable.

Con un gobierno desfondado y en el exilio, parecía que los republicanos se avendrían a reconocer la derrota total de sus fuerzas y entregarse a Franco, pero no fue así. El bloque antinegrinista seguía empeñado en intentar lograr una paz honrosa con Franco por medio de la mediación occidental, y el bloque negrinista continuaba, todavía entonces, hablando de resistencia. El gobierno de la república logró una nueva sede en el consulado de España en Toulouse y desde ahí continuaron los duros debates y reproches mutuos por la situación a la que se había llegado.

Negrín se mostraba dispuesto a regresar a España. La zona centro-sudeste (Madrid, Valencia, Murcia y La Mancha) seguía fiel a la república y suponía un tercio del territorio total de España. Había que trasladarse allí inmediatamente y continuar la guerra. Los comunistas hicieron un bloque detrás de Negrín defendiendo esta postura, mientras que otros, especialmente Azaña, se sentían demasiado viejos y desanimados para ello. El bloque antinegrinista volvió a esgrimir el argumento de que esa resistencia a ultranza de una república sentenciada no haría más que aumentar inútilmente el número de muertos. Se negaron rotundamente a secundar los planes de Negrín, y la contundencia de los hechos reafirmó su pesimismo: el 26 de febrero, el Reino

Unido y Francia traicionaron definitivamente a la república reconociendo el gobierno de Franco. Para Azaña ya no había más esperanzas y el 2 de marzo dimitió, entregando el puesto a su amigo Diego Martínez Barrio, que tampoco aceptó trasladarse a España. Ante el cariz que tomaban los acontecimientos y solamente con el apoyo incondicional del PCE, Negrín se descubrió solo en España. Sin el apoyo de los partidos republicanos, sin el apoyo del presidente de la república y sin el apoyo del representante del estado mayor del ejército, Vicente Rojo, que secundó la posición de Azaña y los antinegrinistas. Para todos, excepto para Negrín y el PCE, la guerra ya había terminado.

La implantación progresiva

La ocupación de Barcelona tuvo un carácter marcadamente redencionista. Barcelona había sido la capital "roja", la ciudad del pecado, y por ello había que dedicarse a purificarla a fondo. La purificación, claro, no se limitaba a oficiar los cientos de misas que se realizaron por todo lo ancho y largo de la ciudad, restableciendo el culto en las iglesias abandonadas o reutilizadas como almacenes o cuarteles, sino que también contuvo un elemento netamente represivo centrado en la persecución, juicio y ejecución de un importante número de sospechosos de desafección a los nuevos amos. La provincia de Barcelona fue la única que sufrió el Régimen Especial de Ocupación, una denominación terrible para un sistema igualmente pavoroso que favoreció la depuración de todo elemento peligroso. Barcelona había sido, además de roja y atea, separatista, de manera que además de dedicarse a restablecer los valores religiosos, sociales y políticos de los vencedores, debía de acometerse un gran proyecto de eliminación completa de todo atisbo de un catalanismo que políticamente consideraban mucho más peligroso y virulento que el vasco o el gallego.

En aplicación de la Ley de Prensa que desde el 22 de abril de 1938 ya estaba funcionando en el resto de la España dominada por los nacionales, los periódicos republicanos pasaron a dominio de las autoridades, alterándose el equipo de trabajo y su contenido. Así, el diario negrinista *La Vanguardia* pasó a llamarse *La Vanguardia Española, diario al servicio de España y del Generalísimo Franco*, e igualmente ocurrió con el resto de los medios de comunicación. La censura se hizo muy fuerte y la lengua catalana o cualquier atisbo de particularidad catalanista fue brutalmente perseguida. En consecuencia, y siguiendo los pasos llevados a cabo en el País Vasco y en Galicia, el idioma catalán fue considerado de rango inferior y prohibido su uso en la calle y la administración, imponiéndose un sistema educativo en el que se intentaba por todos los medios que los niños olvidaran sus lenguas maternas para expresarse solamente en castellano. A consecuencia de esta política, los idiomas regionales fueron recluidos tan solo a la privacidad del hogar, y con reticencias, ya que muchas familias prefirieron hacer el esfuerzo de dejar de hablarlo para que sus vástagos aprendieran correctamente el castellano.

Al contrario de lo que había ocurrido con la conquista de otras zonas, cuando los nacionales ocuparon Cataluña ya contaban con un estado más o menos formado. Si bien Bilbao cayó contra un ejército de un estado en formación, Barcelona se unió a las estructuras de un régimen que contenía un sistema cerrado y casi acabado, de manera que la represión fue más contundente y organizada. El 30 de enero de 1938, un año antes de la toma de Cataluña, Franco ya tenía dispuesto su primer gobierno ordinario, lo que supuso el fin del periodo de transitoriedad y de la Junta Técnica para dar paso a una auténtica administración que ya tenía aspecto de un gobierno de verdad, con sus ministerios y departamentos perfectamente estructurados. La figura dominante de este nuevo gobierno, aparte del Caudillo, fue su cuñado, Ramón Serrano Súñer, ministro de gobernación, hombre fuerte del régimen y mano derecha de Franco. Serrano diseñó los pasos a seguir para la construcción de un estado perenne y fue el artífice de la imagen de Franco como gran héroe comparable a los constructores de imperios, desde Alejandro Magno hasta Napoleón. No fue difícil llegar a tal nivel de adulación, habida cuenta de que tanto los españoles como el propio gobierno del que Franco se rodeó, estaban completamente entregados a la figura del Caudillo, unos por miedo y otros por prebendas; de hecho, su gobierno estaba formado por personas cuidadosamente escogidas por su docilidad o fidelidad a la persona del Generalísimo.

El primer gobierno franquista se entregó a una febril labor legislativa. No era para menos; estaban edificando un estado nuevo desde los cimientos.

Dejaron sin efecto las leyes republicanas relativas a la reforma agraria y diversas medidas sociales de gran calado, como la ley de matrimonio civil, el divorcio y la separación conyugal. Igualmente, se abolió la libertad de reunión y de asociación, volviendo a imponerse la pena de muerte y, cómo no, quedó revocado el estatuto de Cataluña por ley de 5 de abril de 1938, muchos meses antes de iniciarse la ofensiva contra esta región. Sin embargo, lo más llamativo de este periodo en el ámbito legislativo es el nuevo poder que revistió el jefe del estado, Franco, al concedérsele la potestad de dictar normas jurídicas de carácter general. Se reunían así los tres poderes del estado –legislativo, ejecutivo y judicial– en la persona de Franco. La soberanía ya no residía en el pueblo, ni en el rey, ni siquiera en el ejército, sino en Franco, dueño y señor de todo.

Con fecha 10 de marzo se promulgó el Fuero del Trabajo, que institucionalizó el sindicalismo vertical y se convirtió en una de las leyes vertebradoras del sistema franquista. Igualmente, el restablecimiento de un Tribunal Supremo, que hasta entonces no existía en la España nacional debido a que fue la república quien había heredado las altas cúpulas del sistema judicial español, supuso la consolidación de un estado que era ya una realidad palpable.

Económicamente, Franco apostó por un rígido control que devino en un poderoso intervencionismo estatal que controlaba la producción y su distribución, ayudado por un magma de empresarios huidos de la España republicana, que se entregaron con ardor a la reconstrucción de sus empresas y a trabajar con la protección del estado. Así se configuró una falsa imagen de opulencia que el régimen quiso fomentar por medio de la propaganda. Un Franco seguro de su victoria había construido un estado para durar cuando aún la guerra no estaba terminada. Nadie dudaba de la victoria de los franquistas. Más tarde o mas temprano la república sería borrada del mapa, lo que incrementó varios puntos la adulación interesada de los ciudadanos a un Franco ensoberbecido que en julio de 1938 recibió la dignidad de Capitán General del Ejército y la Armada, un título que hasta entonces solamente se concedía a los reyes de España y que dejaba bien a las claras las intenciones del sagaz gallego.

El 13 de febrero de 1939 se publicó en el Boletín Oficial del Estado la Ley de Responsabilidades Políticas. Por medio de este *corpus* legal se tipificaba como delito a una gran cantidad de acciones políticas, como la pertenencia presente o pasada a partidos políticos republicanos, la defensa o falta de oposición vehemente contra la república, la pertenencia a la masonería, e incluso la permanencia en el extranjero desde el 18 de julio de 1936 sin haber regresado a la España nacional en un plazo de dos meses, o haberse cambiado de nacionalidad. Los efectos de la ley eran retroactivos, remontándose a octubre de 1934, con lo que hechos y actuaciones perfectamente legales en aquella fecha, como pertenecer a un partido de izquierdas, eran ahora juzgados y declarados delictivos por las nuevas autoridades franquistas. La Ley de Responsabilidades Políticas sancionó el dominio completo de una forma de pensar sobre la otra, que además fue declarada proscrita. Los numerosísimos perseguidos, juzgados y declarados culpables sufrieron penas que

Cartel en el que se exhorta a la bravura del soldado republicano. Los últimos momentos de la guerra estuvieron dominados por un ambiente de abatimiento sin precedentes que desde el gobierno tuvo que ser exorcizado con carteles como este.

pasaban desde la inhabilitación profesional hasta la pena de muerte. Muchos individuos fueron desposeídos de sus bienes, llegándose a los aberrantes extremos de dejar sin herencia a una viuda o hijos de un combatiente republicano ejecutado o fallecido en la guerra, por haber pertenecido a un partido de izquierdas o a veces simplemente por haberse comportado de forma tibia frente a la república. La derrota militar daba paso a la derrota social, política y moral, al aplastamiento del enemigo político, que se hará más fuerte y sistemático a partir de la derrota completa del ejército republicano en abril de 1939.

La Ley de Responsabilidades Políticas afectó también a las personas jurídicas que apoyaron a los republicanos, y por supuesto, a los propios partidos políticos y sindicatos que fueron ilegalizados. Los bienes de los partidos de izquierdas o nacionalistas fueron confiscados. Sedes sociales, cuentas corrientes, edificios y patrimonio en general, quedaban así unilateralmente transferidos al estado. Aún hoy en día muchos partidos políticos desposeídos reclaman del estado una satisfacción por medio del restablecimiento de los bienes arrebatados, o en su defecto, algún tipo de compensación económica.

En 1942 la Ley de Responsabilidades políticas fue parcialmente reformada conservándose viva dentro del ordenamiento jurídico español hasta el año 1966.

La crisis final

"Ganar la guerra", a cualquiera que se le insinuara semejante proposición podría parecerle una broma de mal gusto. Sin embargo, para los miembros del Partido Comunista esa era la consigna. En aquellas horas dramáticas de desplome, de cataclismo total, el Partido Comunista de España fue el único colectivo humano que aún creía en la victoria, el único que tenía bien claro que había que seguir resistiendo hasta el final, y si los nacionales lograban eliminar militar y jurídicamente los últimos vestigios de la república, estaban preparados para lanzarse a la lucha clandestina desde el minuto cero. No se rendirían jamás.

Como es de suponer, la gran mayoría de los partidarios de la república ya habían perdido cualquier tipo de esperanza y a excepción de los negrinistas y el PCE, nadie daba un duro por la república, prefiriendo negociar con Franco una paz honrosa antes que continuar perdiendo vidas humanas inútilmente. En las filas del ejército también se había generalizado un estado de opinión pesimista que, unido a la desgana del pueblo por seguir luchando, avivaban el larvado odio anticomunista que ya venía de lejos. Las acusaciones contra Negrín y el PCE, que cada vez se confundían más en la mentalidad popular, se movían entre una amplia horquilla que iba desde una presunta o real intención de hegemonía total en el campo republicano, hasta la acusación de prolongar inútilmente una guerra llevados tan solo por el orgullo de no querer reconocer que todo estaba perdido. Sobre todos ellos destacó Segismundo Casado, militar profesional de simpatías izquierdistas que durante la guerra civil había amasado un profundo rencor contra el Partido Comunista y sus adláteres. Como jefe del Ejército del Centro, había desarrollado responsabilidades militares del más alto nivel, destacándose como la mano derecha de Miaja, el defensor de Madrid, y como miembro del Estado Mayor de Largo Caballero cuando este ostentaba la presidencia del gobierno. Casado inició una serie de conversaciones con miembros del Ejército Popular Republicano y políticos de todas las tendencias, desde los anarquistas de la CNT hasta los republicanos de Izquierda Republicana, de cara a forzar una especie de golpe de mano que arrinconara a los comunistas, derribando a Negrín y sustituyéndolo por un nuevo gobierno más proclive a negociar la paz. Consciente de sus actos y con todos los conjurados enterados, inició una serie de conversaciones con representantes de Franco de cara a anunciar un *pustch* anticomunista a cambio de una garantía de paz honrosa. Esperaban que, dando un golpe a sabiendas de Franco y asegurando la liquidación, no solo de la preponderancia comunista, sino incluso de su existencia en la república como partido político, Franco tuviera una pizca de compasión hacia los derrotados republicanos, algo que nunca estuvo ni remotamente dispuesto a conceder.

El día 5 de marzo de 1939 el gobierno Negrín introdujo un paquete de medidas que encendió definitivamente la mecha del levantamiento anticomunista. Los jefes del ejército y la marina republicanos fueron sustituidos en sus mandos por militares comunistas. Si bien los cambios de oficialidades y puestos no fueron excesivamente alterados, la preeminencia comunista dentro del ejército se estaba haciendo muy visible. Negrín realizó los cambios porque el gobierno tenía informes fehacientes de que algún tipo de conspiración, o al menos una demasiado amplia corriente de opinión en este sentido, se estaba tramando entre la oficialidad militar. Dispuso los cambios para asegurarse la fidelidad de los militares. Sin embargo, dentro de las filas antinegrinistas del ejército se interpretó como un verdadero golpe de estado por el que los comunistas se hacían definitivamente con los poderes militares y políticos, lo que llevaría a España a varios meses más de guerra sin cuartel para, al final, caer derrotados incondicionalmente.

Casado no se lo pensó más. El golpe se daría contra Negrín y contra el PCE, y a favor de un acuerdo de paz honroso con los nacionales. Eso de manera oficial. Oficiosamente también era el desquite de tres grupos de sensibilidades políticas contra los odiados comunistas: para los republicanos y socialistas reformistas, era la respuesta contra el intento de bolchevizar las estructuras de la administración y la creación de un estado de terror en el país; para los socialistas de izquierdas y anarquistas, la venganza por la persecución y la difamación en la lucha cruel que llevaron a cabo los comunistas, el "partido del orden", contra el desorden revolucionario; para los nacionalistas catalanes era una tardía revancha contra los atropellos del gobierno sobre sus atribuciones estatutarias. El PCE iba a pagar de golpe todas las ampollas que había levantado.

Así pues, la noche del 5 de marzo, representantes del ejército, de la CNT, de Izquierda Republicana y del PSOE se reunieron en los sótanos del Ministerio de Hacienda de Madrid para leer una proclama que se pudo escuchar por radio en todos los puntos de la geografía republicana. Al mismo tiempo, la 70ª Brigada del ejército republicano, al mando del anarquista Cipriano Mera, tomó subrepticiamente los puntos estratégicos de la ciudad en orden a liquidar con facilidad posibles resistencias de los fieles a Negrín. La proclama fue leída por los tres hombres fuertes de la sublevación: Segismundo Casado (militar), Julián Besteiro (PSOE) y el mismo Cipriano Mera (CNT). En ella acusaban abiertamente al gobierno Negrín de ser ilegítimo debido a la falta de apoyo de sus decisiones por parte de la presidencia de la república, exiliada en Francia, y por la inexistencia de la cámara de diputados. Dadas las circunstancias, los sublevados decían haber conformado un autoproclamado Consejo Nacional de Defensa que *ipso facto* se reuniría con Franco para asegurar una paz honrosa y el fin definitivo de las hostilidades. Al frente colocaron a un reticente Miaja como presidente y a una representación de todos los partidos y sindicatos del Frente Popular, a excepción del comunista.

Negrín se enteró de la noticia en Elda (Alicante), donde había instalado su gobierno provisionalmente. Completamente fuera de sí, logró hablar por teléfono con Casado, a quien destituyó fulminantemente y advirtió que su conspiración era un locura, pero el militar no se echó atrás. Comenzaba a reproducirse, dentro del campo republicano, exactamente la misma situación que en julio de 1936 atenazó a toda España. La república se dirigía estremecedoramente hacia una nueva guerra civil intestina dentro de la guerra civil española. Sin inmutarse, Casado dio la orden de detener inmediatamente a todos los dirigentes comunistas de Madrid, extendiendo la orden a toda la zona fiel a la república, donde uno a uno, los regimientos se iban adhiriendo a la conspiración. Cuenca, Ciudad Real, Valencia, Alicante… Negrín se dio cuenta en seguida de que para él todo había terminado. Si Alicante y Valencia se habían adherido a la rebelión de Casado, no cabía más que escapar de Elda hacia el exilio. Aquella misma noche, sintiendo el aliento de los casadistas casi en la nuca, se dirigió solemnemente al grupo de comunistas que aún le rodeaban y con el rostro roto pero la voz firme les soltó una frase tan simple como directa: "Señores, no podemos continuar aquí ni un minuto más, porque nos detienen". Acto seguido, y con un emocionado saludo de despedida, se dirigieron al aeródromo más cercano para huir definitivamente al exilio.

El golpe casadista triunfó en toda la república excepto en Madrid. Allí se inició una cruenta guerra civil entre casadistas y comunistas que duró casi una semana y se saldó con dos mil fallecidos. El hecho de asistir a la guerra a muerte entre los propios republicanos en las calles de Madrid debió de dejar perplejos a sus habitantes y causar honda satisfacción a los franquistas, que esperaban descansados, desde el burladero, a que los republicanos terminaran de matarse entre ellos para entrar en una ciudad abatida. Mientras tanto, en Valencia el PCE decidió no responder al golpe de Casado para no generalizar la guerra civil. Al fin y al cabo, y esto es algo que los comunistas de Madrid aún desconocían, el gobierno Negrín se había volatilizado y ya no luchaban por nada concreto. Una vez que la decisión del partido llegó a oídos del PCE madrileño, y en concreto al ejército leal, los militares comunistas cesaron el fuego. Barceló, jefe del 1er Cuerpo del Ejército del Centro y ferviente comunista, entregó las armas el 12 de marzo, lo que no fue óbice para que fuera detenido y fusilado poco después.

Con los comunistas dominados y el gobierno de Negrín en el exilio, el Comité Nacional de Defensa se aprestó a tomar contacto con los nacionales para buscar algún tipo de entendimiento. Casado se ofreció para acudir a territorio enemigo para negociar los términos de la rendición, solicitando a Franco una rendición sin represalias, una clara distinción entre el castigo de delito común y el de opinión política y un plazo de veinticinco días para que los republicanos que lo desearan pudieran abandonar España sin riesgos. El Comité tan solo solicitaba de Franco que le diera lugar, día y fecha para la reunión. Consideraban que el levantamiento que se había llevado a cabo en la república sería bien valorado por Franco, de manera que se apresuraron a tomar medidas que dejaran bien claro el anticomunismo del Comité Nacional de Defensa, desde las más directas como el cierre de los órganos de expresión comunistas y la disolución del tenebroso SIM, hasta acciones más superficiales pero simbólicas, como la eliminación de la estrella roja del uniforme republicano. Sin embargo, Franco no transigió. No estaba dispuesto a dar una paz con condiciones cuando podía derrotar completamente al adversario, de modo que su respuesta fue tan glacial como clara: "Rendición incondicional incompatible con negociación y presencia en zona nacional de mandos superiores enemigos". A los de Casado se les puso cara de bobos. Habían organizado todo un levantamiento militar para esto. Franco no se dignaba ni siquiera a recibirles. Habían hecho el primo.

Tras unos primeros instantes de indignación, el Comité tomó la difícil decisión de iniciar los protocolos de huída al exilio de la población civil y militar para después entregar las armas y firmar la rendición. El 22 de marzo enviaron el siguiente telegrama al Cuartel General de Franco: Consejo acepta rendición sin condiciones.

El 26 de marzo los carros de combate franquistas se desperezaron para arrancar de sus puestos de vigilancia en las afueras de Madrid. Avanzaron lentamente y en silencio, viendo como los soldados republicanos tiraban al suelo los fusiles a su paso. En las esquinas, banderas blancas orlaban las trincheras y los nidos de ametralladora. Los nacionales entraban en Madrid sin resistencia después de tres años de intentar tomarla por la fuerza sin conseguirlo. La capital había caído dulcemente, como fruta madura. A medida que los nacionales se adentraban por las calles de la silenciosa ciudad algunos quintacolumnistas asomaban banderas rojigualdas en sus balcones, jubilosos. Pero Madrid era una ciudad vacía, desierta, fantasmal. Sus ciudadanos la habían abandonado en dirección a Alicante o Cartagena, a los puertos del Mediterráneo republicano para escapar al extranjero. Como en la batalla de Cataluña, miríadas de personas se aglutinaron en los caminos cargando sus enseres personales en dirección a un puerto de Alicante repleto de gente deseosa de escapar, a la espera de unos barcos prometidos que nunca llegaron. Mientras tanto, los nacionales tomaban posesión de Madrid, deteniendo en su despacho al único miembro del Comité republicano que se había negado a huir: Julián Besteiro. "Que vengan –había dicho–. Me encontrarán trabajando". Y así fue. Besterio fue juzgado y condenado a treinta años de prisión, falleciendo un año más tarde en la cárcel de Carmona.

Desde Madrid los nacionales avanzaron sin resistencia hacia la costa mediterránea. Una por una, todas las ciudades que quedaban aún en manos de la república abrieron sus puertas en silencio, sin oponer un solo disparo al avance nacional. El día 30 se rindió Alicante y el 31 los quince mil hombres y mujeres que se agolpaban en el puerto fueron detenidos y muchos de ellos recluidos en campos de concentración. Para entonces, Casado y los suyos ya estaban fuera del país.

El 1 de abril de 1939, con toda España tomada por las tropas nacionales, el Cuartel General de Franco distribuyó el último parte oficial de guerra: "En el día de hoy, cautivo y desarmado el ejército rojo, han alcanzado las tropas nacionales sus últimos objetivos militares. La guerra ha terminado".

6

La paz de Franco

La nueva España

El 19 de mayo de 1939, Franco presidió el llamado Desfile de la Victoria desde un enorme podio confeccionado para la ocasión. Tras él se alzaba un monumental arco de triunfo de cartón piedra, también creado para la ocasión. Entre sus pilares lucía un enorme escudo que entremezclaba algo parecido a las armas de los Reyes Católicos con el lema "Una, Grande, Libre" y el águila de San Juan. En las dos bases del arco, unas gigantescas letras en las que se podía leer, repetida tres veces en cada una de ellas, la palabra Franco. Todo un montaje en honor, no ya del tan cacareado Glorioso Movimiento Nacional, sino de una persona, cuyo nombre aparecía nada menos que seis veces escrito en el arco del triunfo. Ningún nombre más, ninguna señal más a excepción del víctor que ornaba el podio en honor a quien lo dominaba. Un desfile en honor a Franco, no al ejército, ni a la Falange, ni al Movimiento, durante el cual se saludó brazo en alto dirigiéndose al dictador, como si de él salieran los rayos del sol. Para quienes aún creyeran que Franco albergaba intenciones de ceder el poder a la monarquía o a un grupo de militares –el directorio militar soñado por Mola–, había llegado ya, de una vez por todas, la hora de abrir los ojos. Más claro no lo podía dejar. Franco había creado un régimen a su medida, pensado exclusivamente para su persona en el que él era un elemento central e insustituible. El desfile de la victoria fue toda una demostración de egolatría multiplicada por parte de quienes rodeaban la pequeña, rolliza y ridícula figura de aquel general de bolsillo que se había hecho con el poder absoluto en toda España.

Al día siguiente Franco acudió a misa bajo palio. Era la primera vez que lo hacía, pero nunca abandonó esa costumbre hasta el día de su muerte, casi cuarenta años después. Una prerrogativa, la del palio, reservada tan solo a los reyes, lo cual deja bien a las claras la magnitud del ensoberbecimiento del Generalísimo. Nadie dijo nada, a nadie pareció parecerle mal. Franco era ya indiscutible.

España entera se llenó de retratos y lemas adulando al Generalísmo hasta cotas de ridiculez supremas. Hasta el último rincón perdido de España, allá donde ni siquiera la comida llegaba –y aún tardaría muchos años en llegar– sabían de Franco, sabían cual era su rostro y que era el nuevo dios a quien había que adorar. "Franco manda. España obedece" era uno de los lemas estúpidos y terribles

El Desfile de la Victoria escenificó la subordinación de todos los estratos de la sociedad a la figura de Franco. En la imagen, los militares rinden homenaje al nuevo emperador.

que martillearon los oídos de los castigados españoles de posguerra. Cada poco, la radio coreaba su nombre repetido tres veces, y en todos los medios de comunicación se le retrataba como el salvador de España y de la cristiandad. La adulación llegó a tal extremo que incluso los comercios se morían por demostrar fervientemente su adhesión a Franco y lo glorificaban con carteles o escritos que tuvieron que ser moderados por las autoridades, porque no era de buen tono aprovecharse de la gloria del Caudillo para vender más. Así se generó un ambiente de idolatría tan deseado como profundamente interiorizado por Franco, que llegó a pensar sinceramente que era el hombre providencial que Dios había designado para salvar a España. Tan solo Gonzalo Queipo de Llano, uno de los pocos militares veteranos que habían conocido a Franco de tú a tú, se permitía el lujo de salirse de vez en cuando por la tangente e incluso de definir a Franco con el apelativo de "Paquita la culona", un mote que no era nuevo, que ya lo tenía asignado Franco desde tiempo antes del Alzamiento Nacional, pero que nadie se atrevía a evocar. Queipo fue finalmente apartado de todos los centros de poder, comenzando por una misión a Roma, sacándole del feudo andaluz en el que tan a gusto se encontraba. Lograba Franco de esta forma liquidar definitivamente cualquier atisbo de infidelidad entre los militares.

Los inicios ideológicos del régimen fueron desesperadamente grises. Franco era muy consciente de que había que sacar una ideología de un movimiento que se había organizado "en negativo", esto es: contra el marxismo, contra la quema de iglesias, contra el nacionalismo vasco y catalán… pero que contaba con muy pocos elementos positivos que dieran un cuerpo ideológico firme al nuevo estado. En cierto modo, la España de Franco se encontró con el problema de indefinición positiva que tenía el mismo Franco en su propio mundo interior. Muchos "antis", pero poca cosa más.

El de Franco fue un régimen militar al más puro estilo de la palabra dominado por un denso manto ultraconservador que, debido a las necesidades estratégicas externas y al inicio de una guerra mundial que apuntaba una clara victoria para las potencias del Eje, intentó disfrazarse con un ropaje fascista que no lograba ocultar su realidad intrínseca. Mientras los gestos, las actitudes, la iconografía del primer franquismo eran fascistas, el contenido no lo era para nada. A partir de 1943 y decididamente a partir de la derrota nazi-fascista en

1945, ni siquiera la imagen era fascista. El predominio de la iglesia, el neoconservadurismo profundo, la falta de planteamientos revolucionarios y el apoyo total a los detentadores del capital y los empresarios, delataban un régimen de derecha radical clásico, muy alejado del fascismo de Italia y Alemania. El propio Manuel Azaña, siempre muy fino en sus apreciaciones, aseguraba que en España no iría a imponerse una dictadura fascista. Franco no llegaba a tanto, porque al fin y al cabo no era ni un político ni un intelectual, y a lo más que llegaba su régimen era a ser una dictadura clericalista y tradicionalista.

La difícil clasificación del régimen de Franco dentro de la familia ideológica del fascismo no significa que siguiera unas pautas menos represivas o directamente crueles que las de los regímenes fascistas. De hecho, las ejecuciones en masa y en general la terrible represión que se desató en la España de Franco fue mucho más terrible y numerosa que la acaecida en la Italia de Mussolini e incluso en la Alemania nazi, si descontamos el horror de los campos de concentración.

El de Franco fue un gobierno dominado por los militares y su mentalidad castrense y conservadora, no por la Falange. FET nunca se hizo dueña del estado, sino al contrario, transformándose esta en un elemento institucional más y no precisamente en el más importante ni decisivo. La omnipresencia de FET escondía una relevancia mínima de sus postulados políticos e ideológicos, y a la postre de su presencia real, ya que la mayoría de los ministros de Franco eran miembros del FET sin atisbo alguno de la radicalidad de la primera Falange joseantoniana. El proceso

Cartel de Sainz de Tejada en el que se evoca la victoria de Franco con tonos románticos.

de relegación de los falangistas más radicales siguió su curso durante los primeros años de posguerra, en un intento de amordazar determinadas ideas consideradas radicales o poco convenientes para la Iglesia, que se transformó, esa sí, en la suministradora ideológica del régimen. Por eso, al intentar definir al franquismo con algún tipo de ideología, se ha acuñado el término nacionalcatolicismo, que parece mucho más adecuado que los de fascismo o nacionalsindicalismo, a pesar del repiqueteo constante de este último término en los casi cuarenta años de dictadura. A pesar de lo novedoso de su nombre, el nacionalcatolicismo no es nada nuevo, sino más de lo de siempre: el conservadurismo más extremo y ramplón. Como dijo Eva Duarte de Perón tras la visita que realizó a España en 1947, la España de Franco era una sociedad de sotanudos y chupahostias.

La Iglesia recuperó con creces sus antiguas prerrogativas a cambio de un apoyo sin fisuras al franquismo, hasta el punto de que el estado le cedió prerrogativas como el poder juzgar sobre la moralidad de determinados actos, imponiendo una moral férrea que sin rechistar fue aplicada por un estado que se encargó de controlar las costumbres de los españoles, creando una legislación dedicada a cuidar una moral superlativa. Todo aquel que no acudiera a misa los domingos, automáticamente pasaba a encuadrarse dentro del peligrosísimo rango de sospechoso. No solamente había que ser católico, sino que había que demostrarlo fehacientemente.

El estado se introdujo descaradamente a ordenar la vida íntima de los españoles de esta y mil maneras más. En su celo por deshacer toda la obra de la república, se decretó la nulidad de cualquier actuación legal que se hubiera sancionado en la zona republicana. Compraventas, herencias, matrimonios, títulos de la más diversa índole o incluso el carné de conducir, tuvieron que ser convalidados ante las autoridades nacionales, so pena de verse obligados a realizar de nuevo la acción legal anulada. Los matrimonios celebrados legalmente por las autoridades republicanas no fueron reconocidos por las de la España nacional, de manera que los contrayentes eran considerados nuevamente solteros. Todo esto acarreó un sin fin de problemas y trabas legales a muchos hombres y mujeres que vivieron toda la guerra en zona republicana y que por ello tenían una muesca imborrable de sospecha permanentemente colgada a su espalda. Los idiomas oficiales de zonas como el País Vasco y Cataluña fueron prohibidos y ni qué decir tiene que sus estatutos respectivos fueron anulados. La única excepción, mínima, al férreo centralismo que impuso Franco fue el mantenimiento en Navarra y Álava del concierto económico que tradicionalmente habían mantenido, como premio a su fidelidad y participación destacada en la guerra civil.

España salió de la guerra con la economía destrozada. La producción descendió un 30% con respecto a las cosechas y a los resultados industriales de antes de la guerra, y perdió un tercio de su cabaña de ganado. Un país, ya de por sí miserable, quedó completamente empobrecido y endeudado con las empresas y los gobiernos extranjeros que la habían ayudado en su terrible guerra civil. De esta forma, España desarrolló más, si cabe, la típica estructura de país subdesarrollado en el que la falta de separación entre ricos y pobres era enorme, siendo los ricos muy ricos y los pobres, muy pobres. Pero además, esta vez los ricos tenían la ventaja y la conciencia clara de que habían ganado la guerra. Ellos, como clase social, como terratenientes, como empresarios, habían ganado la guerra contra los pobres y los obreros, que la habían perdido. Era el momento de que los derrotados rindieran cuentas. Los campesinos pobres se transformaron en mano de obra barata para los terratenientes, que recuperaban sus tierras con indemnizaciones y ayudas de un estado que sancionaba unos jornales míseros por los que los campesinos trabajaban de sol a sol, con una sumisión rayana en la esclavitud. Los campos de España, principalmente los de la mitad sur peninsular, comenzaban a recordar a los de principios de siglo.

Los propietarios de industrias y negocios varios recuperaron sus posesiones, beneficiándose de la situación de un proletariado manso dispuesto a trabajar por poquísimo dinero. El español medio no remontó el vuelo económico hasta los años cincuenta; hasta entonces vivió sumido en una economía de pura subsistencia que se llevó ingentes cantidades de vidas, víctimas de la desnutrición, el hambre o las enfermedades como el tifus o la lepra. La miseria era el pan de cada día y se hizo habitual ver mendigos e indigentes en gran número pidiendo a la entrada de las iglesias o desperdigados, vagando por las calles de las grandes ciudades en busca de algo que llevarse a la boca, mezclados con pandillas de niños huérfanos, descalzos y malnutridos que dormían a la intemperie y hacían pillerías a la luz del día.

A los primeros gobiernos de Franco no se les ocurrió mejor idea para paliar el bajísimo nivel de vida del español medio que anunciar a bombo y platillo una miope política de autarquía copiada del modelo mussoliniano. Esta medida iba a conllevar a medio plazo una intensificación del empobrecimiento generalizado, dando origen a las famosas hambrunas de los años cuarenta. Según los iluminados del régimen, España era perfectamente capaz de subsistir sin ningún problema alimentándose tan solo de la producción nacional. La idea era no comprar productos al extranjero, o hacerlo mínimamente, y subsistir con la enorme variedad de los productos que producía España, con los que perfectamente se podía no solo subsistir, sino crecer hasta ponerse a la altura de las grandes potencias. No comprar y vender mucho, esa era la clave. Así, el dinero se quedaba en casa mientras que entraban nuevas divisas y no se iban las que ya estaban. El país crecería hasta hacerse rico. No en vano España tenía tantos tipos de clima y vegetación diferentes y además estaba, según decían, puesta por Dios en el mismísimo centro del mundo. La demencial política autárquica de un país tan dependiente como España llevó a que los productos de los que andaba escasa, como el petróleo o los fertilizantes se encarecieran una barbaridad y a que las malas cosechas de los años cuarenta enterraran a miles de personas víctimas del hambre y la sed. Reaparecieron así las cartillas de racionamiento y el mercado negro. Tan solo la Argentina de Perón apostó por ayudar a España vendiéndole trigo, lo que salvó literalmente al país de perecer arrollado por el hambre. La supuesta prosperidad económica de la España nacional se desplomaba de golpe para dar paso a un país en ruinas que difícilmente podía rehacerse. La absorción de ciudades populosas que habían permanecido fieles a la república hasta el final, como Barcelona, Valencia o Madrid, fue un duro golpe que la economía rural y pueblerina de la España nacional acusó con fuerza, teniendo ahora que despachar enormes cantidades de alimentos y productos varios a ciudades enormes que deglutían con voracidad los escasos abastos que recibían.

En octubre de 1939, y dentro de su línea autárquica, Franco se estrenó en un puesto de trabajo por el que sería recordado por la posteridad: el de *i*naugurador de pantanos. El objetivo era la producción de energía hidroeléctrica barata. Este sería el inicio de un largo proyecto de embalses que, por fin, supusieron una acertada política dentro del desastroso maremagno de despropósitos económicos con los que se inauguró la larga dictadura de Franco.

El castigo

El régimen franquista se impuso a los españoles por derecho de conquista, razón por la que todo aquel que se hubiera opuesto al avance de los ejércitos nacionales no debía de esperar nada bueno de la dictadura. Fue un régimen confusamente vengativo y rencoroso que nunca pretendió una reconciliación entre las dos Españas. El franquismo continuó así considerando enemigos a los "rojos", y después del fin de las hostilidades militares se continuó atacando por otros medios a los que no eran de su cuerda política. Y es que, en cuestión de represión política, fue uno de los regímenes políticos más crueles del hemisferio occidental[28].

Después de la guerra, la cantidad de personas sospechosas que perdieron su puesto de trabajo fue tremenda, en un irracional intento de mantener la administración pública y la educación bajo una limpieza ideológica en la que solamente cabían fieles adictos al Movimiento. Por un decreto de 25 de agosto de 1939 se estipuló que más de un 80% de los puestos de empleo público quedaban reservados para antiguos combatientes del bando franquista o civiles que hubieran hecho grandes sacrificios por la causa nacional. Una norma que relegaba a la España que había combatido en el lado republicano, si es que no les habían encausado o metido en prisión. El gobierno franquista no reconoció al ejército republicano, de forma que sus viudas no recibieron ningún tipo de subsidio. Tampoco los sospechosos que perdieron el trabajo. Así, cualquier hoja de servicios, por muy estupenda que fuera, si procedía del ejército republicano no valía, era inexistente. Los que hicieron el servicio de armas en él tuvieron que volver a hacerlo íntegro en el nacional.

Los primeros años del franquismo, específicamente los dos primeros de posguerra, fueron momentos de auténtico terror: miles de personas

---

28 Fuera del ámbito occidental existieron una serie de regímenes políticos, como los de Mao, Stalin o Pol-Pot, que aplicaron una represión más cruel para con sus propios nacionales que el de Franco, que se quedó a años luz de estos.

–los números varían según quien los enumere, pero en todo caso, miles–, fueron juzgadas rápidamente y ejecutadas sin miramientos, generalmente frente a las tapias de los cementerios. Hacia el 85% de los fusilamientos se desarrollaron en los dos primeros años de posguerra, teniendo su pico entre 1939 y 1940, y decayendo a partir de 1941, siendo numerosos aún hasta 1945. La represión fue brutal. El dicho de que Franco firmaba sentencias de muerte entre sorbo y sorbo de una taza de café parece ser cierto, puesto que solía ser sobre esa hora, la del café, cuando le presentaban las condenas a muerte que él ratificaba firmando la "E" de enterado.

Los consejos de guerra y las ejecuciones no fueron las únicas desgracias que el nuevo gobierno extendió por toda la geografía española en los primeros años de posguerra. La España nacional había tomado una cantidad ingente de prisioneros que atestaban los centros de reclusión, tantos que no daban a basto, y los primeros campos de concentración construidos por los nacionales al principio de la guerra se multiplicaron, extendiéndose por todo el país. Los campos de concentración se crearon con una intención clasificatoria. Al tratarse de prisioneros de guerra, eran recluidos allí bajo autoridad militar y sin previa sanción judicial o legal. Una vez clasificados entre recuperables o irrecuperables, los internos de los campos eran reexpedidos a sus hogares en condiciones de libertad vigilada o, si eran juzgados y encontrados culpables, ingresados en prisión, batallones de trabajo o fusilados, según la magnitud del crimen y el humor con el que se hubieran levantado los jueces militares aquel día. En

España existieron unos doscientos campos de concentración que, debido a su labor clasificatoria, pronto cerraron sus puertas a excepción de algunos, como el de Miranda de Ebro, que albergó a internos extranjeros que huían de la Segunda Guerra Mundial. A partir de 1939-40 se puede decir que los pocos campos que quedaron en pie contenían internos extranjeros.

Como hemos señalado, los prisioneros hallados culpables engrosaban la larga lista de internos de unas cárceles que no daban a basto con tanto recluso. La masificación obligó a la apertura de nuevos centros penitenciarios, al tiempo que edificios ya construidos, como cuarteles o depósitos municipales, tuvieron que ser habilitados como prisión. En consecuencia, las condiciones de higiene y salubridad general dejaron mucho que desear. Esto, unido al hacinamiento y la falta de preocupación sanitaria y de efectivo clínico en las prisiones, produjo la expansión de una innumerable cantidad de enfermedades, como el tifus o la disentería, que diezmaron a la población reclusa; los que no morían a causa de las enfermedades lo hacían de frío o de hambre.

Las condiciones variaban según la prisión y el talante del director o responsable de la misma, pero en general fueron espeluznantes, habiéndose dado casos de cárceles en las que no había más que una letrina para cada mil internos. Por supuesto, las torturas, las vejaciones, la corrupción y las arbitrariedades de todo tipo fueron una constante. No se hacía distinción alguna entre una abrumadora mayoría de reclusos políticos y los presos comunes, siendo todos ellos considerados delincuentes. Franco no reconoció en ningún momento un estatus diferente del de delincuente común a quienes habían combatido en el ejército de la república o participado en un partido de izquierdas. Mención aparte merece la triste realidad de los que se ha venido a llamar los "niños perdidos" del franquismo, hijos de reclusas que al cumplir los tres años fueron apartados de sus madres y expedidos a hospicios o similares bajo la tutela del Estado. Algunos de ellos no volvieron a ver a sus familias.

A partir del año 1941-43 el número de internos que integraban el sistema penitenciario español disminuyó notablemente, principalmente a causa de una serie de excarcelaciones en forma de indulto o cumplimiento de la pena. Muchos de estos últimos salieron antes de lo previsto por haberse acogido al sistema de redención de penas por el trabajo, por el cual se prometía a los reclusos la reducción de la pena a cambio de realizar labores generalmente de obras públicas para el estado o para empresas que contrataban los servicios de los trabajadores penados. La voluntariedad de dicho programa a veces ha sido puesta en entredicho, porque hubo personas que fueron incluidas para trabajar sin su consentimiento, pero en general sí que fue un trabajo voluntario. El sistema tenía como eje vertebrador al Servicio de Colonias Penitenciarias Militarizadas, que trasladaba y controlaba a los presos en su destino laboral, y el Patronato de Redención de Penas por el Trabajo, que se encargaba de proporcionar los presos a las diferentes colonias penitenciarias según sus aptitudes. De esta manera, los presidiarios acogidos a esta medida fueron utilizados en régimen de semiesclavitud para el desarrollo de una gran cantidad de labores, entre las que destacan gigantescas obras como la de la construcción de grandes canales de riego en zonas como Andalucía, La Mancha o Extremadura, lo que aumentó notablemente la producción y alteró sustancialmente el sistema agrícola de estas regiones, dotándolas de un regadío extenso y eficaz. Asimismo, las obras hidroeléctricas con las que Franco quiso hacer económicamente autosuficiente a España deben su existencia a los trabajadores penados, que ejecutaron trabajos por valor total de dos mil millones de pesetas de las de antes. Igualmente, los trabajadores penados fueron utilizados para la construcción de carreteras y vías férreas, la reconstrucción de núcleos urbanos o el trabajo en talleres de producción. Las obras del Canal del Bajo Guadalquivir, la línea férrea Barcelona-Ripoll, algunos tramos de la carretera Madrid-Badajoz, la perforación del túnel de Figueras, la reconstrucción de Teruel o Guernica y la construcción del mausoleo del Valle de los Caídos fueron obras realizadas por prisioneros en régimen de semiesclavitud.

Para el disfrute de la reducción efectiva de la pena, el trabajador debía de observar una estricta serie de normas de las que no podía librarse. En caso de indisciplina o de incumplimiento de las mismas, podrían verse castigados con multas o incluso a quedarse sin ningún tipo de retribución económica ni reducción de pena. La redención se calculaba según el trabajo realizado, el tiempo y la conducta. Se llegaron a conmutar hasta seis días por día trabajado, e incluso hubo casos en los que hubo redenciones extraordinarias.

La puesta en práctica del plan de redención de penas por el trabajo supuso un negocio redondo, tanto para los empresarios como para el Estado. Para los primeros, alquilar trabajadores al Estado a bajo coste suponía una ventaja considerable desde el punto de vista de los beneficios. Para el Estado el beneficio era mayor: al ceder la fuerza de trabajo de los presos por 10,50 pesetas al día como precio del preso ordinario[29], cincuenta céntimos se ingresaban en una cartilla abierta a nombre del penado de la que podría disponer una vez que hubiera salido de prisión. Las restantes diez pesetas se distribuían de la siguiente forma: cinco se destinaban al sustento del penado (alimentación, ropa y demás) y cinco para el Estado, como beneficio. Así, el Estado lograba varias ventajas: la obtención de dinero por medio del alquiler de los presos, la construcción de obras necesarias que de otro modo hubieran salido mucho más caras y la gratuidad del mantenimiento del preso, que se lo pagaba con su propio trabajo.

Fueron numerosas las empresas particulares que hicieron uso de penados alquilados al estado para trabajar en sus obras, aunque siempre que demostraran que los beneficios no iban a ser suficientes si se contrataba a obreros libres. Además de empresas particulares, el ministerio de obras públicas y específicamente la Dirección General de

29 Había presos especializados, como médicos o técnicos, que cobraban más dinero, hasta 4 pesetas al día, pero siempre recibiendo una cantidad inferior al jornal de un trabajador que desarrollaba un trabajo similar.

Regiones Devastadas fue uno de los principales clientes de este sistema.

El modelo de trabajadores penados fue definitivamente bestial e interesado, sin embargo, en honor a la verdad hay que decir que no era la primera vez que se aplicaba, ni había sido invento de los franquistas. Los nazis, la URSS, e incluso regímenes democráticos lo habían puesto en práctica, y dentro de la propia república española en guerra, el SIM controló una red de campos y colonias penitenciarias en las que trabajaron, en condiciones parecidas, tanto derechistas como anarquistas o miembros del POUM.

Los exiliados

Para un número muy importante de la población española, aquella que se había implicado de corazón con la causa republicana, llegaba la hora de enfrentarse a un nuevo problema fuera de las fronteras de España. El exilio es siempre doloroso, pero lo es aún más cuando, tras rebasar las fronteras de la nación vecina, a uno le obligan a estar retenido tras una alambrada a la espera de que lo clasifiquen, como a los conejos o las vacas. La entrada masiva de españoles en Francia desbordó todas las previsiones del gobierno francés, que no supo hacer frente con suficiente dignidad a la marea humana que arribaba a sus fronteras.

La solución provisional fue habilitar campos de concentración donde se mantendría encerrados a los españoles hasta decidir una solución mejor. Por una parte, el gobierno francés consideraba que por un simple hecho de solidaridad humana había que recoger y mantener a los refugiados, sin embargo soportaba una importante presión por parte de políticos y medios de comunicación simpatizantes con la derecha que, día sí y día también, acusaban a su gobierno de acoger a la escoria de Europa, pintando a los republicanos españoles como una banda de ladrones y asesinos sin moral. La situación no era satisfactoria para nadie. El gobierno francés sabía que tenía que acogerlos, pero al mismo tiempo quería librarse cuanto antes de semejante problema, de manera que, si bien no fomentaron, sí que animaron a quienes se mostraban proclives al regreso a España a que lo hicieran.

La situación en los campos fue penosa. Consistían en unas alambradas protegidas por militares, generalmente tropas coloniales de senegaleses fuertemente armados, que se habían instalado en las playas del Mediterráneo francés. Al principio no contaban ni siquiera con barracones para pasar la noche, y por supuesto ni asomo de agua potable o luz eléctrica, de forma que los exiliados españoles tuvieron que superar el calor y el frío como podían, pertrechados solamente de los enseres que traían de sus casas. Las enfermedades se propagaron rápidamente y muchos refugiados fallecieron sin ayuda médica en los que han pasado a llamarse los "campos del desprecio".

El primero de ellos fue el construido en Argelès-sur-mer, un campo que en seguida se quedó pequeño –los franceses recibieron como a medio millón de exiliados en tan solo tres semanas– y tuvieron que abrirse nuevos campos de urgencia, como los de Saint-Cyprien y Le Barcarès, hasta que se dieron cuanta de que era necesaria la construcción de una auténtica red. El más grande y conocido de los campos franceses fue el de Gurs, muy cerca de Pau, que sería tristemente conocido no solamente por este capítulo de la historia sino porque pocos años más tarde, en la etapa de Pétain, fue utilizado como plataforma desde donde muchos judíos y disidentes políticos fueron transportados a la Alemania nazi para ser asesinados o internados en los campos de exterminio. A finales de 1939, el sistema de campos había mejorado en condiciones higiénicas, sanitarias y de habitabilidad, y había crecido hasta acoger a unos setenta mil internos. Las mujeres, enfermos y niños, ya habían sido trasladados a casas de acogida dispersadas por todo el territorio francés.

Como sistema provisional que era, los campos fueron vaciados con rapidez y en seguida muchos de sus internos fueron redistribuidos por diferentes localidades francesas o, en muchos más casos de lo que cabe imaginar, reexpedidos a la España nacional por propia voluntad. Los franceses tomaron la precaución legal de hacerles firmar un documento por el cual los refugiados "devueltos" aseguraban que lo hacían por propia voluntad, no coaccionados por las autoridades del país.

La propaganda franquista fue muy fuerte en el sur de Francia y aseguraba que los españoles de buena fe, los que no habían cometido delito alguno, no tenían nada que temer de la nueva España, que estaba dispuesta a acogerles con los brazos abiertos. Lo que muchos no imaginaban es que para los franquistas el haber pertenecido o colaborado con un partido de izquierdas era considerado delito grave, de manera que los que retornaron pensando tan solo en buscarse un trabajo y rehacer su vida se encontraron, de nuevo, tras la alambrada de un campo de concentración a la espera de ser clasificados, juzgados y encarcelados.

El inicio de la Segunda Guerra Mundial en Europa supuso un duro golpe para los exiliados que permanecían aún en Francia. Los considerados peligrosos –comunistas y anarquistas– fueron recluidos de manera preventiva otra vez en los campos, y los demás instados a unirse al ejército francés o a engrosar las compañías de trabajadores que desarrollaban labores de auxilio para el ejército. Los franceses habían decretado la movilización de todos los extranjeros que se hallaran en su territorio, y eso atañía a los republicanos exiliados. Sin embargo, la pronta derrota de Francia y la creación de la Francia de Vichy, un régimen títere de los nazis, obligó a la mayoría de los españoles a enfrentarse a una especie de reexilio. Los republicanos ya no estaban seguros en una Francia ocupada en la que nazis y falangistas pululaban a sus anchas a la caza y captura del republicano. La mayoría de ellos optó por la escapada a Latinoamérica, principalmente con destino México, y los que no pudieron huir fueron hechos prisioneros, terminando muchos de ellos sus días en el campo de exterminio nazi de Mathausen, que acogió al grueso de los exiliados. El rencor de las nuevas autoridades españolas contra los derrotados se hizo patente en el hecho de que, cuando los nazis les preguntaron sobre el destino de los más de siete mil republicanos capturados, Franco se desentendió completamente de ellos afirmando que el gobierno ya no los consideraba españoles. En consecuencia, fueron internados masivamente en los campos nazis.

La mayoría de los republicanos españoles pudieron escapar de las persecuciones y deportaciones que se estaban practicando en la Europa en guerra gracias a las buenas labores del gobierno mexicano. Cárdenas, a la sazón presidente de México en aquella época, era un apasionado defensor de la república española, siempre lo había sido y tras la derrota no quiso dejarlos en la estacada, volcándose extraordinariamente con ellos. El gobierno azteca puso en marcha a sus diplomáticos para acordar con Pétain un acuerdo que permitiera a los republicanos salir de Francia para ser acogidos en México. A cambio de ello, Vichy acordó suavizar la persecución.

Con más intención que posibilidades económicas reales, México se convirtió en el adalid de la solidaridad con los refugiados republicanos, y anunció solemnemente que sus fronteras estaban abiertas de par en par para todos ellos, sin dejar ni uno. Además de esto, la embajada mexicana alquiló varios edificios en la Francia de Vichy donde, protegidos por la inmunidad diplomática, fueron acogidos cientos de refugiados españoles que se salvaron así de caer en manos de los agentes franquistas o de la Gestapo. Desde allí fueron reexpedidos a México, convirtiéndose este país en el núcleo central de la emigración republicana a nivel mundial.

La legación diplomática mexicana hizo esfuerzos imposibles por poner a cubierto al que durante toda la guerra fue presidente de la república española, Manuel Azaña. Se le intentó convencer de muchas maneras que era importante que abandonara Francia para ser trasladado rápidamente a México. Azaña era uno de los elementos más buscados por las autoridades franquistas y allí no estaba seguro. Sin embargo, el veterano político, moralmente hundido y muy delicado de salud, se negó a ser trasladado. A pesar de la protección mexicana, el riesgo de que fuera deportado a un campo nazi o repatriado a España para ser fusilado era muy grande. Eso fue precisamente lo que le ocurrió al presidente de la *Generalitat*, Lluís Companys, fusilado en la ciudadela del castillo de Montjuic, en Barcelona, tras ser detenido por la Gestapo y trasladado a España.

Azaña, como Companys, se encontraba en la lista de los más buscados por Franco y no debía de esperar ningún tipo de compasión. Era consciente del riesgo, pero su estado moral y de salud le impelieron a no dar su brazo a torcer. No pudo ser sacado de Francia. La providencia quiso que antes de que diera tiempo a que le hicieran prisionero sufriera un derrame cerebral (15 de septiembre de 1940), muriendo (4 de noviembre de 1940) en la pequeña ciudad de Montauban, donde fue enterrado y aún hoy reposan sus restos. El funeral de Manuel Azaña contiene una anécdota significativa: las autoridades francesas no aceptaron que la enseña republicana cubriera el féretro de Azaña por considerar que aquella bandera no representaba a ninguna nación y que en todo caso, el ataúd habría de cubrirse con la rojigualda, la que estaba reconocida legalmente como bandera española. Semejante posibilidad era impensable. Enterrarle cubierto por la bandera franquista sería una ultraje póstumo a quien luchó por los ideales republicanos y de la democracia en España, y hacerlo sin nada una aceptación tácita de su muerte como un don nadie. Para solventar el problema, el embajador mexicano hizo un último homenaje a Azaña, colocando sobre el féretro del presidente la bandera de México. "Lo cubrirá con orgullo la bandera de México –dijo–. Para nosotros será un privilegio; para los republicanos, una esperanza; y para ustedes, una dolorosa lección".

Si bien el grueso del exilio republicano, entre políticos, intelectuales y gente corriente, se había asentado en México gracias a las facilidades del gobierno de Cárdenas, los destinos de los exiliados republicanos tomaron caminos de lo más variado, siendo también importantes los contingentes refugiados en tierras chilenas, dominicanas y en menor medida argentinas, venezolanas y colombianas. El caso de Chile se comprende por la afinidad ideológica que suponía la entrada al poder del nuevo gobierno del Frente Popular; sin embargo el de la República Dominicana, regida por la cruel dictadura de Leónidas Trujillo, resulta muy extraño por la fuerte tendencia antirrepublicana que había mostrado durante la guerra civil española. La explicación parece estribar en la necesidad que el país tenía de colonos agrícolas y de nuevos aportes intelectuales, además de cumplir con el sempiterno objetivo de blanquear la raza, tan obsesivo en las culturas del caribe. También el caso argentino resulta peculiar en cuanto que fue la única nación del mundo que después de la guerra mundial apoyó tácitamente a la España franquista y la salvó literalmente de perecer víctima del hambre. La Argentina de Perón tan solo acogió a dos mil quinientos exiliados, de los cuales la gran mayoría eran vascos. La preferencia argentina por los vascos se comprende por su catolicismo intransigente, porque eran gentes de orden y porque, al fin y al cabo, un elevado número de la clase dirigente argentina tenía orígenes familiares vascos. Igualmente ocurrió en el caso de Venezuela.

El exilio republicano en tierras americanas no se libró de las diferencias políticas que atenazaban a la república en los últimos días de la guerra. Se organizaron diferentes organismos de ayuda al exiliado que costearon en parte o en su totalidad el pasaje a América, además de ocuparse del pago de subsidios y ayudas de diversa índole. Entre ellos destacaron el Servicio de Evacuación de los Republicanos Españoles (SERE) y la Junta de Auxilio a los Republicanos Españoles (JARE). Ambas organizaciones cubrían la misma necesidad y compitieron entre sí, sin reconocerse la una a la otra más que en momentos de necesidad absoluta. Era un claro reflejo de la ruptura gestada en la guerra entre los negrinistas (SERE) y el grueso reformista o anticomunista, liderados indiscutiblemente por Indalecio Prieto, que manejaba a la JARE. Los gobiernos vasco y catalán también administraron sus propios recursos y organizaciones para el traslado y la ayuda económica y social de los exiliados fieles a sus postulados políticos, dándose así una multiplicidad de organizaciones dedicadas a lo mismo que, en muchos casos, se hacían la competencia entre ellas.

LA VICTORIA DE PRIETO

El exilio republicano no se vio libre de las controversias y enemistades que lo cubrieron en los años de la guerra civil. El enfrentamiento interrepublicano se produjo principalmente entre Negrín y Prieto, como resultado de la formación de dos grandes bloques enfrentados que corresponden más o menos a los formados en el último año de la guerra, tras la dimisión de Prieto. El orondo socialista nunca olvidaría aquel hecho y desde ese momento enarboló la bandera antinegrinista, juntando tras de sí a todo el complejo opositor. Para Prieto, la república había muerto y no cabía ningún tipo de esfuerzo para su restablecimiento. Prefería trabajar para favorecer un acercamiento con los grupos monárquicos e incluso falangistas del interior, a fin de establecer un gran acuerdo nacional contra la España de Franco, sin desechar una solución monárquica para la España futura. Por supuesto, era contrario a cualquier acatamiento a un gobierno, el de Negrín, que consideraba ilegítimo y fenecido. Negrín, sin embargo, se empeñó en mantener una ficción de legalidad republicana actuando con la vitola moral de presidente del gobierno, a pesar de la fuerte oposición que tenía enfrente y del inseguro apoyo de los comunistas.

En julio de 1939, la Diputación Permanente de las Cortes republicanas, reunida a instancias de Prieto, declaró oficialmente disuelto el gobierno de Negrín, atribuyéndose ella misma el poder ejecutivo de forma provisional, hasta una posterior reunión formal de las Cortes para la formación de un nuevo ejecutivo. Los negrinistas consideraron acertada-

Indalecio Prieto, representante del ala moderada del Partido Socialista y enemigo declarado de Negrín y los comunistas desde su dimisión del cargo de Defensa Nacional.
En México jugó un papel muy importante de cara a aglutinar al exilio bajo su férula, refundando un nuevo PSOE más pragmático, partidario de llegar a un acuerdo nacional entre españoles de diferentes tendencias.

mente que la Diputación Permanente se había excedido en sus atribuciones, de forma que no acataron su resolución, dándose así la paradoja de la existencia de dos poderes republicanos contrapuestos, que se daban la espalda y se ignoraban entre sí.

Tras la ocupación nazi de Francia, el grueso del exilio republicano recaló en México, al mando de Indalecio Prieto, que va a ser la gran figura de los republicanos mexicanos. A riesgo de perder influencia sobre los republicanos, Negrín tomó la opción de refugiarse en Londres, tan solo arropado por un puñado de fieles. Cabía la posibilidad de que el hecho de hallarse cerca de las autoridades británicas, donde se estaban refugiando los gobiernos legítimos de las naciones invadidas por los alemanes, pudiera darle un sesgo de legitimidad ante ellas y poder ser así reconocido como jefe de un gobierno republicano reestablecido tras la derrota de las potencias fascistas. Sin embargo, las esperanzas de Negrín se vieron truncadas desde el primer momento. En primer lugar, porque el astuto *premier* Winston Churchill adivinaba que tras la derrota del Eje, el enemigo directo sería la URSS y qué mejor aliado para ello que la España de Franco. En segundo lugar, porque Negrín no tenía un respaldo considerable para presentarse con cierto tinte de legitimidad: los comunistas españoles se habían inhibido de la postura proaliada de Negrín debido a las consignas emanadas desde Moscú de no intervenir en una guerra a la que ahora tildaban de "interimperialista", y que solo se transformaría de nuevo en lucha activa contra el fascismo cuando los nazis rompieron el pacto de no agresión con la URSS.

El PCE y el PSUC mantuvieron durante los primeros años del exilio y la clandestinidad un nivel ciego de obediencia a las directrices emanadas desde la Komintern, siendo el español uno de los partidos comunistas más fervientemente estalinistas de Europa[30]. Cuando tuvo que mantener una absurda neutralidad en el conflicto mundial lo hizo, y cuando recibió ordenes de tomar parte activa en él, también. Los comunistas españoles han pasado por ser uno de los grupos militares y guerrilleros más activos, fieles y disciplinados de la historia de España, llegando a límites de obediencia tan elevados como el caso del excombatiente republicano y agente soviético Ramón Mercader, que cumplió fielmente las ordenes de Stalin cuando recibió el encargo de asesinar a León Trotsky[31].

Mientras Negrín intentaba un reconocimiento político que nunca iba a lograr, Prieto, desde México, aferró con fuerza las riendas del exilio republicano, reestructurando al mismo tiempo al PSOE a su imagen. Quería un PSOE "contra" Negrín, logrando formar una nueva dirección en la

30 La ortodoxia del PCE con respecto a las directrices soviéticas sufrió un giro radical durante los años setenta. En 1975, los partidos comunistas de España e Italia firmaron una declaración por la que rechazaban el modelo soviético, declarándose partidarios de un sistema democrático. Es el origen del llamado eurocomunismo y una de las claves del éxito de la transición española.

31 Ramón Mercader (1914-1978) fue un activo militante del PSUC que combatió en la Guerra Civil Española. Fervientemente comunista, actuó como espía para los servicios secretos soviéticos. Murió el año 1978 en Cuba, donde fijó su residencia.

que ocupó un puesto, aunque moralmente ya era el líder indiscutible. Negrín no quería darse cuenta de que estaba siendo marginado e imperceptiblemente expulsado del nuevo PSOE de Prieto. En 1943 Prieto se aseguró la continuidad generacional de su PSOE con la formación de unas nuevas Juventudes Socialistas sin relación ni dependencia alguna con los comunistas. Las nuevas juventudes eran fieles a un Partido Socialista de nuevo cuño que aborrecía, como Prieto, a los comunistas y a todo lo que tuviera que ver con ellos, prefiriendo el acercamiento a los sectores del republicanismo moderado y a los monárquicos. El mismo año, los prietistas formaron la Junta Española de Liberación (JEL), una especie de agrupación política que reunió a todos a excepción de negrinistas, anarquistas y comunistas. El rival negrinista del JEL se constituyó con la denominación de Unión Democrática Española (UDE), y con el apoyo de un importante núcleo de Izquierda Republicana y de los comunistas quienes, sin embargo, ya habían organizado desde 1942 una poco exitosa Unión Nacional Española (UNE). La UNE comunista se había formado para luchar directamente contra el franquismo a base de ataques sorpresivos de guerrilla, organizando incluso una novelesca invasión a través del valle de Arán. Sin embargo, tanto las intenciones militaristas de lucha a muerte, como el hecho de que era una organización nacida del PCE, llevaron a que ninguno de los partidos republicanos del exilio apoyara a la UNE.

La situación de enfrentamiento abierto e ignorancia mutua entre los sectores negrinista y prietista del exilio republicano llevó a que el 17 de agosto de

1945, en México, se celebrara por primera vez fuera de territorio español una sesión de las Cortes republicanas. Para los prietistas la reunión era necesaria habida cuenta de que para ellos la república estaba sin gobierno, siendo ocupadas sus labores provisionalmente por la Diputación Permanente. Para Negrín el gobierno seguía existiendo, pero comprendía que estaba moralmente deslegitimado y que la mayoría de los exiliados le habían dado la espalda. Nada mejor que el encargo oficial por parte del presidente interino de la república, Diego Martínez Barrio, de formar gobierno para que Negrín fuera de nuevo reconocido legítimamente como presidente del gobierno. En consecuencia, Negrín dimitió para, previo acuerdo, recibir el encargo de boca de Martínez Barrio. Así fue.

Sin embargo, la reacción de los prietistas fue tajante: no tomarían parte en un gobierno liderado por Juan Negrín. En ningún caso. Ante el ultimátum prietista, los comunistas y negrinistas subieron un peldaño la tensión al anunciar que no moverían un dedo sin la participación de Negrín en el futuro gobierno. Semejantes planeamientos obligaron a Martinez Barrio a optar por una salida intermedia, ofreciendo el gobierno al republicano Giral y la vicepresidencia y el ministerio de estado a Negrín. El poder que se ofrecía a Negrín era considerable, hasta el punto de que algunos observadores consideraron que representaba una auténtica copresidencia del gobierno. Sin embargo, Negrín no transigió. Exigía la presidencia o nada. Tras agotadoras negociaciones a varias bandas, Martinez Barrio tomó la decisión de prescindir de Negrín ofreciendo un gobierno a Giral en el que no tomaron parte negrinistas ni comunistas. Con este ultimo acto de las cortes republicanas, y de manera inesperada para el político socialista que creía poder liderar un nuevo gobierno con facilidad, se certificó la muerte política de Juan Negrín. Su última iniciativa política de relieve tuvo lugar en el año 1955, cuando, por medio de su hijo Rómulo, entregó a la España de Franco toda la documentación relativa a las ventas, traslados y demás acciones llevadas a cabo con el oro de Moscú.

Los gobiernos autónomos de Cataluña y el País Vasco también mantuvieron en el exilio una estructura administrativa más o menos continuadora de lo que habían sido aquellas instituciones durante la guerra. En el caso catalán, el fusilamiento del *president* Companys en 1940 obligó a buscar un nuevo representante institucional que fue hallado en Josep Irla. El nuevo presidente tuvo que hacer frente a un gobierno catalán paralelo denominado Consejo Nacional de Cataluña que instaló su sede en Londres, desde donde dirigió grupos de exiliados catalanes, paralelamente a la *Generalitat* de Irla. El Consejo se había fundado a finales de julio de 1940 a raíz del caos producido por la invasión nazi de Francia. Por medio de ambos organismos se verificaban las diferencias entre una *Generalitat* proclive al pactismo y al mantenimiento del estatus originado a partir de la legalidad estatutaria republicana, y el autodeterminismo del Consejo de Londres, más partidario de la separación con respecto a la república. Sin embargo, la lealtad institucional pudo más y el hecho de que el Consejo Nacional estaba realizando labores que suplantaban a la *Generalitat*, que era reconocida por todos como el organismo legítimo como representante de los catalanes en el mundo, hizo que después de mucho tiempo de largas vicisitudes, el Consejo admitiera tácitamente la legitimidad del gobierno catalán procediéndose a su disolución (1945).

Para cuando los nacionalistas catalanes probaron el amargor del exilio, los nacionalistas vascos, derrotados del 1937, habían creado ya estructuras de acogida y traslado de niños y refugiados vascos en diferentes naciones, principalmente en Francia y Bélgica. Sin embargo, la ocupación nazi de Francia obligó a desviar a un enorme contingente de exiliados vascos a tierras de acogida americanas y desarboló al gobierno vasco, dispersando a sus integrantes por diferentes países. Sin conocimiento alguno sobre el paradero del *lehendakari* Aguirre, desaparecido entre el maremagno de la ocupación nazi, un grupo de nacionalistas vascos reunidos en Londres bajo el liderazgo de Irujo formaron con fecha 11 de julio de 1940 el Consejo Nacional Vasco, una institución que realizó interinamente las funciones del gobierno vasco hasta que se clarificasen las cosas. Mientras tanto, Aguirre se hallaba inmerso en una rocambolesca huida por la Europa ocupada que le hizo establecerse nada menos que en Berlín, la capital del Tercer Reich, bajo la falsa identidad de José Andrés Álvarez Lastra, abogado panameño, desde donde embarcó en dirección a Suecia para terminar escapando a Nueva York. En cuanto el Consejo Nacional de Londres tuvo conocimiento de la presencia del *lehendakari* en América se puso a su disposición, procediéndose a su disolución para la conformación de un nuevo Gobierno Vasco a partir del 28 de enero de 1942.

La consolidación de la dictadura

Los años de la Segunda Guerra Mundial sumieron a la política exterior franquista en un extraño juego de malabares que llevaron a España a pasar de la neutralidad a la no beligerancia, para terminar retornando a la neutralidad, al apercibirse de que el Eje iba a perder la guerra. El franquismo se reconocía como deudor de las potencias nazi-fascistas, de hecho debía su existencia a ellos; sin embargo, nunca dejó de practicar un juego a varias bandas a fin de tener todos los flancos cubiertos. Si bien las simpatías franquistas por los regímenes nazi y fascista parecían diáfanas cuando estaban ganando la guerra, una vez que esta dio un giro y se puso de cara a los aliados, Franco reculó manteniendo las distancias para con los del Eje e incluso dándoles la espalda para presentarse frente a los aliados como un régimen conservador y cercano a los intereses de las potencias aliadas.

Al contrario de lo que insistieron los propagandistas del régimen, en los primeros años de la guerra mundial Franco estaba dispuesto a integrarse en la guerra junto al Eje, el bando que consideraba claramente vencedor. Su objetivo era hacerse un sitio en el nuevo orden nazi y sacar tajada del reparto del pastel de los imperios británico y francés. Exigió a los alemanes unas compensaciones territoriales excesivamente inflamadas por sus ansias imperiales, solicitando a Hitler un imperio en África a cambio de su participación en la guerra. Hitler consideraba que las exigencias españolas no tenían nada que ver con el pobre papel que podía ofrecer un país empobrecido y en ruinas como España, y prefería más un apoyo económico español a base de aportación de productos y materias primas, que una participación militar, por la que posiblemente España sería más una carga que una ayuda. Las deudas que Franco debía a las potencias del Eje eran disparatadamente altas, y mientras Italia le puso facilidades para pagar a plazos los más de siete mil millones de liras que adeudaba, los alemanes prefirieron además introducirse en el mercado español y comprar en propiedad minas con destino exclusivo a Alemania. Unas deudas que España anuló unilateralmente cuando las potencias del eje fueron derrotadas en 1945.

En el interior, la oposición antifranquista estaba totalmente desaparecida a excepción de una serie de grupos guerrilleros, autónomos o con cierto apoyo exterior que pasaron a ser conocidos por el nombre de maquis, un término derivado del francés *maquisard* (guerrillero). Asturias-León, donde durante varios años casi dos mil guerrilleros estuvieron dando trabajo al ejército y la Guardia Civil, Levante-Cataluña, Andalucía por su potencial revolucionario y los Pirineos por su cercanía a Francia, fueron los principales focos de guerrilla antifranquista, que si bien nunca llegaron a poner en peligro el dominio incontestable del régimen, dieron quebraderos de cabeza a los soldados y fuerzas del orden hasta los años cincuenta. Las organizaciones que apostaron por el maquis fueron las de izquierda radical –comunistas y anarquistas–, siendo los comunistas quienes más contingentes y dinero aportaron. A pesar de algunas acciones tan espectaculares como la colocación de una bomba en la sede de la vicesecretaría de

Educación Popular, en Madrid, o la mencionada penetración de un ejército de cuatro mil hombres por el Valle de Arán con el objetivo de conquistar Lérida, las acciones de los maquis no afectaron al cuerpo del régimen más de lo que hace la picadura de un mosquito. Los repetidos intentos de reconstitución del Partido Comunista en España resultaron fallidos y fueron severamente castigados. Tristemente célebre es el caso de las trece mujeres –varias de ellas menores de 21 años, el límite de la minoría de edad en la época– que fueron fusiladas junto con cuarenta y tres hombres por haber participado en la reestructuración de las JSU[32].

Sin embargo, no todas las amenazas contra el régimen y contra la misma persona de Franco, procedían de los sectores republicanos. Los falangistas radicales de primera hora que aún quedaban en el interior llegaron a preparar un atentado nunca realizado contra el Caudillo, apoyados por señalados sectores del partido nazi. Y es que las disputas entre los diferentes sectores del Movimiento Nacional aún no se habían terminado de diluir en la sopa incolora de Franco. Seguía habiendo enfrentamientos entre falangistas y carlistas, representantes de ideologías netamente contrarias entre sí, que llegaron a veces a la sangre, como ocurrió en el caso del teniente carlista que fue asesinado a tiros por un comando falangista en Irún. En la basílica de Begoña, en Bilbao, el 16 de agosto de 1942 un grupo de falan-

---

32 El caso ha sido recientemente recuperado por la película *Las trece rosas*, basada en la investigación de Carlos Fonseca titulada *Trece rosas rojas*.

gistas lanzó dos granadas de mano contra la comitiva de carlistas que salía de misa para honrar a sus caídos. El resultado fue de más de un centenar de heridos y una orgía de lemas derechistas, monárquicos y antifalangistas mezclado con un caos que los carlistas prometieron devolver. El carlista José Enrique Valera, ministro del Ejército, se libró de milagro de los efectos de las granadas y se dijo que la acción falangista tenía la clara intención de atentar contra él. Así lo vio también el ministro de Gobernación, Valentín Galarza, quien exigió un castigo ejemplar a la Falange, llegando a exigir su disolución.

Como era habitual, la prensa no se hizo eco de semejante desaguisado, pero Franco tomó buena nota. Juan Domínguez, el responsable material del atentado, fue ejecutado y a partir de entonces se inició un proceso depurativo en el seno de FET de las JONS que eliminó sistemáticamente cualquier atisbo de radicalismo falangista. En tan solo cinco años se expulsó a más de seis mil personas del partido. El bilbaíno José Luis Arrese fue el artífice de la última y definitiva domesticación del falangismo, al sustituir a Serrano Súñer en el liderazgo de la FET y organizar desde aquel puesto una limpieza ejemplar.

Ya no había atisbos de oposición para Franco. Se había creado en torno a sí una capa de seguridad tan impermeable que su poder resultaba a todas luces incontestable. Y mientras Franco saboreaba su victoria total, en España se sufría verdadera necesidad, hambre, falta de ropa y un incremento terrible de la prostitución –irónico en un régimen tan mojigato– a cambio de unas pocas monedas que ayudaran a superar la terrible situación para dar de comer a la familia. El sacrificio que un elevado número de amas de casa tuvo que hacer al recurrir a la prostitución, con el objetivo de ayudar a la hundida economía familiar, es uno de los ejemplos más escalofriantes de lo que ha sido definido como los "años del hambre".

A partir de 1945 el régimen, seguro de sí mismo, promulgó una larga serie de leyes que, al tiempo que relajaban en buena medida la dureza de la dictadura, se iban a transformar en la base de la estructura política definitiva del régimen franquista. Con la promulgación del Fuero de los Españoles en 1945, se tipificaron y quedaron establecidos para el resto del tiempo que durase el régimen los derechos y deberes de los ciudadanos, base de la convivencia de la España de Franco. El Fuero asentó definitivamente un sistema político decididamente alejado del fascismo, para dar rienda suelta a unas leyes inspiradas en un catolicismo militante muy girado a la derecha.

Una nueva serie de articulados legales hicieron a la dictadura algo más respirable para los españoles, sancionando derechos como el de la libertad de residencia, una pequeña relajación de la censura o la libertad de reunión o de expresión de ideas políticas, siempre que no contradijeran el espíritu del Movimiento Nacional. Semejantes "libertades" hoy en día suenan a chiste, sin embargo el hecho de que el Fuero de los Españoles supusiera una relajación importante en la vida de los españoles trae al caso la situación terrible en la que vivían antes de 1945. A partir de aquel año los españoles pudieron vivir un poco más desahogados.

El año 1945 también trajo consigo la promulgación de una amplia amnistía que dio la libertad a la mayoría de los presos. Las cárceles se desinflaron de internos y España dejó de ser una prisión para convertirse en un cuartel donde todo el mundo podía vivir con relativa tranquilidad si no cometía el error de pensar por sí mismo. El mismo año fue abolida la obligatoriedad del saludo fascista, que solamente volvería a surgir, dentro de los sectores más reaccionarios, en los últimos años de la vida de Franco y después, durante la etapa de la transición.

Los cambios operados en el régimen fueron más cosméticos que reales. De eso no hay duda. La libertad individual y colectiva seguía cercenada, y el poder se mantuvo monolíticamente en manos de Franco y los suyos sin solución de continuidad; sin embargo, por primera vez, muchos españoles pudieron volver a abrazar a sus familiares sin temer ser tachados de sospechosos o sufrir un procedimiento judicial. La dictadura no cedió un ápice de su fuerza, ni de su terrible represión, pero las formas fueron suavizadas. En el mismo sentido cabe incluir la nueva ley electoral promulgada con fecha 12 de marzo de 1946. Por medio de ella se sancionaban las elecciones corporativas indirectas y se inauguraba el edificio completo del sistema que sustentaría al régimen hasta el fallecimiento de Franco: la democracia orgánica. Tan pomposo apelativo describe a un sistema que encubre a una dictadura de libro, empeñada en anunciar a los cuatro vientos que la suya era la verdadera democracia. Según los propagandistas del engendro político en cuestión, la democracia orgánica hacía que todos y cada uno de los españoles participaran en la vida política nacional por medio de lo que llamaban las "organizaciones naturales de la sociedad": el sindicato, el barrio o municipio, la familia... De esta forma, las opiniones de los ciudadanos trascendían a organismos superiores hasta llegar a la cúpula política del estado. Pero ahí no acababa todo, no. Aquella "democracia en estado puro" instaurada por Franco se permitía la desfachatez de organizar elecciones de cuando en cuando para la conformación de un parlamento cuyos integrantes eran escogidos por sufragio indirecto a través de las organizaciones sindicales, ayuntamientos y corporaciones. Las primeras elecciones municipales del franquismo se organizaron en 1948 presentando, además de las candidaturas del Movimiento, otras candidaturas "libres", por supuesto derechistas y conservadoras, pero oficialmente no participantes del movimiento. Para el caso de la elección de representantes de cabezas de familia en los ayuntamientos, que representaban un tercio del total del consistorio, se hacía uso del voto directo. Igualmente los pocos referéndums celebrados se organizaron mediante el voto directo, lográndose participaciones cercanas al 100% del electorado. La obsesión por la plena participación en las consultas electorales ha sido siempre una constante en los regímenes dictatoriales, que creen así estar más legitimados de cara al exterior, al haber obtenido el respaldo o la participación de todo el pueblo. Así se crea la inocente y penosa ficción de que el país entero se siente a gusto con el sistema, cuando en realidad es la propia policía y los esbirros del mismo quienes incitan a los ciudadanos a votar bajo la amenaza de graves sanciones o represalias en caso de abstención.

De esta manera tomaba forma, definitivamente, un régimen político que iba a acompañar la vida de los españoles durante casi cuarenta largos años de oprobio, graves restricciones de la libertad y mantenimiento de la vieja identidad de españoles de primera y de segunda. Un régimen nacido de la guerra civil, fiel a ella y a su filosofía de odio.

Que no vuelva a ocurrir.

Cronología

1936

17 de julio: Las tropas coloniales se sublevan en el Marruecos español.

18 de julio Franco se dirige a Marruecos. Azaña propone sin éxito la formación de un gobierno de concentración. Casares Quiroga dimite a favor de Martínez Barrio.

19 de julio: Martínez Barrio deja el poder en manos de José Giral, quien dio la orden de repartir las armas al pueblo.

20 de julio: Los sublevados son definitivamente reducidos por los milicianos en Madrid y Barcelona. José Sanjurjo muere en accidente de avión.

21 de julio: Nace el Comité Central de Milicias Antifascistas, en Barcelona.

24 de julio: Nace la Junta de Defensa Nacional o Junta de Burgos.

5 de agosto: Franco inicia la operación del paso del Estrecho.
10 de agosto: Mérida es ocupada por los nacionales.
11 de agosto: Mola acepta que sea Franco quien lleve las relaciones exteriores del bando nacional.
14 de agosto: Badajoz es ocupada por los nacionales.
15 de agosto: Franco recupera unilateralmente el himno monárquico y la bandera bicolor.
29 de agosto: La Junta de Defensa Nacional acepta el cambio de simbología impuesto por Franco.
3 de septiembre: Talavera de la Reina cae en manos de los nacionales.
4 de septiembre: Dimisión de Giral. Francisco Largo Caballero es proclamado nuevo presidente del gobierno.
9 de septiembre: Comienza en Londres la andadura del Comité de No Intervención.
12 de septiembre: Los nacionales ocupan San Sebastián.
21 de septiembre: Franco interrumpe el avance sobre Madrid para dirigirse a Toledo. En Salamanca se celebra una reunión por la que Franco fue nombrado Generalísimo de los ejércitos nacionales. Antes de aceptar, Franco exigirá la unión de la jefatura del estado a su nombramiento.
26 de septiembre: Disolución del Comité Central de Milicias Antifascistas de Cataluña y retorno del poder de la Generalitat con inclusión de miembros de la CNT.
27 de septiembre: Los nacionales conquistan Toledo.
28 de septiembre: Los militares aceptan adherir todos los poderes al cargo de Generalísimo.

1 de octubre: Franco acepta el cargo de Generalísimo, al que se ha adjuntado el de Jefe del Estado.
6 de octubre: El Consejo de Aragón es oficialmente reconocido por el gobierno republicano.
15 de octubre: Largo Caballero reorganiza el ejército y toma el mando sobre él.
28 de octubre: El oro del Banco de España es trasladado a la URSS.
4 de noviembre: Las fuerzas de Franco ya están a las puertas de Madrid.
6 de noviembre: El gobierno republicano se traslada a Valencia. Se constituye en Madrid la Junta de Defensa a las órdenes de Miaja.
8 de Noviembre: Los nacionales avanzan sobre los puentes del río Manzanares.
13 de noviembre: Comienzan los enfrentamientos en la Casa de Campo.
17 de noviembre: Se inicia la batalla de la Ciudad Universitaria.
18 de noviembre: Alemania e Italia reconocen al gobierno de Franco.
19 de noviembre: Durruti fallece defendiendo Madrid, víctima de fuego amigo.
20 de noviembre: José Antonio Primo de Rivera es fusilado en prisión.
23 de noviembre: Franco ordena el fin de los ataques frontales contra Madrid.

1937

6 de febrero: Se inicia la batalla del Jarama.
8 de febrero: Cae Málaga.

14 de febrero: El frente de Madrid vuelve a estabilizarse.
23 de febrero: Finaliza la batalla del Jarama.
8 de marzo: Se incia la batalla de Guadalajara.
21 de marzo: Fin de la batalla de Guadalajara. Franco desiste de atacar Madrid.
27 de marzo: Dimiten los ministros anarquistas de la *Generalitat*.
31 de marzo: Se inaugura la campaña del Norte.
18 de abril: Manuel Hedilla es nombrado jefe nacional de Falange en sustitución del fallecido José Antonio Primo de Rivera.
19 de abril: Decreto de Unificación. Nace Falange Española Tradicionalista de las Juntas de Ofensiva Nacional Sindicalista (FET de las JONS).
26 de abril: La Legión Cóndor bombardea Guernica.
3 de mayo: Las fuerzas del orden intentan hacerse con el edificio de la telefónica para el *Govern*; los milicianos anarquistas responden a tiros.
4 de mayo: Se inicia una guerra civil interrepublicana en Barcelona. El POUM y los milicianos anarquistas se enfrentan al *Govern* y los comunistas.
6 de mayo: La CNT se posiciona contra la situación caótica que vive Barcelona. Comienza a remitir la guerra interna.
8 de mayo: Llega a Barcelona un fuerte contingente policial con instrucciones de eliminar de raíz los desórdenes callejeros.
13 de mayo: Los comunistas solicitan la ilegalización del POUM. Largo Caballero se opone.
15 de mayo: Largo Caballero se ve obligado a dimitir al no lograr apoyos para un nuevo proyecto de gobierno.

17 de mayo: Negrín es investido nuevo presidente de gobierno de la república.
27 de mayo: El diario La Batalla, órgano de expresión del POUM, queda suspendido.
29 de mayo: Los republicanos bombardean un barco alemán.
30 de mayo: Como represalia, los alemanes bombardean la ciudad de Almería.
31 de mayo: El Ejército Vasco queda separado de las estructuras militares del Ejército del Norte.
1 de junio: Gámir Ulíbarri se convierte en el nuevo responsable militar del teatro vasco.
3 de junio: Mola muere en accidente de aviación.
8 de junio: Ataque republicano contra Huesca.
12 de junio: Ruptura del Cinturón de Hierro.
16 de junio: Detención de la cúpula del POUM.
17 de junio: El gobierno vasco decide entregar Bilbao sin lucha.
19 de junio: Los nacionales entran en Bilbao.
20 de junio: Asesinato de Andreu Nin.
1 de julio: Publicación de la Carta Colectiva del Episcopado Español.
6 de julio: Comienza la batalla de Brunete.
18 de julio: Los nacionales pasan al contraataque en el sector central.
25 de julio: Fin de la batalla de Brunete.
9 de agosto: Nacimiento del SIM.
10 de agosto: Decreto de disolución del Consejo de Aragón.
14 de agosto: Se inicia la ofensiva nacional sobre Cantabria.
16 de agosto: Cae Reinosa.
23 de agosto: Santander comienza a ser evacuado.

24 de agosto: Comienza la batalla de Belchite.
25 de agosto: Proclamación del Consejo Soberano de Asturias y León.
26 de agosto: Cae Santander en manos de los nacionales. Los gudaris se entregan a los italianos en Santoña.
5 de septiembre: Los nacionales toman Llanes, irrumpiendo así en el teatro asturiano.
6 de septiembre: Finaliza la batalla de Belchite.
11 de octubre: Los nacionales ocupan Cangas de Onís.
17 de octubre: Se inicia la evacuación de Asturias.
21 de octubre: Los nacionales entran en Gijón y Avilés.
31 de octubre: El gobierno republicano se traslada a Barcelona.
15 de diciembre: Se inicia el ataque republicano contra Teruel.
22 de diciembre: Los republicanos abren brecha en Teruel.
24 de diciembre: Contraataque nacional sobre Teruel.

1938

8 de enero: Los republicanos conquistan Teruel.
30 de enero: Primer gobierno de Franco.
22 de febrero: Los nacionales reconquistan Teruel.
9 de marzo: Se inicia la gran ofensiva nacional en dirección al Mediterráneo.
10 de marzo: Promulgación del Fuero del Trabajo.
3 de abril: Los nacionales ocupan Gandesa y Lérida.
5 de abril: Prieto es apartado de la cartera de Defensa.

15 de abril: Los nacionales llegan al Mediterráneo por Vinaroz, partiendo en dos a la república.
22 de agosto: Franco promulga la Ley de Prensa.
1 de mayo: Se presentan los Trece Puntos del nuevo gobierno Negrín.
11 de mayo: Portugal reconoce a la España nacional.
15 de junio: Los nacionales ocupan Castellón.
25 de julio: Se inicia la batalla del Ebro.
30 de julio: La ofensiva republicana se estanca en Gandesa.
1 de agosto: El ejército republicano pasa a la defensiva.
20 de agosto: Se inicia la ofensiva nacional en el Ebro.
3 de septiembre: Ofensiva sobre el frente de Gandesa.
21 de septiembre: Negrín anuncia la retirada de las Brigadas Internacionales en la sede de la Sociedad de Naciones.
28 de octubre: Retirada de las Brigadas Internacionales.
4 de noviembre: La feroz defensa republicana en el Ebro se agrieta. Los nacionales avanzan con más facilidad.
7 de noviembre: Los nacionales toman Mora de Ebro.
15 de noviembre: Fin de la batalla del Ebro.
23 de diciembre: Se inicia la ofensiva contra Cataluña.

1939

15 de enero: Los nacionales ocupan Tarragona.
16 de enero: El gobierno republicano decreta una leva masiva.

25 de enero: Los nacionales llegan a Manresa y Badalona. El gobierno republicano se traslada a Gerona.
26 de enero: Los nacionales entran en Barcelona.
5 de febrero: Azaña, Martínez Barrio, Giral, Companys y Aguirre escapan al exilio.
8 de febrero: Negrín y Rojo escapan al exilio.
10 de febrero: Negrín retorna a España dispuesto a seguir la lucha.
13 de febrero: Publicación de la Ley de Responsabilidades Políticas.
26 de febrero: Francia y el Reino Unido reconocen a la España nacional.
2 de marzo: Azaña presenta su dimisión, entregando el cargo de presidente de la república a Diego Martínez Barrio.
5 de marzo: Negrín nombra mandos militares comunistas.
5 de marzo: Golpe de Casado y constitución del Consejo Nacional de Defensa.
6 de marzo: Guerra civil interna en Madrid entre comunistas y casadistas.
12 de marzo: Victoria de los casadistas en Madrid.
22 de marzo: El Consejo Nacional de Defensa capitula ante Franco.
26 de marzo: Los nacionales inician el avance sobre Madrid.
28 de marzo: Ocupación de Madrid.
1 de abril: Conquista de Alicante y Murcia, últimos reductos republicanos. Fin de la guerra civil.

Bibliografía

BEEVOR, Anthony. *La guerra civil española*. Barcelona: Crítica, 2005.

BERNECKER, Walter L. *Colectividades y revolución social: El anarquismo en la guerra civil española, 1936-1939*. Barcelona: Crítica, 1982.

BLINKHORN, Martin. *Carlismo y contrarrevolución en España, 1931-1939*. Barcelona: Crítica, 1939.

CORRAL, Pedro. *Si me quieres escribir. Gloria y castigo de la 84ª Brigada Mixta del Ejército Popular.* Barcelona: Debate, 2004.

FUENTES, Juan Francisco. *Largo Caballero, el Lenin español*. Madrid: Síntesis, 2005.

GALLEGO, Ferrán. *Barcelona, mayo de 1937*. Barcelona: Debate, 2007.

GRAHAM, Helen. *El PSOE en la guerra civil: poder, crisis y derrota (1936-1939)*. Barcelona: Debate, 2005.

GRANJA SAINZ, Jose Luis de la. *República y guerra civil en Euskadi: del pacto de San Sebastián al de Santoña*. Oñate: Instituto Vasco de Administración Pública, 1990.

JACKSON, Gabriel. *La república española y la guerra civil*. Barcelona: Crítica, 1999.

MIRALLES, Ricardo. *Juan Negrín: la república en guerra*. Madrid: Temas de hoy, 2003.

MORADIELLOS, Enrique. *El reñidero de Europa: las dimensiones internacionales de la guerra civil española*. Barcelona: Península, 2001.

MUELA, Manuel. *Azaña estadista*. Madrid: Biblioteca Nueva, 2000.

PAYNE, Stanley G. *El colapso de la república: los orígenes de la guerra civil*. Madrid: La Esfera de los Libros, 2005.

PRESTON, Paul. *Franco. Caudillo de España*. Barcelona: Grijalbo, 2002.

---. *La guerra civil española*. Madrid: Debate, 2006.

REVERTE, Jorge M. *La batalla de Madrid*. Barcelona: Crítica, 2004.

---. *La batalla del Ebro*. Barcelona: Crítica, 2003.

RODRIGO, Javier. *Cautivos. Campos de concentración en la España franquista, 1936-1947*. Barcelona: Crítica, 2005.

RUEDA, Andrés. *Vengo a salvar a España. Biografía de un Franco desconocido*. Madrid: Nowtilus, 2005.

RYBALKIN, Yuri. *Stalin y España: la ayuda militar soviética a la república*. Madrid: Marcial Pons, 2007. SOLANO, Wilebaldo. *El POUM en la historia: Andreu Nin y la revolución española*. Madrid: Los Libros de la Catarata, 1999.

THOMÀS, Joan Maria. *Lo que fue la Falange*. Barcelona: Plaza & Janés, 1999.
TUSELL, Javier. *La dictadura de Franco*. Madrid: Taurus, 2007.

FILMOGRAFÍA

LOACH, Ken (dir). *Tierra y libertad*. Barcelona: Cameo Media, 2004.
GAMERO, Juan (dir). *Vivir la utopía*. Madrid: RTVE, 1997.
CERVERA, Pascual (dir). *España en guerra*. RTVE, 1987.

APÉNDICES

Gloriosos héroes de la magna cruza
18 de julio
D. J. Calvo Sotelo
Gral Queipo de Llano
Gral Cabanellas
Gral Franco
Gral Goded
Gral Varela
Cnel Moscardó
Gral Aranda

Imagen que muestra un elemento propagandístico
que fue distribuido por toda España después de la guerra, para
asentar el régimen y honrar a los héroes del panteón franquista

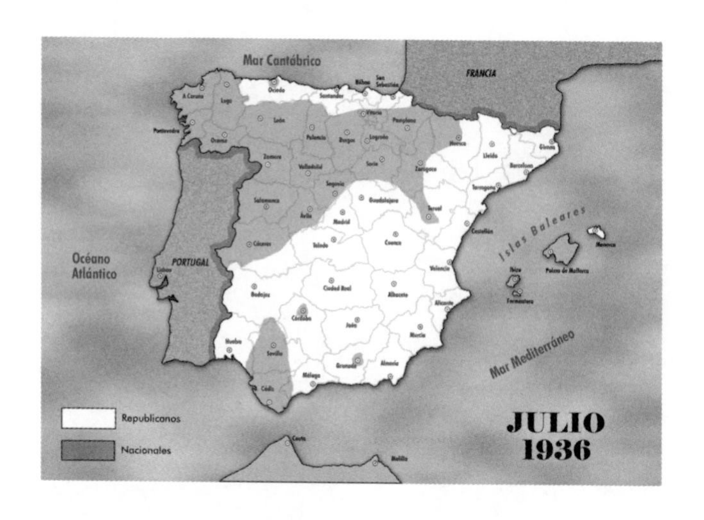
Mar Cantábrico
FRANCIA
Océano
Atlántico
PORTUGAL
Islas Baleares
Mar Mediterráneo
Republicanos
Nacionales
JULIO
1936

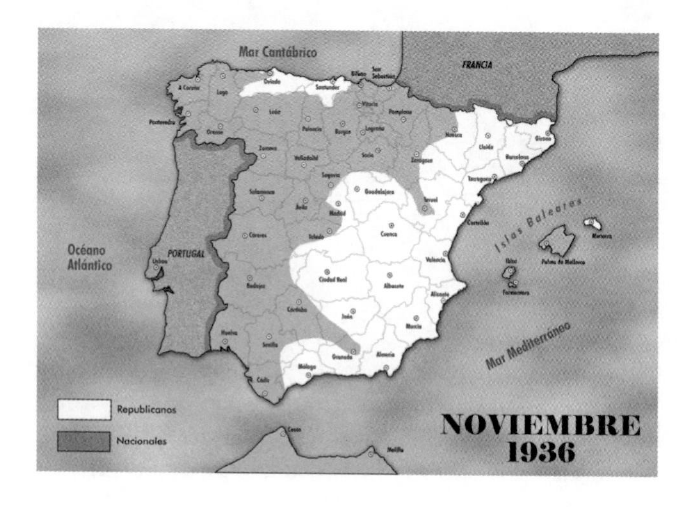
Mar Cantábrico
FRANCIA
Océano
Atlántico
PORTUGAL
Islas Baleares
Mar Mediterráneo
Republicanos
Nacionales
NOVIEMBRE
1936

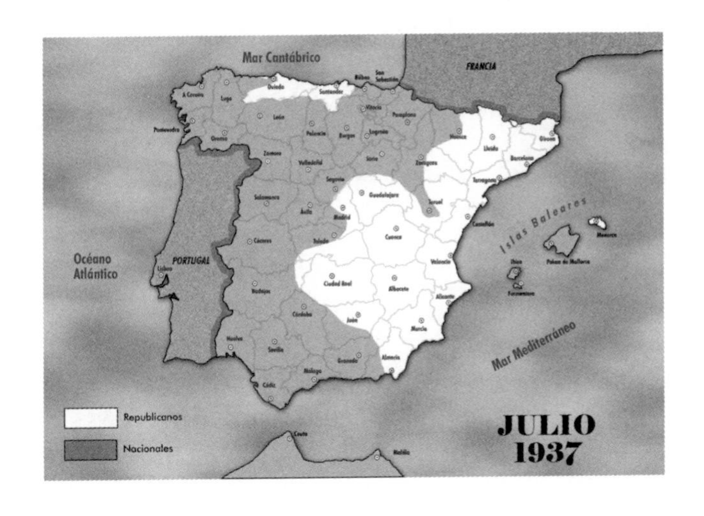
Mar Cantábrico
FRANCIA
Océano
Atlántico
PORTUGAL
Islas Baleares
Mar Mediterráneo
Republicanos
Nacionales
JULIO
1937

Mar Cantábrico
FRANCIA
Océano
Atlántico
PORTUGAL
Islas Baleares
Mar Mediterráneo
Republicanos
Nacionales
OCTUBRE
1937

Mar Cantábrico
FRANCIA
Océano
Atlántico
PORTUGAL
Islas Baleares
Mar Mediterráneo
Republicanos
Nacionales
ABRIL
1938

Mar Cantábrico
FRANCIA
Océano
Atlántico
PORTUGAL
Islas Baleares
Mar Mediterráneo
Republicanos
Nacionales
AGOSTO
1938

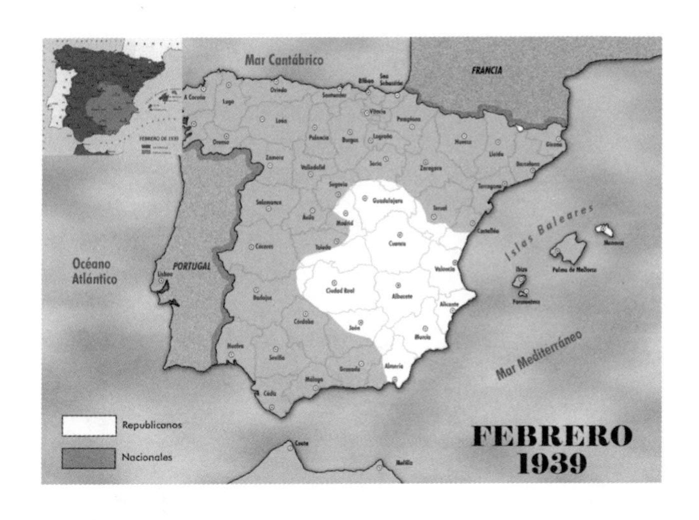
Mar Cantábrico
FRANCIA
Océano
Atlántico
PORTUGAL
Islas Baleares
Mar Mediterráneo
Republicanos
Nacionales
FEBRERO
1939

Mar Cantábrico
FRANCIA
Océano
Atlántico
PORTUGAL
Islas Baleares
Mar Mediterráneo
Republicanos
Nacionales
ABRIL
1939

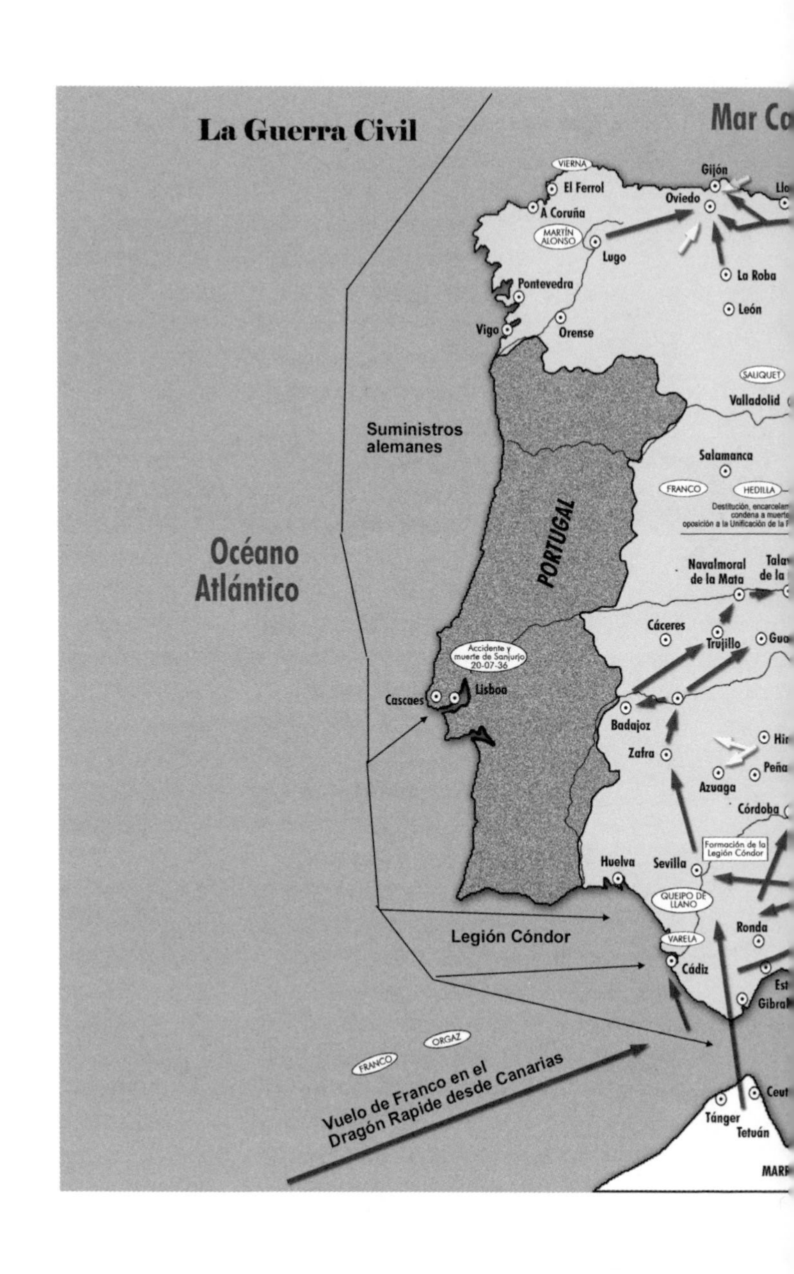

La Guerra Civil
VIERNA
El Ferrol
A Coruña
MARTÍN ALONSO
Lugo
Gijón
Oviedo
La Roba
León
Pontevedra
Vigo
Orense
SALIQUET
Valladolid
Suministros alemanes
Salamanca
FRANCO
HEDILLA
PORTUGAL
Océano Atlántico
Navalmoral de la Mata
Cáceres
Trujillo
Accidente y muerte de Sanjurjo 20-07-36
Cascaes
Lisboa
Badajoz
Zafra
Azuaga
Córdoba
Formación de la Legión Cóndor
Huelva
Sevilla
QUEIPO DE LLANO
Legión Cóndor
Ronda
VARELA
Cádiz
ORGAZ
FRANCO
Vuelo de Franco en el Dragón Rapide desde Canarias
Tánger
Tetuán

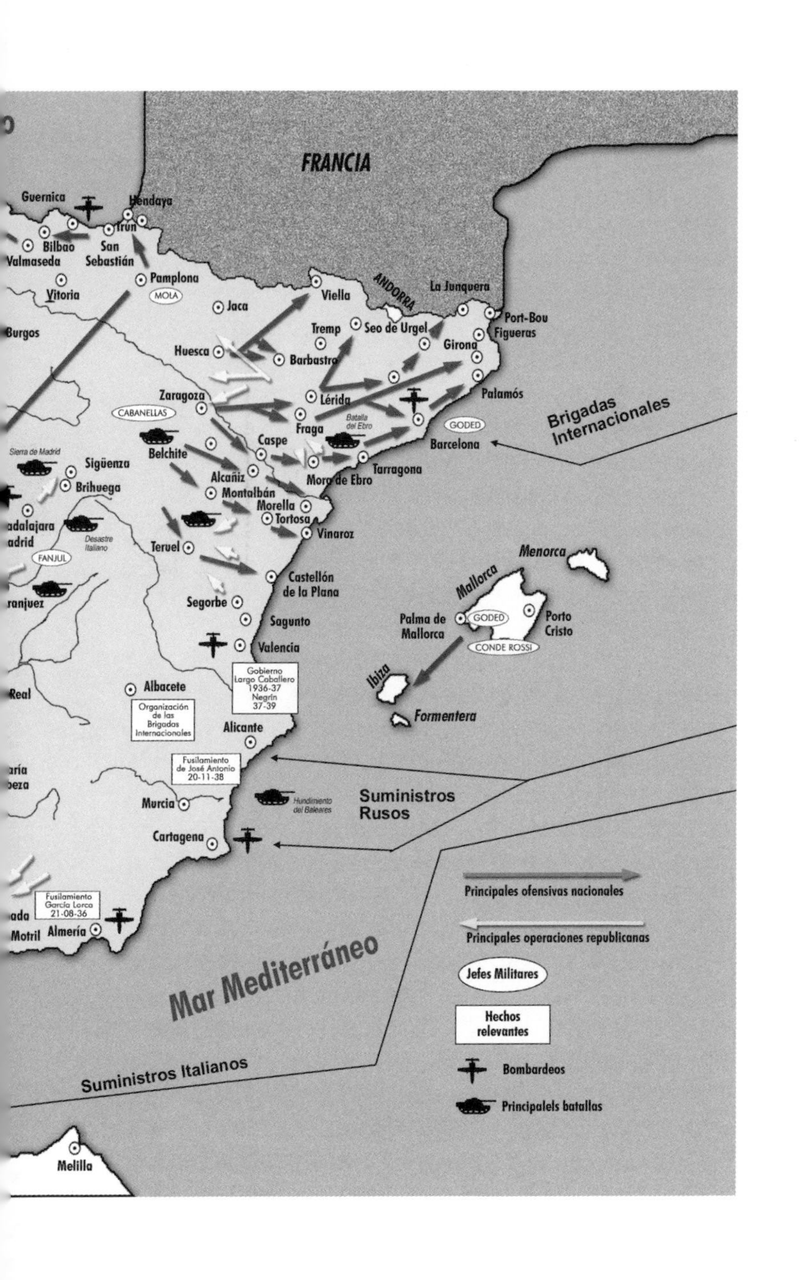
FRANCIA
ANDORRA
Guernica
Hendaya
Irún
Bilbao
San Sebastián
Valmaseda
Pamplona
MOLA
Vitoria
Jaca
Viella
La Junquera
Port-Bou
Figueras
Tremp
Seo de Urgel
Girona
Burgos
Huesca
Barbastro
Zaragoza
Lérida
Palamós
CABANELLAS
Fraga
Batalla del Ebro
GODED
Barcelona
Brigadas Internacionales
Caspe
Belchite
Sierra de Madrid
Sigüenza
Brihuega
Alcañiz
Mora de Ebro
Tarragona
Montalbán
Morella
Tortosa
Vinaroz
Desastre Italiano
Teruel
FANJUL
Menorca
Mallorca
Castellón de la Plana
Segorbe
Sagunto
Palma de Mallorca
GODED
Porto Cristo
CONDE ROSSI
Valencia
Gobierno Largo Caballero 1936-37 Negrín 37-39
Ibiza
Albacete
Organización de las Brigadas Internacionales
Formentera
Alicante
Fusilamiento de José Antonio 20-11-38
Murcia
Hundimiento del Baleares
Suministros Rusos
Cartagena
Principales ofensivas nacionales
Fusilamiento García Lorca 21-08-36
Principales operaciones republicanas
Motril
Almería
Mar Mediterráneo
Jefes Militares
Hechos relevantes
Bombardeos
Suministros Italianos
Principalels batallas
Melilla